SENDEROS LITERARIOS ESPAÑOLES

Lecturas y lecciones para el segundo año universitario

BY

H. L. BALLEW

PROFESSOR OF SPANISH
THE UNIVERSITY OF MISSISSIPPI

THE MACMILLAN COMPANY
COLLIER–MACMILLAN LIMITED · *LONDON*

RAMÓN PÉREZ DE AYALA

1880–1962

Library of Congress catalog card number: 65–15592

THE MACMILLAN COMPANY
COLLIER-MACMILLAN CANADA, LTD., TORONTO, ONTARIO

PRINTED IN THE UNITED STATES OF AMERICA

printing number
6 7 8 9 10

PREFACE

The aim of *Senderos literarios españoles* is to introduce the intermediate student to a variety of Spanish prose selections, arranged in such a way that he may derive from them some notions about the extent and qualities of the treasures of Spanish literature. I am convinced of the good aims and useful purposes to which such a book as *Senderos* can be put. I am aware, on the other hand, of the distance that lies between these selections, prepared for assignments and daily testing, and the splendid anthologies of Spanish literature that already exist. In fact, it should be clear that no book that omits all mention of Pardo Bazán, Pereda, Blasco Ibánez, and other writers of the first rank can make serious claims to being an anthology of Spanish prose.

Because the introductory comments about the selections are in Spanish, and because *preguntas* and *ejercicios* are supplied for each lesson, I hope that users of *Senderos literarios españoles* will find that the entire class period can be conducted in the Spanish language, if it is desired. Such, indeed, was one of the primary aims of the book. Also, one of the considerations was to find selections that might appeal to the mature student of the 1960's.

The selections of Alfonso el Sabio and several others are presented in modernized versions; the importance of the authors and the nature of the selections themselves seemed to justify such treatment, and no irreverence toward the originals was intended.

It is a pleasure to acknowledge my reliance on the various histories of Spanish literature, and I wish to name especially the admirable *Historia de la literatura española* by Romera-Navarro and the *Diccionario de la literatura* by F. C. Sainz de Robles. I have frequently referred to the biographical and critical material in *The Generation of 1898 and After* by Patt and Nozick, to the biographical and introductory material in *Veinte cuentos españoles del siglo XX* by Anderson-Imbert and Kiddle, and *A Brief Survey of Spanish Literature* by Adams and Keller.

I am grateful to Andrew Sullivan for his work on the end vocabulary and to Consuelo and Stella Teichert for their patient readings and criticism of the manuscript. I am indebted to Warren Hampton of the University of Mississippi for the introductory comments on Cela, and to Mae and Richard Ballew, *esos cautivos del hispanismo*, for many thoughtful boosts along the way.

H. L. BALLEW

University, Mississippi

CONTENTS

ALFONSO X, EL SABIO[1] 1221-1284

SU PADRE, Fernando III, dedicó su alma y espada a la reconquista de[2] la tierra española que se hallaba en poder de los moros. El hijo, rey de Castilla y León desde 1252 hasta 1284, se dedicó a la reflexión, a las ciencias y a la poesía. La nobleza[3] le desdeñó,[4] fomentando[5] rebeliones contra el trono que recibieron el apoyo[6] de sus hermanos y de su propio hijo. Repetidamente fracasaron[7] los proyectos[8] políticos del desdichado[9] monarca. Nunca hubo un rey con mejores intenciones, y con vasallos tan desleales como los suyos. El benigno Alfonso perdona todo. Sus conquistas son las del intelecto, las del espíritu. Su sueño es que sea España la nación más culta[10] de Europa.

Atrajo[11] a su corte sabios y maestros renombrados, sin fijarse en[12] que fuesen cristianos, judíos o moros. Fundó[13] centros de estudio en Sevilla, Murcia y Toledo. En colaboración con los sabios bajo su protección, Alfonso llevó a cabo[14] grandes empresas[15] culturales y sociales, tanto[16] en el campo de la astronomía y el derecho,[17] como en el de la historia y la literatura. A Alfonso se debe[18] que la mayor parte de estos libros estuvieran compuestos en el idioma vulgar,[19] dando maravilloso ímpetu y autoridad al uso del castellano que, hasta allí, se había considerado indigno[20] de expresar pensamientos serios, elegantes, o nobles.

Entre la vasta producción de Alfonso se ofrecen aquí solamente breves trozos de dos obras: Las siete partidas[21] y Cantigas[22] de Santa María. La primera es una compilación de leyes[23] que, aparte de la singular importancia que merece como enciclopedia jurídica, es asimismo[24] como un espejo[25] en que podemos ver, siglos después, las reflexiones de la sociedad medieval.

Las Cantigas de Santa María es una colección de más de cuatrocientos poemas y canciones escritos en lengua gallega.[26] Cada poema relata un

[1] wise, learned
[2] a . . . de to recapturing
[3] (los nobles)
[4] disdained
[5] (incitando)
[6] support
[7] failed
[8] (planes)
[9] (desafortunado)
[10] cultured, learned
[11] he attracted
[12] sin fijarse en without regard to whether
[13] (estableció)
[14] llevó a cabo carried out
[15] projects
[16] tanto . . . como both . . . and
[17] law
[18] se debe it is due
[19] el idioma vulgar the vulgar tongue (Spanish) as opposed to Latin
[20] unworthy
[21] (divisiones)
[22] (poemas antiguos con acompañamiento de música)
[23] (derecho)
[24] (también)
[25] mirror
[26] Galician

milagro [27] en que figura la Virgen. En estas apariciones [28] amonesta o castiga [29] según lo merecido [30]; o premia [31] y ayuda a quienes la quieren y sirven bien.

En las selecciones presentadas, el castellano antiguo ha sido modernizado en Las partidas; en las Cantigas, algunas líneas que se han conservado en gallego indicarán la forma y estilo del original.

[27] miracle
[28] appearances
[29] **amonesta o castiga** she admonishes or punishes

[30] **lo merecido** what is deserved
[31] rewards

Las siete partidas

SÉPTIMA PARTIDA. TÍTULO X. LEY VI

Cómo serán juzgados [1] *los que vienen a juicio* [2] *con hombres armados*

Hombres poderosos [3] tienen pleitos,[4] y peticiones, a veces, contra otros que son pobres y humildes, y los pobres también contra los poderosos; y acaece [5] que aquellos que pueden más,[6] para hacer que los otros pierdan sus derechos,[7] vienen ante los jueces que los han de juzgar, con hombres armados y amenazan [8] en secreto, diciendo 5 que aquellos que los hagan perder algo verán las consecuencias, o dicen otras palabras soberbias [9] semejantes, y hacen de esta manera que otros pierdan sus derechos, porque los testigos [10] no osan [11] decir su testimonio contra ellos por miedo, o porque los abogados no se atreven a razonar [12] los pleitos tan diligentemente como deben; o 10 porque los jueces se recelan de dar [13] la sentencia contra ellos. Por lo cual decimos, que los que hagan esto caerán en igual delito [14] como si estuvieran tomando con armas o por fuerza estas cosas de los pobres.

SÉPTIMA PARTIDA. TÍTULO XV. LEY XXVII

Cómo los barberos deben cortar y afeitar [15] *en lugares apartados*

Los barberos deben afeitar y cortar el pelo a los hombres en lugares apartados, y no en las plazas, ni en las calles donde anda la gente, 15 para que no reciban daño, por alguna ocasión,[16] aquellos a quienes afeiten. Pero decimos que si alguno empujase [17] el barbero adrede,[18] mientras que tuviese en las manos algún hombre, o le golpease [19] las manos con alguna cosa, de modo que el barbero matase, o hiriese,[20] o hiciese algún daño [21] o mal al que afeitase, ése, que tiene la culpa, 20 ha de hacer enmienda del daño,[22] y de recibir castigo del mismo modo como si él lo hubiera hecho; mas si la herida o la muerte resultase

[1] judged
[2] court
[3] powerful, influential
[4] lawsuits
[5] (sucede; pasa)
[6] pueden más (tienen más poder)
[7] rights
[8] threaten
[9] (arrogantes)
[10] witnesses
[11] dare
[12] argue out

[13] se . . . dar   hesitate to give
[14] caerán . . . delito   will be breaking the law the same
[15] shave
[16] chance
[17] should push
[18] on purpose
[19] strike
[20] wound
[21] injury
[22] ha . . . daño   has to make restitution for the damage

de un accidente, entonces debe hacer enmienda del daño aquél por cuya culpa nació el acto, como mandan las leyes de este título.[23] Y si acaso el barbero tuviese la culpa del daño, o de la muerte, estando borracho cuando afeitaba, o sangraba[24] a alguno, o se metiese en 5 ello[25] sin saber hacerlo, entonces debe ser castigado según la voluntad y criterio del juez.

Cantigas de Santa María

CUENTO DEL HEROICO PONTÍFICE

El Papa León tenía la fama de ser un hombre de mucha virtud. Todos sus bienes[1] los repartía[2] entre los pobres. Sus palabras consoladoras jamás faltaban[3] a los que las necesitaran. Sus consejos 10 salvaron de las tinieblas[4] a muchos espíritus.[5] Precisamente[6] por eso el diablo tenía grandes deseos de tentarle,[7] para ganar dominio sobre aquella alma grande. Y para llevar a cabo sus propósitos se valió de[8] la hermosura incomparable de una noble y deshonesta dama que vivía en Roma. Por demoníacas instigaciones,[9] esta mujer empezó a visitar 15 con mucha frecuencia al santo pontífice; le entregó limosnas[10] para los pobres, regalos[11] para el templo. Sinceramente, el Papa León llegó a tener predilección[12] por aquella dama que se mostraba tan generosa y cuya hermosura era un regalo para los ojos.

Una vez, estando los dos a solas,[13] cuando la infame mujer creyó 20 haber llegado el momento oportuno, aprovechándose de entregar[14] al pontífice unos obsequios,[11] le besó la mano con un beso largo y de fuego. Se quedó extrañamente turbado[15] León. Huyó[16] la mujer con una sonrisa[17] maliciosa. Pero la Santísima Virgen, de quien el Papa era sumamente devoto, se apiadó[18] del emocionado hombre y 25 le hizo reaccionar dignamente. Inflexible para consigo,[19] mandó llamar

---

---

[1] wealth, property
[2] (distribuía)
[3] jamás faltaban   were never denied
[4] hell
[5] (almas)
[6] (exactamente)
[7] to tempt him
[8] se valió de   made use of
[9] por demoníacas instigaciones   led on
    by the Devil
[10] alms

[11] gifts
[12] a liking
[13] alone
[14] aprovechándose de entregar   using
    the occasion when handing over
[15] upset
[16] fled
[17] smile
[18] (tuvo lástima)
[19] para consigo   toward himself

a un verdugo [20] y le mandó que de un solo golpe de hacha [21] le cortara
la mano que había recibido el beso impúdico.[22]
Desapareció la cortada mano. Pero ahora, faltándole la mano le
era difícil ofrecer los sacramentos y decir la misa [23]:

> Pois que ouu' a mão corta, 5
> non podia iá dizer
> missa de Santa María . . .[24]

y rogó [25] a la Virgen que le diese algún poder que le permitiese
cumplir con [26] sus obligaciones. Poco después, la Virgen se le manifestó al Papa León en un sueño, más hermosa que nunca; y le parecía 10
que ella se acercó y con dulce compasión le untó [27] el brazo con un
ungüento oloroso.[28] Al despertar notó con asombro que la mano
cortada de su brazo estaba sana y en su lugar.

> . . . et pósse-l' a sua mão
> ben firme en seu logar.[29] 15

PREGUNTAS

1. ¿Qué traían algunos cuando venían ante el juez?
2. ¿Qué pierden así los pobres?
3. ¿Qué es lo que no pueden dar los testigos?
4. ¿Qué es lo que no pueden hacer los abogados?
5. El juez no tiene miedo, ¿verdad?
6. ¿A quiénes les da protección esta ley?
7. ¿Dónde deben trabajar los barberos?
8. ¿Qué puede pasar si el barbero trabaja en la calle?
9. ¿Quién tendría la culpa si le golpeasen la mano? ¿El barbero?
10. El barbero de aquella época podía cortar, afeitar y _____.
11. ¿Qué fama tenía el Papa León?
12. ¿Qué cosas hacía por los pobres?
13. ¿Cómo había ofendido al diablo?

[20] executioner
[21] axe
[22] (inmodesto; malo)
[23] mass
[24] pois . . . Santa María after he had his hand cut off he was no longer able to say Mass to the Virgin Mary
[25] prayed
[26] cumplir con to fulfill
[27] greased
[28] ungüento oloroso fragrant salve
[29] and he had his hand quite firm in its place

14. ¿Por qué quiere tentarle el diablo?
15. ¿De quién se valió el diablo?
16. ¿Qué hizo la mala mujer al entregar al pontífice unos obsequios?
17. ¿Por qué llamó al verdugo el Papa?
18. El Papa León estaba triste después de perder la mano. ¿Por qué?
19. ¿Cómo se le manifestó la Virgen?
20. ¿Qué hizo la Virgen mientras que dormía el Papa?

EJERCICIOS

I. *Dé los infinitivos de:*

se debe   desdeñó   empujase   fomentaron   fracasaron
golpease   hiciese   hiriese   salvaron   sangraba

II. *Termine las frases con la palabra indicada:*

a. Si quiero que alguien me corte el pelo, voy al _____ (*barber*).
b. Muchos se presentan ante el juez con peticiones y _____ (*lawsuits*).
c. El juez escucha _____ (*the witnesses*) y al fin da _____ (*the sentence*).
d. Se le cortó la mano al Papa con un solo _____ (*blow*) de _____ (*the axe*).
e. Faltándole la mano, no podía _____ (*to say mass*).
f. La Virgen _____ (*appeared to him*) en un sueño.
g. El barbero no debe afeitar a nadie estando _____ (*drunk*).
h. Algunos no se atreven a dar _____ (*their testimony*).
i. No tenía la culpa del _____ (*offense*).
j. _____ (*on awaking*) la mano estaba en su lugar.

III. *Diga rápidamente, cambiando al castellano las palabras entre paréntesis:*

a. el hacha y el verdugo (*the hangman*)
b. las almas y _____ (*the spirits*)
c. el juez y _____ (*the lawyers*)
d. las calles y _____ (*the squares*)
e. sus palabras y _____ (*his advice*)
f. el papa y _____ (*the pontiff*)
g. la misa y _____ (*the sacraments*)

h. los regalos y _____ (*the alms*)
i. la mano y _____ (*the arm*)
j. las heridas y _____ (*the blows*)

IV. *Traduzca al español:*

a. The barber is not to blame if they should push him.
b. Armed men threaten the poor people.
c. Those men will be punished as the judge sees fit.
d. The barber ought not to shave men in the streets.
e. The woman began to visit him very frequently.
f. The devil used (*valerse de*) a woman to tempt him.
g. The malicious woman thought the opportunity had arrived.
h. The Holy Virgin, more beautiful than ever, drew near.
i. His advice and his consoling words saved many souls.
j. The woman fled after kissing (*besarle*) his hand.

EL INFANTE DON JUAN MANUEL
1282-1349?

UNO DE LOS ESCRITORES más interesantes de la Edad Media[1] fué este príncipe, nieto[2] de Fernando III «el Santo», y sobrino[3] de Alfonso X «el Sabio.» Altivo pariente[4] de reyes, luchó al lado de los moros en su juventud, disfrutó de[5] un inmenso poder político y se casó tres veces; ha sido descrito por sus biógrafos como un príncipe de mal genio[6] y un esposo desleal.[7]

Dado[8] al estudio de la historia, autor de cuentos, crónicas,[9] poesía y otras obras didácticas,[10] el Infante hizo todo lo que pudo para asegurarse[11] una reputación eterna en las letras. Sin embargo, El conde Lucanor, una colección de cuentos, es la única obra suya que ha mantenido interés y popularidad a través de[12] los siglos.

Aunque los 51 cuentos que componen El conde Lucanor no son creaciones propiamente suyas sino cuentos de origen árabe y oriental traducidos y arreglados[13] por el Infante, debemos recordar que El conde Lucanor precede al famoso Decamerón de Boccaccio por 13 años, y que el Infante, dotado del[14] espíritu y de la perspectiva del verdadero artista, fué el primer cuentista[15] español.

El plan de la obra es sencillo. El conde Lucanor, modelo de rectitud y sobriedad,[16] buscando soluciones para sus problemas y dudas, los lleva, uno tras otro, a su fiel consejero,[17] Patronio. Éste, en vez de dar respuestas[18] directas, tiene siempre un cuento divertido[19] en el que hace evidente su opinión y modo[20] de pensar.

---

[1] Middle Ages
[2] grandson
[3] nephew
[4] **altivo pariente**   proud relative
[5] **disfrutó de**   enjoyed
[6] **de mal genio**   bad tempered
[7] unfaithful
[8] (dar–dado)
[9] chronicles
[10] **(obras que enseñan, dan instrucción)**

[11] assure for himself
[12] **a través de**   across, through
[13] arranged
[14] **dotado del**   endowed with
[15] **(persona que escribe cuentos)**
[16] **(moderación)**
[17] counselor
[18] replies
[19] amusing
[20] (manera)

El conde Lucanor

DE LO QUE ACONTECIÓ A UN DEÁN DE SANTIAGO
CON DON ILLÁN, EL GRAN MAESTRO DE TOLEDO

Otro día hablaba el conde Lucanor con Patronio, su consejero, y le dijo: «Patronio, un hombre vino a verme que quería que yo le ayudase en algo, prometiéndome que haría por mí cualquier cosa que yo necesitara; y yo comencé a darle la ayuda que tanto deseaba; y antes que el pleito suyo fuese acabado, creyendo él que ya se había 5 resuelto,[1] pasó que había una cosa que yo necesitaba de él; y cuando se lo pedí a él, se excusó [2]; y después había otra cosa, y otra vez me negó [3]; y así varias veces. Y por la confianza que tengo en vuestro entendimiento,[4] y porque el pleito de él no se librará [5] si yo no lo quisiera, ruego que me digáis lo que deba hacer en esto.» 10

«Señor conde», dijo Patronio, «para que vos [6] hagáis en esto lo que debéis, yo quisiera contar lo que aconteció [7] a un deán de Santiago con don Illán, el gran mágico que moraba [8] en Toledo.»

Había en Santiago un deán que quería saber el arte de nigromancia,[9] y oyó decir [10] que don Illán de Toledo sabía más que cualquier otro de 15 su tiempo. Y partió [11] a Toledo para aprender esa ciencia. Llegó, fué a su casa, y don Illán le recibió muy bien, y le dió de entender que su llegada le era muy grata.[12]

Y después de haber comido, y quedando ellos solos, el deán le dijo el motivo de su viaje y le rogó que le enseñase esa ciencia que tanto 20 quería aprender.

Don Illán le respondió que ya era deán, y hombre de mucha importancia y que le era posible tener, en el futuro, dignidades y puestos [13] muy altos, pero tales hombres frecuentemente son los que olvidan lo que otros han hecho por ellos; y por eso se recelaba de [14] enseñarle 25 lo que quería saber. Pero el deán le aseguró que siempre tendría de él cualquier cosa que le pidiese y que nunca haría una cosa que el

---

[1] settled
[2] he refused
[3] he denied
[4] judgment, understanding
[5] se librará   be finalized
[6] vos *when used as a personal pronoun will be seen frequently in the texts that follow. Although the form is now almost obsolete, it is still used to address the Deity and the saints. It may be translated as "you" or "ye" and may refer to one person or more. It always requires the second person plural of the verb.*
[7] befell
[8] (vivía)
[9] sorcery
[10] oyó decir   had heard it said
[11] (se puso en camino)
[12] pleasing
[13] dignidades y puestos (honores y oficios)
[14] se recelaba de   feared; hesitated

mágico no mandase. Y así hablaban hasta la hora de cenar. Y después de haber llegado a un acuerdo, don Illán le dijo que esa ciencia no se podía aprender sino en lugar muy apartado; y por eso quería mostrarle donde iban a estudiar. Y llamando a una sirvienta,
5 le dijo a ella que iban a comer perdices [15] esa noche, pero que no las pusiese a asar [16] hasta que él se lo mandase.

Después, los dos entraron por una escalera [17] de piedra, y fueron descendiendo largo rato, tanto que parecía que el río Tajo pasaba por encima de [18] ellos. Al cabo de la escalera había una posada,[19] y en la
10 posada una cámara [20] con los libros en que iban a leer. Allí se sentaron y se pusieron a considerar la manera de empezar.

Y estando ellos así, entraron dos hombres y le dieron al deán una carta. La carta, enviada [21] del arzobispo, su tío, le hizo saber que estaba muy enfermo, y le rogó que se fuese luego [22] si quisiese verlo
15 vivo. El deán, aunque triste por la enfermedad de su tío, no quería abandonar el estudio que había comenzado, y escribió sus cartas de respuesta y las envió al arzobispo, su tío. Y dentro de tres o cuatro días llegaron otros hombres con cartas diciendo que su tío había muerto. Y a cabo de siete u ocho días vinieron dos escuderos [23] muy
20 bien vestidos, y llegando al deán le besaron la mano y le mostraron cartas que dijeron que le habían elegido [24] por arzobispo. Don Illán le felicitó [25] por noticias tan buenas, y le pidió que le diese a un hijo suyo el deanazgo [26] que quedó vacante. Le respondió el electo [27] que quisiera dar el deanazgo a su hermano; pero le rogó que viniese a
25 Santiago con su hijo, y allí buscaría la manera de pagarle. Esto le pareció bien a don Illán y a poco los tres partieron, y fueron recibidos muy bien en Santiago y con mucha cortesía.

Y después de vivir allí un tiempo, llegaron mensajeros del papa con cartas en que se le dió el obispado [28] de Tolosa, con permiso de
30 dar el arzobispado a quien quisiese. Cuando don Illán oyó esto, habló con el arzobispo, recordándole sus promesas y lo que había acaecido antes, y le pidió ahincadamente [29] que diese el arzobispado a su hijo. Pero el arzobispo le respondió que prefiriese darlo a un tío suyo, hermano de su padre. Y don Illán, que bien entendió el agravio [30]

---

[15] partridges
[16] to roast
[17] stairway
[18] **por encima de**   above, over
[19] dwelling place
[20] (**cuarto, habitación**)
[21] sent
[22] (**pronto**)

[23] pages, squires
[24] elected
[25] congratulated
[26] deanship
[27] the archbishop elect
[28] bishopric
[29] most insistently
[30] wrong

que le hacía, consintió en ello con tal que se lo enmendara [31] más tarde. El arzobispo le prometió hacerlo sin falta, y le persuadió que viniese con su hijo a Tolosa. Y al llegar a Tolosa fueron recibidos por condes, y por cuantos hombres buenos [32] que había en la tierra.

Y después de haber vivido allí dos años llegaron mensajeros del 5 papa con otras cartas que le nombraron cardenal; y el papa le dió permiso de entregar el obispado de Tolosa a quien quisiese. Don Illán luego se presentó ante él, y le recordó las veces que había faltado a su palabra, y le dijo que ya no podía excusarse de darle a su hijo algún beneficio.[33] Pero el cardenal quería dar el obispado a un tío 10 suyo, hermano de su madre. Y aunque don Illán se quejó mucho, al fin consintió en que el cardenal lo hiciese, y fué con él a la corte.[34] Y allí fueron muy bien recibidos por los cardenales y otras dignidades [35] de la corte. Y moraron allí mucho tiempo, rogando don Illán cada día al cardenal que diese un beneficio a su hijo, y siempre el 15 cardenal se excusó.

Y estando así en la corte, murió el papa y los cardenales eligieron a aquel cardenal por papa. Entonces fué a él don Illán, y le dijo que ya no podía excusarse de cumplir lo que le había prometido. Y el papa le rogó que no instase [36] tanto, que siempre tendría oportunidades 20 de favorecerle [37] cuando quisiera. Y don Illán comenzó a quejar mucho, recordándole [38] sus muchas promesas y sus excusas, diciéndole que fué por eso que había recelado y dudado [39] al verle por primera vez. Y ahora, a pesar del alto estado a que había llegado, no tenía esperanzas de recibir de él un beneficio, ni cosa alguna. 25

El papa comenzó a maltratarle,[40] diciendo que le haría echar en una cárcel, que era hereje [41] y encantador, y había vivido siempre por el arte de nigromancia y no sabía otro oficio, y no había hecho otra cosa en Toledo.

Y don Illán se despidió de él, y el papa negó siquiera [42] darle de 30 comer para el camino. Entonces le dijo don Illán que si no quería darle de comer, tendría que comer las perdices que había mandado asar aquella noche. Y llamó a la sirvienta y le dijo que asase las perdices.

Y al decir esto don Illán, el papa se halló en Toledo, deán de San- 35

---

[31] **se lo enmendara**   it would be made up to him
[32] **cuantos hombres buenos**   all the worthy men
[33] benefice; ecclesiastical position
[34] **a la corte**   (a Roma)
[35] dignitaries

[36] insist
[37] to do him favors
[38] reminding him of
[39] hesitated; doubted
[40] abuse him
[41] heretic
[42] even

tiago, como era cuando vino allí; y tan grande fué su vergüenza [43] que no sabía qué decir. Y don Illán le despidió,[44] diciéndole que bastante había probado [45] lo que tenía en él, y que las perdices guardaría para sí.

5 Y vos, señor conde, viendo el ejemplo del deán de Santiago y las gracias recibidas por don Illán, no querréis hacer más por aquel hombre.

El conde lo hizo así, y se halló bien [46] con el buen consejo.

PREGUNTAS

1. ¿Dónde vivía don Illán?
2. ¿Con qué motivo fué a verle el deán?
3. ¿Cómo le recibió don Illán?
4. Según don Illán, ¿dónde tiene que estudiar uno el arte de nigromancia?
5. ¿Qué dudas tenía don Illán? ¿Por qué?
6. ¿Qué quería mostrarle don Illán?
7. ¿Qué iba a preparar la sirvienta para la cena?
8. ¿Qué hacían los dos cuando entraron los dos hombres?
9. ¿Qué dijo la carta?
10. ¿A quién fué dado el deanazgo?
11. ¿A qué estado, por fin, llegó el deán?
12. ¿Había cumplido sus promesas el deán?
13. Cuando el cardenal llegó a ser papa, ¿qué hizo don Illán?
14. ¿Cómo le respondió el papa?
15. Es verdad que don Illán maltrataba al papa, ¿no?
16. ¿Cuáles son los delitos de don Illán según el papa?
17. ¿Qué quería don Illán para el viaje?
18. ¿Qué le mandó preparar a la sirvienta?
19. ¿Dónde se encontraron?
20. ¿Qué había visto don Illán?
21. ¿Quién comió las perdices?

[43] shame
[44] dismissed
[45] proved
[46] se halló bien   was satisfied

EJERCICIOS

I. *Termine las frases según se indica:*

  a. Mensajeros _____ (*arrived*) con cartas.
  b. Don Illán y su hijo _____ (*accompanied*) al deán a Santiago, Tolosa y Roma.
  c. Don Illán le dijo que había _____ (*broken*) a su palabra.
  d. Don Illán quería que a su hijo le diera algún _____ (*benefice*).
  e. Escribió inmediatamente cartas de _____ (*reply*).
  f. Prometieron hacerlo _____ (*without fail*).
  g. Las cartas le _____ (*appointed*) cardenal.
  h. Moraron en Roma _____ (*a long*) tiempo.
  i. Don Illán le _____ (*dismissed*).
  j. Creía que el Tajo pasaba _____ (*over; above*) de ellos.

II. *Dé el infinitivo de cada verbo:*

comencé	consintió	debemos	enseñase	envío
guardaría	persuadió	pidiese	querréis	quisiera

III. *Repita, añadiendo el sustantivo indicado:*

  a. los honores y los beneficios (*benefices*)
  b. el papa y _____ (*the cardinals*)
  c. las cartas y _____ (*the replies*)
  d. los escuderos y _____ (*the messengers*)
  e. los hijos y _____ (*the mothers*)
  f. las oportunidades y _____ (*the hopes*)
  g. los estudios y _____ (*the sciences*)
  h. los favores y _____ (*the promises*)
  i. los tíos y _____ (*the nephews*)
  j. los oficios y _____ (*the positions*)

IV. *Termine las frases:*

  a. Don Illán vivió cerca del río _____.
  b. El deanazgo fué el de _____.
  c. El obispado fué el de _____.
  d. El papa tiene residencia en _____.
  e. Don Illán era de _____.

v. *Traduzca al español:*

a. He couldn't give excuses any longer.

b. Don Illán complained bitterly (*mucho*).

c. They were received by cardinals and other dignitaries.

d. The magician ordered the partridges to be roasted.

e. Don Illán had already taken leave of him.

f. The Count thanked him for (*le agradecía*) the good advice.

g. The pope mistreated him, calling him heretic and enchanter.

HERNANDO DEL PULGAR   1436?–1493?

HERNANDO DEL PULGAR (1436?–1493?) combinó la carrera diplomática con la de servir a los Reyes Católicos de secretario y cronista oficial. Vivió en una época de grandes cambios políticos y sociales, cambios traídos en parte por ideas renacentistas [1] y en parte por la unión política del país ocasionada por el casamiento de Isabel de Castilla con Fernando de Aragón.

El reinado de los Reyes Católicos fué de grandes vistas,[2] de ambiciones ilimitadas,[3] de fermento social, pero todo subordinado a la idea de que España era una nación católica que no admitía opiniones que chocaran [4] con sus tradiciones en materias de fe [5] y de raza. Así fué que Isabel y Fernando, patrocinadores [6] de Colón, fueron también los iniciadores de la temida [7] Inquisición.

La época produjo [8] un poeta admirable, el Marqués de Santillana. Juan del Encina dió los primeros pasos [9] hacia la creación de un teatro nacional. Sin embargo lo más notable fué el desarrollo de la prosa. Se publicaron crónicas, biografías, libros de investigación y relaciones de viajes.[10] En 1499 apareció la novela dramática La Celestina que, como clásico literario perenne, ocupa un lugar al lado del Quijote.

Entre los prosistas de la época figura Hernando del Pulgar. Su Libro de los claros varones [11] de Castilla, una colección de 24 biografías de contemporáneos suyos, es tal vez su obra más popular. La prosa de Pulgar se distingue siempre por su sencillez [12] y claridad. La Crónica de los Reyes Católicos, publicada primero en latín y años más tarde (1565) en castellano, narra la historia del reinado de Fernando e Isabel hasta el año 1490. Pulgar, un astuto observador, los acompañó a todas partes y frecuentemente fué testigo de las cosas que describe. En la segunda parte de la crónica figuran estos ingeniosos retratos de los monarcas.

---

[1] **ideas renacentistas** ideas stemming from the Renaissance
[2] prospects
[3] (sin límite)
[4] clashed
[5] faith
[6] sponsors
[7] fearful
[8] (del verbo «producir»)
[9] dió . . . pasos took the first steps
[10] relaciones de viajes travel accounts
[11] claros varones (hombres célebres)
[12] simplicity

Crónicas de los reyes de Castilla

EL REY FERNANDO

Este rey era hombre de mediana estatura,[1] bien proporcionado, los ojos risueños,[2] los cabellos oscuros y lisos.[3] Su habla era igual,[4] ni rápida ni muy despaciosa. Era inteligente, moderado en su comer y beber, y en los movimientos de su persona. Así que ni la ira [5] ni el
5 placer le hicieron alterarse.[6] Le gustaba cabalgar,[7] y cabalgaba con tanta destreza [8] que ninguno en sus reinos lo hacía mejor. Era el rey gran cazador de aves,[9] hombre de mucho valor, y gran trabajador [10] en las guerras. Era su deseo hacer justicia,[11] pero era piadoso [12] y tenía lástima de los pobres y necesitados que veía.
10 Poseía una gracia singular,[13] de manera que cualquier persona que con él hablase, después le amaba y le quería servir. Por eso solicitaban sus consejos, especialmente la reina su mujer porque ella reconocía su gran suficiencia.[14]

Desde su niñez [15] fué criado en las guerras,[16] y en ellas hizo
15 grandes cosas y corrió [17] muchos peligros. Y puesto que gastaba todas sus rentas [18] en las cosas de la guerra, estaba en continuas necesidades,[19] y no podemos decir que era liberal.[20] Hombre era de verdad, pero las grandes necesidades en que le pusieron las guerras, le hacían algunas veces variar.[21]
20 Le gustaban todos los juegos de pelota, ajedrez y tablas,[22] y en estas cosas gastaba un poco más tiempo de lo que debía. Y aunque amaba mucho a la reina su mujer, también se daba a otras mujeres.

Es de notar que este rey, muy tratable y de buen genio,[23] especialmente con sus servidores,[24] es el que conquistó y ganó el reino de
25 Granada.

[1] **mediana estatura** medium height
[2] smiling
[3] **cabellos . . . lisos** his hair dark and straight
[4] even
[5] anger
[6] **le hicieron alterarse** caused any great change in him
[7] to ride horseback
[8] skill
[9] **cazador de aves** bird hunter
[10] (**muy enérgico**)
[11] **hacer justicia** to be a stern judge
[12] merciful
[13] **gracia singular** unusual charm; very winning manner
[14] capabilities
[15] childhood
[16] **criado . . . guerras** brought up in the midst of wars
[17] ran, underwent
[18] income
[19] financial strain
[20] generous with money
[21] deviate (from the truth)
[22] **ajedrez y tablas** chess and backgammon
[23] **tratable . . . genio** easygoing and good-natured
[24] those who served him

LA REINA ISABEL

Esta reina era de mediana estatura, la tez [25] blanca y rubia; los ojos entre verdes y azules, la cara hermosa y alegre.

La reina no bebía vino; era muy buena mujer, y le gustaba tener a su lado mujeres ancianas de buen carácter y de buen linaje.[26] Criaba en su palacio doncellas nobles,[27] hijas de los grandes [28] de sus reinos, 5 y no leemos en nuestra historia que otra reina hiciese tal cosa antes. Mostró gran diligencia en guardarlas, las dotaba magníficamente,[29] y se dedicaba a casarlas bien.

Su manera de hablar era muy cortés. Guardaba tanto la expresión del rostro, que aun en los tiempos de sus partos [30] encubría [31] su dolor, 10 y se forzaba a no mostrar ni decir la pena que en aquella hora sienten y muestran las mujeres. Esto hizo por el rey su marido a quien amaba mucho.

Era mujer muy inteligente y discreta. Hablaba muy bien, y era de tal excelente ingenio que, en medio de tantos difíciles problemas en- 15 contrados en la gobernación de sus reinos, se dió al trabajo de aprender el latín. Dentro de un año sabía tanto que entendía cualquier cosa que le dijesen, o cualquier cosa escrita.

Era católica y devota; daba limosnas en lugares debidos [32]; honraba las casas de oración [33]; visitaba los monasterios y casas de religión,[34] 20 especialmente aquellas en las cuales guardaban vida honesta.[35] Y les hacía donaciones magníficas. Al contrario aborrecía [36] sortílegos y adivinos [37] y cualquiera que ejerciera tal arte u oficio. La conversación de personas religiosas le gustaba, y frecuentemente tenía con ellas y con los otros letrados [38] que cerca de ella estaban, consultas par- 25 ticulares.[39] Pero por lo general, después de oír el parecer [40] de ellos, hacía las cosas según su propio criterio.

Era muy inclinada a hacer justicia, tanto que le era imputado seguir más el camino de rigor que el de la piedad; y esto hacía ella para

[25] complexion
[26] lineage
[27] **doncellas nobles** unmarried girls of the nobility
[28] grandees
[29] **las dotaba magníficamente** she gave them fine dowries
[30] **sus partos** giving birth to her children
[31] concealed
[32] deserving
[33] prayer

[34] **casas de religión** religious establishments
[35] **guardaban vida honesta** behaved with decency
[36] hated
[37] **sortílegos y adivinos** soothsayers and diviners
[38] **letrados** learned men
[39] **consultas particulares** private conversations
[40] (opinión; manera de pensar)

reducir la gran cantidad de crímenes que halló en el reino al subir al trono.

Quería que sus cartas y mandamientos fuesen cumplidos con diligencia. Ésta es la reina que extirpó y quitó la herejía [41] que existía en
5 los reinos de Castilla y de Aragón entre algunos conversos que tornaban a judaizar,[42] e hizo que viviesen como buenos cristianos.
Respetaba a los prelados y grandes de sus reinos, honrando cada uno según la calidad de su persona y dignidad.[43] Era mujer de gran corazón y sabía disimular cuando fuese airada.[44] Los grandes y otros,
10 enterados [45] de su genio y su manera de ser, temían por eso de caer en su indignación.[46]
Se decía de ella que no era franca [47] porque no les daba a los vasallos que la sirvieron de su patrimonio.[48] Es verdad que guardaba con cuidado los bienes de la corona real y raras veces la hemos visto
15 dar en nuestros tiempos obsequios de villas [49] y tierras. Decía ella que a los reyes convenía conservar las tierras porque en otorgándolas,[50] pierden las rentas que deben usar para hacerse amados, y al mismo tiempo reducen el poder de hacerse temidos.
Esta reina se vestía y se adornaba de una manera bastante formal.
20 Quería servirse de [51] hombres grandes de mérito y modestia. No se lee de ningún monarca anterior que tuviese oficiales tan célebres como los que tuvo ella. Y se decía por eso que había en su corte una pompa excesiva pero entendemos que cualquier ceremonia que se pueda hacer en esta vida para el estado real no es demasiado. Al con-
25 trario debe lucir y resplandecer [52] sobre todos los otros estados porque tiene la autoridad divina en la tierra.
Por la solicitud de esta reina se comenzó y por su diligencia se continuó la guerra contra los moros hasta que se ganó todo el reino de Granada. Y decimos verdad ante Dios que conocimos a algunos
30 señores y capitanes de sus reinos que se cansaban [53] y perdían toda su esperanza de ganar, considerando las grandes dificultades. Pero por la gran resolución y firmeza de esta reina y por sus esfuerzos y trabajos continuos en proporcionar [54] material y provisiones, se dió

---

[41] **extirpó . . . herejía** stamped out the heresy
[42] **conversos . . . judaizar** converted Jews who returned to their religion
[43] rank
[44] angry
[45] aware, knowing
[46] **caer . . . indignación** incur her displeasure

[47] liberal with money
[48] inherited wealth
[49] towns
[50] giving them over
[51] **servirse de** to make use of
[52] **lucir y resplandecer** stand forth and shine
[53] **se cansaban** got tired
[54] making available

fin a esta conquista. Y en esto parece que ella era movida por la voluntad de Dios.

PREGUNTAS

1. ¿Era Fernando muy alto? ¿Cómo era?
2. ¿Qué escribe el autor acerca de sus ojos? ¿su comer y beber?
3. ¿Cómo describe el autor su manera de hablar?
4. ¿Qué gustaba el rey de hacer?
5. ¿Era Fernando un juez severo y duro? Explique usted.
6. ¿Por qué le gustaba a la gente servirle?
7. ¿Quiénes solicitaban sus consejos? ¿Por qué?
8. ¿Qué podemos decir acerca de Fernando y las guerras?
9. ¿Por qué no era Fernando más liberal?
10. ¿Cuáles eran las diversiones del monarca?

11. ¿Qué dice el autor con respecto a la apariencia física de la reina?
12. ¿Tenía la reina en el palacio ancianas y doncellas también?
13. ¿Qué podía hacer ella por las doncellas que la servían?
14. ¿Revelaba la reina sus emociones y sentimientos?
15. ¿Por qué quería encubrir sus dolores?
16. ¿Cuál es la prueba que nos presenta el autor de que la reina era inteligente?
17. ¿Cuánto aprendió la reina en un año?
18. ¿Qué palabra usa el autor para describir el proceso de aprender el idioma?
19. ¿Cuál era la actitud de la reina con respecto a las instituciones religiosas?
20. ¿Piensa usted que la reina era más benévola en hacer justicia que su esposo? ¿Por qué?
21. ¿Dice el autor que la reina era tratable y de buen genio? Si no, ¿qué dice?
22. ¿Cómo se vestía la reina?
23. Decían algunos que había una pompa excesiva en la corte. ¿Está de acuerdo el autor?
24. ¿De qué manera ayudó Isabel a ganar la guerra en Granada?

EJERCICIOS

I. *Termine las frases según se indica:*

a. Isabel era una mujer buena, _____, _____ (*intelligent; discreet*).

b. Ella quería mucho _____ (*the king*).

c. La reina se dedicó a _____ (*learning*) el latín.

d. El dinero que se les da a los pobres se llama _____ (*alms*).

e. Otra palabra que quiere decir historiador es _____ (*chronicler*).

f. Fernando era el _____ (*king*) de Aragón, y su _____ (*wife*) era la reina de Castilla.

g. Al _____ (*getting married*) estos monarcas, España se halló _____ (*united*) por primera vez.

h. Los capitanes y los soldados _____ (*got tired*).

i. Querían _____ (*give up*) la lucha en Granada.

j. La reina no había _____ (*lost*) la esperanza de _____ (*winning*).

II. *Dé un antónimo de cada palabra:*

amar	descansar	después	difíciles	encubrir
las jóvenes	paz	perder	poner	triste

III. *Repita rápidamente, cambiando al castellano las palabras entre paréntesis:*

a. la guerra y la conquista (*the conquest*)

b. los bienes y _____ (*the revenue*)

c. los soldados y _____ (*the captains*)

d. la ceremonia y _____ (*the pomp*)

e. el trono y _____ (*the crown*)

f. los prelados y _____ (*the grandees*)

IV. *Dé el infinitivo de:*

dotaba	ejerciera	extirpó	muestran	viviesen

V. *Traduzca al español:*

a. Ferdinand liked all kinds of ball games, and he was cheerful and easygoing.

b. The author says that Isabel did not drink wine, but he does not say that she was easygoing like her husband.

c. The queen liked to have learned men at her side; she asked their advice, but afterward did things as she saw fit.

d. She was inclined to be more severe than her husband. She visited the monasteries and convents frequently.

AMADÍS DE GAULA 1508

LA PRIMERA EDICIÓN de esta obra, la de 1508, consiste en cuatro divisiones, o libros. Se cree que por lo menos uno de los libros, el cuarto, fué escrito por Garci Rodríguez de Montalvo y que los tres primeros fueron escritos por otro autor o por autores desconocidos y más tarde enmendados,[1] corregidos y publicados por Montalvo. Pero son en realidad muy oscuros los orígenes del Amadís. Se ven mencionados no solamente a Amadís sino a algunos otros personajes de la novela en documentos del siglo XIII y de aún antes. Es decir que esta materia existía en otras formas, o en otras literaturas antes de que apareciera como novela en España.

Tal vez lo siguiente le dará al lector una idea del contenido de la novela: Amadís es hijo ilegítimo de un rey de Gaula y de una princesa de Pequeña Bretaña.[2] Para ocultar su culpa ponen a la criatura en una arca [3] y ésta la ponen en el río al lado del castillo, y el arca flota al mar. Cierto caballero escocés [4] que se llama Gandes encuentra el arca, lleva a Amadís a Escocia y después le adopta.

Amadís es inteligente, fuerte, hábil. Cuando tiene doce años es visto por el rey de Escocia y éste le lleva a vivir en la corte. Allí Amadís muy pronto se enamora de Oriana, la hermosa hija del rey.

Amadís se prepara a poder merecer la mano de su princesa haciéndose experto en el uso de las armas. Le hacen caballero y sale buscando aventuras. Protegido en sus hazañas [5] por la misteriosa encantadora [6] Urganda la Desconocida Amadís mata gigantes, rescata doncellas de sus crueles opresores, lucha con la bestia Endriaga y se escapa del encantador Acalaus. Sus aventuras le llevan a varios países extranjeros hasta que al fin, renombrado [7] y venerado, vuelve a reclamar a Oriana, con quien se casa.

Amadís de Gaula sirvió para engendrar numerosas continuaciones e imitaciones. Entre ellas se hallan Las sergas [8] de Esplandián (1510), también atribuída a Montalvo; Amadís de Grecia [9] (1530) por Feliciano de Silva; y Palmerín de Inglaterra (1547) por Francisco de Moraes. Estas obras, llamadas novelas de caballerías,[10] a pesar de su tremenda popularidad gozaron de poco prestigio literario y hubo varias peticiones que pidieron la supresión de tales historias. Tan perniciosa se consideraba la influencia ejercida por la lectura de los libros de caballerías que en 1531 se prohibió su envío a la América.

---

[1] emendations
[2] (Los padres de Amadís más tarde se casan, le reconocen a él como hijo. Les nacen dos hijos más, Galaor y Melicia.)
[3] box; chest
[4] Scottish
[5] deeds

[6] enchantress
[7] (famoso)
[8] (hazañas. Esplandián es el hijo de Amadís.)
[9] (Este Amadís es nieto del original.)
[10] novelas de caballerías novels of chivalry

Es de recordar que don Quijote, ocupado eternamente en la lectura de libros de caballerías, y habiéndose llenado así la imaginación de pendencias,[11] batallas, amores, heridas, encantamientos, etc., llegó por fin a perder el juicio.[12] Y frecuentemente en el Quijote critica Cervantes los libros de caballerías por su falta de invención, por su estilo duro [13] y porque «estos libros se parecen mortalmente [14] unos a otros». Mas a pesar de las flechas [15] y las lanzas de sátira que soltó Cervantes en contra de los excesos y ridiculeces del género, es igualmente cierto que admiró grandemente al Amadís, hallando interesantes tanto al protagonista como los episodios.

Fueron Amadís y otros libros de caballerías fuente de muchas ideas para Cervantes. Medio loco, raro, ridículo, don Quijote aspira a identificarse con el magnífico Amadís en su lucha por lo justo y en su busca por la perfección interna.

El trozo que sigue es del Primer libro, Capítulo XXIII.

[11] (luchas; disputas)
[12] (razón; entendimiento)
[13] rough; unfinished
[14] se . . . otros have a dreadful sameness about them
[15] arrows

Combate de Amadís con su hermano don Galaor

Amadís, que había andado mucho sin hallar aventuras, llegó a la floresta [1] que se llamaba Angaduza. El Enano [2] iba delante, y por el mismo camino que ellos iban venía un caballero y una doncella; y cuando el caballero estaba cerca, puso mano a su espada, y corrió
5 hacia el Enano como para cortarle la cabeza.

El Enano, con miedo, se dejó caer de su caballo, diciendo:

—Socorredme, señor, o me matan.

Amadís, que lo vió, acudió presto y dijo:

—¿Qué es esto, señor caballero? ¿Por qué queréis matar a mi
10 enano? No sois muy cortés en meter mano [3] en él; el enano es mío; no le molestéis ni pongáis mano en él, que os [4] voy a protegerle.

—Eso —dijo el caballero— me pesa [5]; mas todavía me conviene cortarle la cabeza.

—Tendréis que matarme primero —dijo Amadís; y tomando las
15 armas, y cubiertos de sus escudos,[6] los dos caballeros movieron contra sí al más correr de sus caballos,[7] y se encontraron tan fuertemente que falsearon [8] los escudos y las lorigas,[9] y se juntaron los caballos, los cuerpos de los hombres y los yelmos,[10] de tal manera que vinieron al suelo por todas partes; pero luego se pusieron de pie, y comenzaron
20 a luchar con las espadas; fué la batalla tan cruel y tan fuerte, que no había nadie que la viese que no fuese espantado de ella. Y también lo [11] eran los caballeros, pues nunca hasta allí habían visto sus vidas en tanto peligro.

Así continuaron, hiriéndose de muy grandes y ásperos [12] golpes una
25 gran parte del día; de manera que sus escudos estaban rajados [13] y cortados por muchas partes; y lo eran también los arneses,[14] que ofrecían poca defensa de las espadas que ya tenían lugar [15] de herir a menudo y con daño; y los yelmos quedaban cortados y abollados.[16]

Y estando muy cansados los dos, se apartaron un poco y dijo el
30 caballero a Amadís:

---

[1] grove
[2] dwarf
[3] **en meter mano**   interfering (with him)
[4] (**de vos**)
[5] grieves
[6] shields
[7] **al . . . caballos**   with their horses at full speed
[8] gave way, buckled
[9] coats of armor
[10] yelmo (armadura que protege la cabeza)
[11] lo (espantado)
[12] bitter
[13] (rotos; abiertos)
[14] (lorigas)
[15] (espacio; oportunidad)
[16] dented

—Caballero, no sufráis más por este enano, y dejadme hacer de
él lo que quiero, y después hablaremos.

—De eso no hablaremos —dijo Amadís. —Yo voy a amparar a
aquel enano en todo caso.[17]

—Pues, es cierto —dijo el caballero— que yo moriré, o su cabeza 5
tendrá aquella doncella que me la pidió.

—Vos digo —respondió Amadís— que antes será perdida una de
las nuestras. Y tomando su escudo y espada volvió a herirle [18] con
gran saña [19] porque sin causa y con tanta soberbia quería matar al
enano suyo; pero si Amadís fué valiente, no halló flaco [20] al otro, que 10
se vino contra él con osadía [21]; y se dieron golpes fuertes, peleando
los dos para hacer conocer al otro su esfuerzo.

Estando así los adversarios, llegó acaso [22] un caballero y se detuvo
al lado de la doncella; y viendo la batalla comenzó a santiguarse,[23]
diciendo que nunca había visto jamás una lid [24] tan fuerte; y le 15
preguntó a la doncella si sabía quiénes eran aquellos caballeros.

—Yo sé —dijo ella—; pues yo los hice pelear; y mucho me gustaría
que muriese cualquiera de ellos, y mucho más si fuesen los dos.

—Cierto,[25] doncella —dijo el caballero—, no comprendo su deseo
ni placer; antes debe uno de rogar a Dios por dos hombres tan buenos; 20
mas decidme por qué les tenéis tanto odio.

—Eso vos diré —dijo la doncella—; aquél que tiene el escudo
más sano [26] es el hombre a quien más detesta Arcalaus, mi tío; y
aquél con quien lucha se llama Galaor, y él me mató al hombre del
mundo que yo más amaba. Puesto que Galaor me había prometido 25
un don,[27] yo andaba con él para pedírselo donde la muerte le viniese;
y como reconocí al otro caballero, que es el mejor del mundo, le pedí
a Galaor la cabeza de aquel enano. Así que, este Galaor, que es muy
fuerte caballero, pelea para dármela, y el otro para defenderla. Y
viéndolos así, llegados a la muerte, recibo yo gran gloria y placer. 30

El caballero oyendo esto, dijo:

—Mal haya [28] la mujer que pensó hacer morir a los mejores dos
caballeros del mundo.

Y sacando la espada de la vaina,[29] le dió tal golpe en el pescuezo
que cayó su cabeza a los pies del palafrén,[30] y dijo: 35

---

[17] **en todo caso**   in any event
[18] to strike him
[19] (**furia**)
[20] (**débil**)
[21] daring
[22] by chance
[23] to cross himself

[24] (combate; lucha)
[25] certainly
[26] sound
[27] boon (**favor, regalo**)
[28] **mal haya**   curses on
[29] scabbard
[30] palfrey

—Toma este galardón [31] por [32] tu tío Arcalaus, que me tuvo en su cruel prisión, de la cual me sacó aquel buen caballero. Y fué hacia ellos tan rápidamente como podía llevarle su caballo, dando voces,[33] diciendo:

5 —Deteneos, señor Amadís; ¡que ése es vuestro hermano don Galaor, el que vos buscáis!

Cuando Amadís lo oyó, dejó caer la espada y el escudo al suelo, y fué hacia él, diciendo:

—¡Ay, hermano! Buena ventura tenga el que nos hizo conocer.

10 Galaor dijo:

—¡Ay, desdichado de mí! ¿Qué he hecho contra mi hermano y mi señor?

Y poniéndose de rodillas, y llorando, le pidió perdón. Amadís le alzó y abrazándole dijo:

15 —Mi hermano, tengo por bien empleado el peligro que con vos pasé, porque ahora tengo pruebas de vuestra proeza [34] y bondad.

Entonces se quitaron los yelmos para descansar, y muy necesario les era, y el caballero les dijo:

—Señores, malas heridas tenéis; os ruego que montéis a caballo, e 20 iremos a un castillo mío que está cerca, y allí podéis curaros de ellas.

PREGUNTAS

1. ¿Con quién estaba Amadís cuando llegó a la floresta?
2. ¿Con quién estaba don Galaor?
3. ¿Qué quería hacer al enano don Galaor?
4. ¿Qué hizo Amadís cuando el enano le pidió socorro?
5. ¿Qué hicieron los caballeros por fin?
6. ¿Con qué armas pelearon después de caerse de los caballos?
7. ¿Cómo fué la batalla?
8. ¿Cuánto tiempo lucharon?
9. ¿Cómo quedaron los dos?
10. ¿Quién llegó por acaso?
11. ¿Qué sabe la doncella que no sabe el caballero?
12. ¿Quién es la doncella?
13. ¿Qué quiere la doncella?
14. ¿Por qué mató el caballero a la doncella?
15. ¿Qué hizo el caballero después?

---

[31] reward
[32] because of, in the name of
[33] **dando voces** crying out
[34] prowess

16. ¿Qué hizo don Galaor cuando supo que el otro era su hermano?
17. ¿Qué invitación reciben del caballero?

EJERCICIOS

I. *Termine las frases:*

a. Amadís y Galaor eran _____ (*brothers*).
b. La construcción que servía de casa y fortaleza era _____ (*a castle*).
c. Hacía tiempo que Amadís _____ (*had been looking for*) a su hermano.
d. La _____ (*maiden*) era la sobrina de Arcalaus.
e. Un caballero llegó y se detuvo al lado de su _____ (*palfrey*).
f. No se había visto _____ (*ever*) una lucha tan fuerte.
g. _____ (*They took off*) los yelmos para descansar.
h. Galaor se puso _____ (*on his knees*) y le _____ (*requested*) perdón.
i. Galaor le había prometido _____ (*a boon*).
j. Había andado sin _____ (*finding*) aventuras.

II. *Diga rápidmente, cambiando al castellano la palabra entre paréntesis:*

a. los caballos y _____ (*the palfreys*)
b. los encantadores y _____ (*the dwarfs*)
c. las cabezas y _____ (*the helmets*)
d. la batalla y _____ (*the fight*)
e. la fama y _____ (*the glory*)
f. las espadas y _____ (*the scabbards*)
g. la cabeza y _____ (*the neck*)
h. el gusto y _____ (*the pleasure*)
i. los brazos y _____ (*the knees*)
j. los golpes y _____ (*the wounds*)

III. *Dé el infinitivo de:*

alzó	detesta	dió	he hecho	moriré
oyó	ruego	tendréis	viendo	viniese

IV. *Traduzca:*

a. They let their shields fall to the ground.
b. They were the two best knights in the world.

c. Amadís took off his helmet.

d. They went to a castle which was nearby.

e. Both of them wanted to rest.

f. Amadís had never seen himself in so much danger.

g. They got to their feet and took out their swords.

h. The brave Amadís did not find his adversary weak.

i. Amadís came up (*acudir*) rapidly to help the dwarf.

j. The shields, the horses, the knights, were coming to the ground everywhere.

LAZARILLO DE TORMES 1554

LAZARILLO DE TORMES, una novela en forma autobiográfica y dividida en siete tratados,[1] fué publicada en 1554. Propiamente dicho la novela no tiene argumento.[2] En cada tratado Lazarillo, un muchacho de unos diez años, hijo de padres humildes y pobres, sirve a un amo distinto. El primer amo es un ciego a quien sirve el mozo de guía, pero le deja por ser el ciego tan cruel y mezquino.[3]

«Escapé del trueno [4] y di en el relámpago [5]», dijo Lazarillo del segundo amo, un clérigo que resultó aún más avariento [6] y más cruel que el ciego. El tercer tratado relata el famoso episodio en que Lazarillo, ahora reducido a pedir limosnas en Toledo, se hizo mozo de cierto joven escudero a quien encontró en las calles. Éste, un hidalgo bastante bien vestido y de buen aspecto, no es de Toledo sino de Castilla la Vieja, la cual ha dejado porque no quería quitar el bonete [7] a un caballero de su pueblo. Los únicos bienes del escudero son sus propias prendas de vestir y una espada de la cual se siente muy orgulloso. Se puede imaginar la desilusión del criado, Lazarillo, al descubrir que el hidalgo tiene por fortuna solamente su hidalguía y sus pretensiones de aristócrata y que de allí en adelante tendrá que buscar sustento no solamente para sí sino para los dos.

Lazarillo el pícaro, realista y no muy escrupuloso, aprende pronto a adaptarse a las dificultades y los problemas que se le presentan con cada amo; y así a través de los cándidos ojos del pícaro mozuelo que va acompañando a sus amos por las ciudades y aldeas de España observamos la pobreza y el hambre. Con cada nuevo amo el autor nos muestra otro aspecto de una nación cuyos designios infaustos [8] la llevan a la ruina económica y espiritual. El propósito del autor anónimo no fué solamente de entretener, sino también de hacer un ácido e irónico comentario sobre las instituciones, costumbres y condiciones sociales de la época.

Con la publicación de La vida de Lazarillo de Tormes, se inició en España un nuevo género literario denominado la novela picaresca. Sería difícil calcular la influencia ejercida por esta novela no solamente en su país de origen sino en el mundo entero. Han aparecido con frecuencia nuevas ediciones, estudios literarios e imitaciones del Lazarillo que afirman sus cualidades intrínsecas y su valor como modelo primoroso del género.

[1] The basic meaning of **tratado** is "treaty," "treatise," or "discourse." It might be translated here as "parts," or "divisions," or better, not at all.
[2] plot
[3] stingy
[4] thunder
[5] lightning
[6] (mezquino)
[7] hat, cap
[8] Spain's resources and energy were being exhausted by wars against the Turks, England, France, and to prevent the spread of Protestantism in the Low Countries (Flanders).

Tratado primero: Lázaro con un ciego

Sepa, pues, vuestra merced [1] ante todas las cosas que a mí me llaman Lázaro de Tormes, hijo de Tomé González y de Antoña Pérez, naturales [2] de Tejares, aldea [3] de Salamanca. Mi nacimiento fué dentro del río Tormes, del cual tomé el sobrenombre,[4] y fué de esta manera:
5 Mi padre fué molinero [5] más de quince años en un molino que estaba al lado de aquel río, y estando mi madre una noche en la aceña,[6] preñada [7] de mí, fué tomada por el parto [8] y me parió [9] allí, de manera que con verdad puedo decir nacido en el río.

Pues siendo yo niño de ocho años, dijeron que mi padre hacía
10 sangrías en los sacos [10] de los que venían a moler,[11] por lo cual fué preso, y confesó, y no negó, y padeció persecución por justicia. Espero que esté en la gloria, pues el Evangelio [12] los llama bienaventurados.[13]

En este tiempo se hizo cierta armada [14] contra moros, entre los
15 cuales fué mi padre, desterrado [15] por el desastre ya dicho, con cargo de arriero [16] de un caballero que allá fué; y con su señor, como leal criado, feneció [17] su vida.

Mi madre, sin marido y sin abrigo, se fué a vivir en la ciudad y alquiló [18] una casilla [19] donde preparaba la comida a ciertos estudian-
20 tes, y lavaba la ropa a ciertos mozos de caballos [20] del comendador de la Magdalena.[21] De manera que, frecuentando los establos, ella y un hombre moreno de aquellos que las bestias curaban [22] vinieron en conocimiento.[23] Éste algunas veces venía a nuestra casa y se quedaba hasta la mañana; otras veces, de día, llegaba a la puerta en achaque
25 de [24] comprar huevos, y entraba en casa. Yo, al principio, le tenía miedo por su color y mal gesto [25] pero después de notar que mejoraba

---

[1] The reader is here being addressed as "your worship," or "your honor."
[2] natives
[3] (villa; población)
[4] surname
[5] a miller
[6] water mill
[7] pregnant
[8] fué . . . parto   her labor began
[9] me parió   gave birth to me
[10] hacía . . . sacos   bled (robbed from) the sacks
[11] to grind
[12] gospel
[13] blessed

[14] naval campaign
[15] exiled
[16] muleteer
[17] (terminó)
[18] rented
[19] (casa)
[20] mozos de caballos   stableboys
[21] comendador . . . Magdalena   commander of the parish of Magdalene
[22] cared for
[23] vinieron en conocimiento   got acquainted
[24] en achaque de   on the pretext of
[25] mal gesto   alarming expression

el comer,[26] empecé a quererle bien. Traía pan, pedazos de carne, y leños [27] en el invierno con que nos calentábamos.[28] De manera que continuando la posada [29] y conversación, mi madre vino a darme de él un negrito muy bonito a quien yo brincaba y ayudaba a acallar.[30] Quiso nuestra fortuna que las cosas del Zayde, que así se llamaba, 5 llegaron a oídos del mayordomo,[31] y hallaron que hurtaba [32] la mitad de la cebada [33] que para las bestias le daban; también salvados,[34] leña, almohazas, las mantas [35] de los caballos, y cuando otra cosa no podía las bestias desherraba.[36] Y así ayudaba a mi madre a criar [37] a mi hermanico. 10

Y comprobaron cuanto [38] digo, y aún más, porque a mí con amenazas me preguntaban y, como niño, yo respondía y decía cuanto sabía, mencionando ciertas herraduras, que, por mandado de mi madre, a un herrero [39] vendí. Al triste de mi padrastro [40] azotaron,[41] y a mi madre le prohibieron que en casa del sobredicho [42] comen-15 dador entrase, ni al pobre Zayde en su casa acogiese [43]; y la triste se esforzó y cumplió con [44] la sentencia.

Para evitar el peligro y quitarse de malas lenguas,[45] se fué mi madre a servir en el mesón de la Solana. Y allí, padeciendo mil importunidades,[46] se acabó de criar a mi hermanico, hasta que supo 20 andar, y a mí hasta ser buen mozuelo.[47] Los huéspedes se servían de [48] mí para traer vino y candelas y lo demás [49] que necesitaran.

En este tiempo vino a posar [50] al mesón un ciego que me pidió a mi madre para guiarle. Ella me dió a él, diciéndole que era hijo de un buen hombre, que, por ensalzar [51] la fe, había muerto en la de 25 los Gelves,[52] y que ella confiaba en Dios que no saldría [53] peor que

---

[26] **mejoraba el comer** the eating got better
[27] firewood
[28] **nos calentábamos** we kept warm
[29] hospitality
[30] **brincaba . . . acallar** bounced and helped to keep quiet
[31] steward
[32] was stealing
[33] barley
[34] bran
[35] **almohazas . . . mantas** currycombs, blankets
[36] removed shoes (from horses)
[37] to bring up
[38] **comprobaron cuanto** they proved everything
[39] blacksmith

[40] stepfather
[41] whipped
[42] previously mentioned
[43] take shelter
[44] **se . . . con** tried hard and complied with
[45] **malas lenguas** gossip
[46] **padeciendo . . . importunidades** suffering . . . hardship
[47] **hasta . . . mozuelo** until I was a good-sized boy
[48] **se servían de** used
[49] **lo demás** anything else
[50] lodge
[51] exalt
[52] **la . . . Gelves** (la batalla de Gelves)
[53] turn out

mi padre, y que le rogaba que me tratase bien, y mirase por mí, pues era huérfano.[54] Él respondió que así lo haría, y que me recibía no por mozo, sino por hijo. Y así le comencé a servir y guiar a mi nuevo viejo amo.

5 Estuvimos en Salamanca algunos días, y la ganancia no a su contento, determinó [55] mi amo irse de allí; y cuando hubimos de partir,[56] yo fuí a ver a mi madre, y ambos llorando, me dió su bendición, y dijo:

—Hijo, ya sé que no te veré más; procura ser bueno, y Dios te guíe [57]; te he criado y con buen amo te he puesto, válete para ti.[58]

10 Y así fuí a mi amo que estaba esperándome. Salimos de Salamanca, y llegando a la puente, había a la entrada de ella un animal de piedra, que casi tiene forma de toro, y el ciego me mandó que llegase cerca del animal, y allí puesto, me dijo:

—Lázaro, llega el oído a este toro, y oirás gran ruido dentro de él.

15 Yo, simplemente,[59] llegué, creyendo ser así [60]; y como sintió que tenía la cabeza junto a la piedra me dió un recio [61] golpe contra el diablo del toro que me lastimó más de tres días, y me dijo:

—Necio,[62] aprende, pues el mozo del ciego tiene que saber un punto más que [63] el diablo.

20 Me pareció que en aquel instante desperté de la simpleza en que, como niño, había dormido. Y dije entre mí [64]: «Verdad dice éste; me conviene avivar el ojo,[65] pues soy solo, y pensar cómo me sepa valer.[66]»

Comenzamos nuestro camino, y en muy pocos días me había enseñado jerigonza.[67] Se alegró él de verme de buen ingenio, y me decía:

—Yo oro ni plata no te lo puedo dar, mas avisos para vivir,[68] muchos te mostraré.

Y fué así, que después de Dios, éste me dió la vida; y siendo ciego él, me alumbraba [69] en la carrera de vivir. Vuestra merced sepa que 30 desde que Dios creó [70] el mundo ninguno formó más astuto ni sagaz [71];

---

[54] an orphan
[55] resolved
[56] **hubimos de partir**   we were (ready) to depart
[57] **procura . . . guíe**   try to be good, and may God guide you
[58] **válete para ti**   look out for yourself
[59] foolishly
[60] **creyendo ser así**   believing it to be so
[61] strong
[62] stupid

[63] **tiene . . . que**   has to be one step ahead of
[64] to myself
[65] **avivar el ojo**   to stay alert
[66] **me sepa valer**   I can look out for myself
[67] the slang of his trade
[68] **avisos para vivir**   tips on how to get along
[69] enlightened
[70] created
[71] wise

en su oficio [72] era un águila [73]; ciento y tantas oraciones sabía de memoria; las diría en tono bajo y reposado,[74] haciendo resonar la iglesia donde rezaba [75]; un rostro humilde y devoto ponía cuando rezaba, sin hacer los gestos y visajes [76] que suelen hacer otros del oficio. 5

Tenía mil formas y maneras de sacar dinero. Sabía oraciones para muchos y diversos efectos [77]: para mujeres que no parían; para las que estaban de parto [78]; para las que eran mal casadas,[79] que sus maridos las quisiesen bien; a las preñadas les decía si traían hijo o hija. A los que tenía alguna enfermedad, les decía: haz esto, coge tal 10 yerba, toma tal raíz.[80] Con esto andaba todo el mundo tras él, especialmente mujeres, que cuanto les decía creían.

Sacaba bastante dinero con las artes que digo, y ganaba más en un mes que otros ciegos en un año.

Mas también quiero que sepa vuestra merced que con todo lo que 15 ganaba y tenía, no he visto jamás hombre tan avariento ni mezquino.[81] Me mataba a mí de hambre, y a sí no se proveía [82] de lo necesario. Digo verdad: si con mi sotileza y mañas [83] no me hubiera remediado, él me habría matado de hambre. Pero siempre, o las más veces, yo tenía lo más y mejor.[84] 20

Para esto, le hacía burlas endiabladas,[85] de las cuales contaré algunas, aunque no son todas a mi salvo.[86]

PREGUNTAS

1. ¿De qué ciudad eran naturales los padres de Lázaro?
2. ¿Dónde nació Lázaro?
3. ¿Dónde estaba el molino en que trabajó el padre?
4. ¿Por qué prendieron al padre?
5. ¿Es verdad que le condenaron?
6. ¿Qué sentencia recibió el padre?
7. ¿Adónde fué a vivir la madre?

[72] (trabajo)
[73] eagle
[74] calm
[75] he prayed
[76] **gestos y visajes** grimaces and faces
[77] **diversos efectos** different purposes
[78] **estaban de parto** were in labor
[79] **mal casadas** unhappily married
[80] **haz . . . raíz** do this, pick such an herb, take such a root
[81] **avariento ni mezquino** greedy and stingy
[82] **no . . . de** did not provide himself with
[83] **sotileza y mañas** shrewdness and cunning
[84] **lo . . . mejor** the most and best
[85] **burlas endiabladas** devilish pranks
[86] **a mi salvo** to my credit

8. ¿Qué hizo la madre para ganar dinero en la ciudad?
9. ¿Cómo se llamaba el mozo de caballos que ayudaba a la madre?
10. ¿Cómo respondió Lazarillo a las preguntas que le hicieron?
11. ¿Qué castigo recibió el padrastro?
12. ¿Qué se le prohibe a la madre?
13. ¿Dónde trabajaba la madre cuando llegó el ciego?
14. ¿Por qué quiere irse de Salamanca el ciego?
15. ¿Cómo se despide la madre del hijo?
16. ¿Qué había a la entrada del puente?
17. Según el ciego, ¿qué tiene que aprender Lázaro?
18. El ciego no tiene ni oro ni plata, pero puede darle a Lázaro algo de valor. ¿Qué es?
19. ¿Qué cosas hacía el ciego para sacar dinero?
20. ¿Por qué le buscaban especialmente las mujeres?
21. ¿Qué falta tiene el ciego que no le gusta a Lázaro?

EJERCICIOS

I. *Termine con palabras apropiadas:*

a. El tomar para sí la propiedad de otra persona es robar y también _____.

b. Un ciego es uno que _____.

c. Si una persona quiere vivir en cierta casa, algunas veces puede _____ en vez de comprarla.

d. El edificio en que se guardan caballos se llama un _____.

e. El hombre o muchacho que cura los animales se llama un _____.

f. La construcción que se hace sobre los ríos para poder pasarlos se llama un _____.

g. Los que viajan hoy día encuentran hoteles. Antes, tales lugares se llamaban _____.

h. Después de recibir un golpe terrible Lazarillo se resuelve a avivar el _____.

i. Es verdad que Dios _____ el mundo.

j. El ciego sabía muchas _____ de memoria.

k. El ciego le mataba de _____.

l. El ciego era avariento y _____.

II. *¿Cuáles son los infinitivos de estos verbos?*

acogiese	conviene	duermo	empecé	feneció
haz	hubimos	sepa	suelen	vale

III. *Diga rápidamente cambiando al español las palabras entre paréntesis:*

a. el oro y _____ (*the silver*)
b. los caballos y _____ (*the bulls*)
c. los animales y _____ (*the beasts*)
d. las yerbas y _____ (*the roots*)
e. las catedrales y _____ (*the churches*)
f. los mozos y _____ (*the masters*)
g. los pobres y _____ (*the orphans*)
h. los puentes y _____ (*the rivers*)
i. las preguntas y _____ (*the threats*)
j. el pan y _____ (*the meat*)

IV. *Traduzca:*

a. My little brother learned how to walk there.
b. My mother told the blind man that I was an orphan.
c. I shall never forget (*olvidar*) that stone animal at the entrance.
d. I wanted to hear the noise inside the bull.
e. The blind man had many ways of extracting (*sacar*) money.
f. I have never scen a man more expert (*experto*) in his vocation (*oficio*).
g. He knew by memory more than a hundred prayers.
h. He was stingy and I was always hungry.

Tratado primero (*continuado*)

Él traía pan y otras cosas en un fardel de lienzo [1] que se cerraba con una argolla de hierro, con candado y llave,[2] y al meter las cosas y sacarlas era con tanta vigilancia que nadie pudiera quitarle una migaja.[3] Yo tomaba la miserable porción que él me daba, que en dos bocados [4] era despachada.[5] Después, cerraba el candado y se descuidaba,[6] creyendo que yo pensaba en otras cosas. Por una costura [7] de un lado del fardel que muchas veces descosía y volvía a coser,[8] yo lo sangraba, sacando pan, tocino y longaniza.[9] Y así yo buscaba con- 5

---

[1] **fardel de lienzo** shoulder sack of linen
[2] **argolla . . . llave** iron ring, with lock and key
[3] crumb
[4] mouthfuls
[5] eaten up
[6] forgot about it
[7] seam
[8] to sew
[9] **tocino y longaniza** bacon and sausage

veniente tiempo para rehacer,[10] no la chanza,[11] sino la endiablada falta, que el ciego me faltaba.[12]

Cuanto yo podía sisar [13] y hurtar guardaba en medias blancas [14] y cuando le mandaban rezar, y le daban blancas, yo las lanzaba [15] presto
5 en la boca y tenía la media aparejada,[16] dándole al ciego la mitad del justo precio cuando echaba [17] la mano. Se quejaba el mal ciego porque al tiento [18] sabía que no era blanca entera, y decía:

—¿Qué diablos es esto, que después que conmigo estás no me dan sino medias blancas, y antes una blanca y un maravedí [19] muchas
10 veces me pagaban? En ti debe de estar esta desdicha.[20]

También tenía la costumbre de abreviar, y no decir toda la oración; cuando se iba el que se le había pedido rezar me tenía mandado que yo le tirase por cabo del capuz.[21] Y cuando lo hacía, él daba voces, diciendo: «Manden rezar tal y tal oración [22]», como suelen decir.

15 Usaba poner cerca de sí un jarrillo de vino cuando comíamos; luego que él lo desasía, yo muy de presto lo cogía, le daba un par de besos callados,[23] y lo tornaba a su lugar. Mas esto me duró poco tiempo, porque él notaba la falta, y para reservar su vino, nunca después desamparaba [24] el jarro, antes [25] lo tenía por el asa asido [26];
20 pero yo, con una paja larga de centeno,[27] que para aquel menester [28] tenía hecha, y que podía insertar en la boca del jarro, chupaba [29] el vino a mi contento.[30] Pero el traidor era tan astuto que me sintió, y de allí en adelante mudó de propósito [31]; ponía el jarro entre las piernas y lo atapaba [32] con la mano, y así bebía seguro.[33] Yo, acostum-
25 brado al vino, moría por él [34]; y viendo que aquel remedio de la paja no me aprovechaba ni valía,[35] hice en el suelo [36] del jarro un agujero sutil,[37] y delicadamente, con una tortilla delgada de cera [38] lo tapé.

[10] to do again; repair
[11] trick
[12] endiablada . . . faltaba the devil-ish treatment the blind man was dealing out to me
[13] to snitch
[14] Spanish coins
[15] threw; thrust
[16] (preparada)
[17] (extendía, alargaba)
[18] al tiento by touch
[19] Spanish coin
[20] bad luck
[21] (capa)
[22] manden . . . oración prayers for any occasion
[23] besos callados quiet kisses (swigs)
[24] left unguarded

[25] but instead
[26] por . . . asido seized by the han-dle
[27] rye
[28] job
[29] sucked out
[30] a mi contento to my (complete) satisfaction
[31] mudó de propósito changed his plan (or tactics)
[32] covered
[33] seguro in safety
[34] moría por él was dying for it (wine)
[35] no . . . valía was worthless
[36] bottom
[37] agujero sutil a small hole
[38] wax

Al tiempo de comer, fingiendo [39] tener frío me entraba entre las piernas del triste ciego a calentarme en la pobrecilla lumbre [40] que teníamos, y al calor de ella, derretida [41] la cera, por ser muy poca, comenzaba la fuentecilla [42] a destilarme en la boca, la cual yo de tal manera ponía, que maldita la gota que se perdía.[43] Cuando el 5 pobre iba a beber, no hallaba nada. Se maravillaba, maldecía, daba al diablo el jarro y el vino,[44] no sabiendo qué podía ser.

—No puedes decir, tío, que lo bebo yo —decía—, pues lo tenías siempre en la mano.

Tantas vueltas y toques [45] dió al jarro, que halló la fuente y cayó 10 en la burla [46]; pero lo disimuló como si [47] no lo hubiera sentido [48]; y luego otro día, tomando yo el vino como solía, no pensando en el daño que se me preparaba, recibiendo aquellos dulces tragos,[49] mi cara puesta hacia el cielo, un poco cerrados los ojos para gozar más el sabroso licor, el ciego tomó venganza de mí. Con toda su fuerza, 15 alzando [50] con dos manos aquel dulce y amargo [51] jarro lo dejó caer sobre mi boca de modo que me pareció que el cielo, con todo lo que en él hay, me había caído encima.[52] Fué tal el golpecillo [53] que me desatinó [54] y perdí el sentido,[55] y el jarrazo [56] fué tan fuerte, que los pedazos de él se me metieron en la cara, rompiéndomela por muchas 20 partes, y me quebró los dientes, sin los cuales hasta hoy día me quedé.

Desde aquella hora quise mal al mal ciego; y aunque me quería y me curaba,[57] bien vi que le había gustado el cruel castigo. Me lavó la cara quitándome los pedazos del jarro, y sonriéndose [58] decía:

—¿Qué te parece, Lázaro? Lo que te enfermó te sana [59] y da salud. 25

Y otros donaires [60] que no eran de mi gusto.

Ya que estuve medio curado de mis cardenales,[61] y considerando que el cruel ciego me ahorraría [62] pocos golpes tales, quise yo ahorrarme de él; mas no lo hice al momento para poder hacerlo a mi salvo

[39] pretending
[40] (**fuego**)
[41] melted
[42] little stream
[43] **maldita . . . perdía** "nary" a drop was lost
[44] **maldecía . . . vino** he cursed and gave the jar and wine the dickens
[45] **vueltas y toques** turns and probings
[46] **cayó . . . burla** caught on to the trick
[47] **disimuló como si** pretended (acted) as though
[48] felt
[49] swallows
[50] raising
[51] bitter
[52] **me . . . encima** had fallen on me
[53] little tap
[54] **me desatinó** it knocked me senseless
[55] consciousness
[56] blow from the jar
[57] took care of me
[58] smiling
[59] **te sana** makes you well
[60] witticisms
[61] bruises
[62] would spare

y provecho [63] más tarde. Y aunque quisiera yo perdonarle el jarrazo, el mal tratamiento que el mal ciego me hacía no lo permitía. Me hería sin causa, dándome coscorrones [64] y repelándome.[65] Y si alguno le preguntaba por qué me trataba tan mal, él contaba el cuento del 5 jarro, diciendo:

—¿Pensáis que este mi mozo [66] es algún inocente [67]? Dudo que el demonio ensayara [68] tal hazaña.

Los que le oían, santiguándose,[69] decían:

—Mirad, quién pensara de un muchacho tan pequeño tal ruindad.[70]

10 Y se reían mucho del artificio [71] y le decían:

—Castígale, o lo tendrás de Dios.

Y él, con aquello, lo hacía.

Mi venganza era siempre llevarle por los peores caminos; si había piedras, por ellas; si lodo, por lo más alto.[72] Y aunque yo no iba en 15 seco,[73] me alegraba de quebrarme el ojo para quebrar dos al que ninguno tenía.[74] Con que, siempre con el cabo del tiento [75] me estaba golpeando el colodrillo,[76] de manera que lo tenía lleno de tolondrones y pelado [77]; y aunque yo juraba [78] no hacerlo con malicia,[79] sino por no hallar mejor camino, no me creía; tal era el sentido [80] y grandísimo 20 entendimiento del traidor.

Y para que vea vuestra merced a cuánto se extendía el ingenio de este astuto ciego, contaré un caso que, me parece, dió bien a conocer [81] su gran astucia. Cuando salimos de Salamanca su motivo [82] fué venir a Toledo, por ser la gente allí más rica, aunque no muy limosnera.[83] 25 Acordándonos del refrán que dice: «Más da el duro que el desnudo [84]» seguimos el camino por los mejores lugares. Donde había buena acogida [85] y ganancia, nos deteníamos; donde no, al tercer día nos íbamos. Acaeció que, en llegando a un lugar que llaman Almoroz, al tiempo que cogían las uvas, un vendimiador [86] le dió un racimo

---

[63] a . . . provecho   safely and efficiently
[64] bumps on the head
[65] yanking out my hair
[66] este mi mozo   (este mozo mío)
[67] algún inocente   some innocent child
[68] would have tried
[69] crossing themselves
[70] meanness
[71] the trick
[72] por . . . alto   through the deepest
[73] en seco   high and dry
[74] me . . . tenía   I was happy to do myself injury (give one eye) as long as it was worse for him (took two of his)

[75] cabo del tiento   end of his walking stick
[76] back of (my) neck
[77] lleno . . . pelado   full of bruises and peeled
[78] swore
[79] con malicia   out of spite
[80] good sense
[81] dió . . . conocer   proved well
[82] (plan)
[83] (liberal; generosa)
[84] más . . . desnudo   the stingy give more than the naked
[85] reception
[86] (el que coge las uvas)

de ellas en limosna; y como suelen maltratar los cestos,[87] y también
porque la uva en aquel tiempo está muy madura, se le desgranaba [88]
el racimo en la mano. Puesto que se volvería mosto [89] metiéndolo en
el fardel, le ocurrió hacer un banquete, tanto por no poderlo llevar
como por contentarme, porque aquel día me había dado muchos 5
rodillazos [90] y golpes; nos sentamos juntos, pues, y dijo:
—Ahora quiero yo usar contigo de una liberalidad,[91] y es que
ambos comamos este racimo de uvas, y puedes tener la parte que te
corresponde; hemos de partirlo de esta manera: tú picarás una vez y
yo otra, con tal que me prometas no tomar cada vez más de una uva; 10
yo haré lo mismo, hasta que lo acabemos, y de esta suerte no habrá
engaño.[92] Hecho así el concierto,[93] comenzamos; pero al segundo
lance [94] el traidor mudó de propósito y comenzó a tomar dos; cuando
vi que él quebraba la postura,[95] no estuve contento ir a la par con
él [96]; comí dos a dos y tres a tres y como podía. Acabado el racimo, 15
estuvo él un poco con el escobajo [97] en la mano. Meneándose [98] la
cabeza, dijo:
—Lázaro, engañado me has: juraré yo que has tú comido las uvas
tres a tres.
—No —dije yo—; mas ¿por qué sospecháis eso?   20
Respondió el graciosísimo ciego:
—¿Sabes cómo veo que las comiste tres a tres? En que yo las comía
dos a dos y te callabas.[99]

PREGUNTAS

1. ¿Dónde llevaba el ciego la comida?
2. ¿Cómo cuidaba el ciego sus cosas?
3. ¿Por qué podía Lazarillo despachar su comida tan de pronto?
4. ¿Cómo podía aumentar su comida?
5. ¿Cuál valía más, una blanca, o un maravedí?
6. ¿Dónde ponía Lazarillo la blanca entera?
7. A veces el ciego no terminaba la oración. ¿Por qué?
8. ¿Qué hacía Lazarillo con una paja larga?

[87] baskets
[88] se le desgranaba was coming to
  pieces
[89] grape juice
[90] blows with the knee
[91] usar . . . liberalidad to be generous
[92] cheating
[93] (acuerdo)
[94] time around
[95] (pacto, acuerdo)
[96] a . . . él at the same rate he did
[97] grape stem
[98] wagging
[99] te callabas you kept silent

9. ¿Qué hacía el ciego al saber que no había nada en el jarro?
10. Explique cómo fué descubierto el engaño.
11. ¿Por qué dice Lazarillo que el jarro es «dulce y amargo»?
12. ¿Qué hizo el ciego después de darle a Lazarillo el jarrazo?
13. ¿Cuánto tiempo se quedaba el ciego en los distintos lugares?
14. ¿Qué se les dió de limosna en Almoroz?
15. ¿Qué plan tuvo el ciego para dividir las uvas?
16. ¿Cómo sabía el ciego que Lazarillo había quebrado el pacto?

EJERCICIOS

I. *Cambie al pretérito:*

| bebían | cosían | daban | estabas | hacíamos |
| lanzábamos | quebraban | rezaban | sentían | traían |

II. *Termine cada frase:*

a. Se abre un candado con _____.
b. Un _____ es la cantidad que cabe en la boca.
c. *Dicha* quiere decir felicidad y buena suerte; la palabra que quiere decir mala suerte e infortunio es _____.
d. Con un pedacito de _____ tapó Lazarillo el agujero.
e. Si *jarrazo* es un golpe dado por un jarro, un *rodillazo* es _____.
f. Los vendimiadores llevaban las uvas en _____.
g. Cuando habían comido las uvas del racimo, les quedó el _____.
h. Una fuente muy pequeña es una _____.
i. Los pedazos del jarro se me metieron en _____.
j. El ciego traía pan en un _____.

III. *Diga rápidamente, cambiando al castellano la palabra entre paréntesis:*

a. los candados y las llaves (*the keys*)
b. el pan y _____ (*the sausages*)
c. el agua y _____ (*the wine*)
d. la boca y _____ (*the teeth*)
e. las burlas y _____ (*the witticisms*)
f. los consejos y _____ (*the prayers*)
g. el frío y _____ (*the hunger*)
h. los hechos y _____ (*the great deeds; feats*)
i. las piedras y _____ (*the mud*)
j. el pobre y _____ (*the naked*)

IV. *Dé un antónimo:*

a. todo; nada

b. meter; _____

c. ahorrar; _____

d. lleno; _____

e. hallar; _____

f. simpleza; _____

g. siempre; _____

h. mejor; _____

i. calor; _____

j. cerrados; _____

k. acabar; _____

l. tomar; _____

V. *Traduzca al español:*

a. The grape harvesters were picking the grapes.

b. The blind man washed my face with wine.

c. He pretended not to know anything about the hole.

d. It seemed that the sky had fallen on me.

e. I did not like his witticisms.

f. He had a habit of cutting the prayers short.

g. I could suck the wine from the jug with a long straw.

h. Lazarillo did not lose even (*ni*) a drop of the wine.

i. I had not liked (*gustar*) the cruel punishment he gave me.

j. They told him to punish me, and the traitor did it.

Tratado primero (concluído)

Aunque muchacho, noté mucho la astucia del ciego; mas por no ser prolijo,[1] dejo de contar muchas cosas así que me pasaron con este mi primer amo. Quiero decir la despedida,[2] y acabar con él. Estábamos en Escalona (villa del duque de ella), en un mesón y me dió un pedazo de longaniza que le asase.[3] Y la longaniza asada, y 5 comidas las pringadas,[4] sacó un maravedí de la bolsa y me mandó ir a la taberna por vino. El demonio, que (como suelen decir) hace el ladrón, puso el aparejo [5] delante de mis ojos; pasó que había al lado del fuego un nabo pequeño, larguillo y ruinoso,[6] y tal, que, sin valor para la olla,[7] debió ser [8] echado allí; y como al presente nadie estu- 10 viese sino él y yo solos, y habiéndome puesto loco el sabroso olor de la longaniza, yo sabía que tenía que gozarla, sin mirar qué me

[1] tedious
[2] farewell
[3] **le asase**   roast for him
[4] drippings; gravy
[5] means

[6] **nabo . . . ruinoso**   small turnip, longish and droopy
[7] stew
[8] **debió ser**   must have been

podría suceder. Así pues, cuando el ciego sacaba de la bolsa el dinero, saqué la longaniza, y muy presto metí el sobredicho nabo en el asador,[9] el cual mi amo, dándome el dinero para el vino, tomó y comenzó a dar vueltas al fuego.

5 Yo fuí por el vino, tardando poco en despachar la longaniza. Y cuando volví hallé al pecador del ciego [10] con el nabo apretado [11] entre dos rebanadas.[12] Mordió en ellas, pensando llevar parte de la longaniza. Hallando solamente el nabo se alteró,[13] y dijo:

—¿Qué es esto, Lazarillo?

10 —Pobre de mí —dije yo— si quieres culparme de algo. Yo, ¿no vengo de traer vino? Alguno estaba ahí, y por burla hizo eso.

—No, no —dijo él—, que yo no he dejado el asador de la mano; no es posible.

Yo volví a jurar y perjurar [14] que era inocente de aquel trueco [15] 15 y cambio; pero poco me aprovechó, porque tal era la astucia del ciego que nada se le escondía. Se levantó y me asió [16] de la cabeza, y se llegó a olerme,[17] y para mejor satisfacerse de la verdad, me abrió la boca más de su derecho,[18] y metió la nariz, que era larga y afilada,[19] y que ahora con el enojo, se había aumentado un palmo,[20] hasta que 20 me llegó a la golilla.[21] Con esto y con el gran miedo que yo tenía, y con la brevedad del tiempo que la negra longaniza había estado en el estómago, y lo más principal, con la larguísima nariz casi ahogándome, todas estas cosas se juntaron, y fueron causa que la golosina [22] se manifestase y que se devolviese [23] a su dueño. De manera que 25 antes que el mal ciego sacase de mi boca su trompa, tal alteración sintió mi estómago, que su nariz y la negra longaniza salieron de mi boca al mismo tiempo. ¡Oh, gran Dios! ¡Que yo estuviera a aquella hora ya sepultado! Fué tal la furia del perverso ciego que si no hubieran acudido al ruido,[24] dudo que me hubiera dejado con vida. 30 Me sacaron de entre sus manos, que estaban llenas de aquellos pocos cabellos que tenía. Yo tenía la cara arañada [25] y rasguñados [26] el pescuezo y la garganta. Y esto bien lo merecía, pues por mi maldad

---

[9] spit
[10] **pecador del ciego**   the old wretch
[11] pressed
[12] slices (of bread)
[13] he was upset
[14] **jurar y perjurar**   to swear, and to swear falsely
[15] (sustitución)
[16] seized
[17] **se . . . olerme**   came closer to smell me

[18] **más . . . derecho**   more than is right
[19] sharp
[20] a span
[21] gullet
[22] delicacy
[23] **se devolviese**   be returned
[24] **no . . . ruido**   if people had not come because of the noise
[25] scratched
[26] clawed

me venían tantas persecuciones. Contó el mal ciego a cuantos llegaban mis mañas, la del jarro, del racimo y ahora la de la longaniza; era la risa de todos tan grande que la gente pasando por la calle entró a ver la fiesta. Con tanta gracia y donaire contó el ciego mis hazañas, que aunque yo estaba tan maltratado y llorando, me parecía que yo le 5 hacía injusticia en no reírme también de ellas. Y mientras pasaba esto, y me maldecía, estaba pensando yo que, con sólo apretar los dientes pudiera haberle dejado sin narices.[27] Ojalá que lo hubiera hecho.

Los que allí estaban y la mesonera se hicieron amigos y me lavaron la cara y la garganta con el vino que yo había traído para beber; sobre 10 eso el mal ciego decía más donaires:

—En verdad,[28] más vino este muchacho me cuesta en lavatorios en un año que bebo en dos. Me parece, Lázaro, que eres más obligado al vino que a su padre, porque él una vez te engendró, pero el vino mil [29] te ha dado la vida. 15

Y luego contó cuántas veces me había herido, curándome más tarde con vino.

Y rieron mucho los que me lavaban con esto, aunque yo renegaba.

Por las malas burlas que el ciego burlaba de mí,[30] decidí de todo en todo dejarle, y con esta última lo afirmé más. 20

Un día salimos por la villa a pedir limosna, y había llovido [31] mucho la noche antes. Puesto que continuaba a llover, el ciego andaba rezando debajo de unos portales [32] que en aquel pueblo había, donde no nos mojábamos.[33] Mas como la noche entraba y la lluvia no cesaba, me dijo el ciego: 25

—Lázaro, esta agua es muy porfiada,[34] y cuanto más cierra [35] la noche, peor. Vamos a la posada con tiempo.[36]

Para ir allá teníamos que pasar un arroyo, que con la mucha agua iba grande; yo le dije:

—Tío, el arroyo va muy ancho; mas si quieres, yo veo por donde 30 podemos cruzar sin mojarnos, porque se estrecha allí mucho, y saltando [37] pasaremos a pie enjuto.[38]

Le pareció buen consejo, y dijo:

—Discreto eres; por eso te quiero bien: llévame a ese lugar, que

---

[27] **dejado sin narices** bitten his nose off
[28] **en verdad** really
[29] **(mil veces)**
[30] **burlas de mí** jokes that the blind man pulled on me
[31] rained
[32] sheltered entries; arcades
[33] **no nos mojábamos** we were not getting wet
[34] persistent
[35] **(avanza)**
[36] **con tiempo** while we can
[37] jumping
[38] **a pie enjuto** without getting our feet wet

ahora es invierno y sabe mal [39] el agua, y más llevar [40] los pies mojados.

Yo, que vi el aparejo a mi deseo, lo llevé debajo de los portales, y lo puse enfrente de un pilar o poste de piedra de esos que soportaban
5 saledizos [41] de aquellas casas, y le dije:

—Tío, éste es el paso más angosto [42] que en el arroyo hay.

Como llovía recio [43] y el triste se mojaba, y con la prisa que llevábamos de salir del agua que nos caía encima, y principalmente porque Dios le cegó [44] en aquella hora para darme venganza de él, me creyó,
10 y dijo:

—Ponme bien derecho, y salta tú el arroyo.

Yo lo puse bien derecho enfrente del pilar, y doy un salto, y me pongo detrás del poste como quien espera tope [45] de toro, y le dije:

—Sus,[46] salta cuanto puedas para que no des [47] en el agua.

15 Apenas lo había acabado de decir, cuando se abalanzó el pobre ciego como un cabrón,[48] y tomando un paso atrás para hacer mayor salto, arremetió [49] con toda su fuerza y dió con la cabeza en el poste, con sonido muy recio,[50] como si fuera una gran calabaza,[51] y cayó luego para atrás medio muerto, y hendida [52] la cabeza.

20 —¿Cómo oliste [53] la longaniza, y no el poste? Huele, huele —le dije yo.

Y lo dejé en poder de mucha gente que lo había ido a socorrer y tomé la puerta de la villa de un trote,[54] y antes que la noche viniese estaba en Torrijos. No supe más lo que Dios hizo de él, ni procuré
25 saberlo.[55]

PREGUNTAS

1. ¿Qué metió Lázaro en el asador cuando quitó la longaniza?
2. ¿Cuándo se comió la longaniza?
3. Según Lázaro ¿por qué no le mató el ciego?
4. ¿Qué usó la gente para lavarle la cara?

[39] sabe mal (es desagradable)
[40] (tener)
[41] upper-story projections
[42] narrow
[43] (mucho)
[44] blinded
[45] the encounter
[46] get moving
[47] no des   you don't land

[48] goat
[49] charged forward
[50] sonido muy recio   with a heavy thud
[51] pumpkin, squash
[52] split
[53] you smelled
[54] de un trote   at a trot
[55] ni procuré saberlo   nor did I try to find out

5. ¿Qué dice el ciego sobre el costo de tales lavatorios?
6. ¿Se rió la gente de Lázaro, o de sus hazañas graciosas?
7. ¿Qué decidió hacer Lazarillo después del incidente?
8. ¿Dónde estaba rezando el ciego aquella tarde?
9. ¿Por qué desea el ciego volver a la posada?
10. ¿Qué tienen que cruzar para llegar a la posada?
11. ¿Cómo iba el arroyo después de tanta lluvia?
12. ¿Ve Lázaro una manera de cruzar?
13. ¿Dónde puso Lázaro al ciego?
14. ¿Cuál de ellos saltó primero?
15. Según Lázaro, el ciego no se daba cuenta del peligro. ¿Por qué?
16. ¿Qué aspecto tuvo el ciego al abalanzarse?
17. ¿Qué hace el ciego antes de saltar?
18. ¿Cómo dejó Lázaro al ciego?
19. ¿Cómo salió Lázaro del pueblo?
20. ¿Volvió a ver al ciego?

EJERCICIOS

I. *Cambie al pretérito como en los ejemplos:*

cambio; cambié	debe	llevaré	meto	mordías
noto; noté	podríamos	río	sacasen	soportaban

II. *Diga rápidamente, cambiando al castellano la palabra entre paréntesis:*

a. las calles _____ (*narrow*)
b. un poste de _____ (*stone*)
c. las manos _____ (*full*)
d. la vida _____ (*short*)
e. una longaniza _____ (*black*)
f. una nariz _____ (*long*)
g. una boca _____ (*large*)
h. una puerta _____ (*wide*)
i. un hombre _____ (*discreet*)
j. una conversación _____ (*tedious*)

III. *Dé usted antónimos de:*

cesar	coser	después	en frente de	invierno
largo	menor	primero	sacar	viejo

IV. *De las tres expresiones, elija la más apropiada para cada frase.*

a. Lázaro fué _____ por vino.
1. al establo
2. al mesón
3. a la taberna

b. Lazarillo tardó poco en _____ la longaniza.
1. vender
2. despachar
3. pedir

c. El nabo era sin valor para _____.
1. la calle
2. el suelo
3. la olla

d. Sus manos estaban llenas de los pocos _____ que tenía.
1. cabellos
2. dueños
3. donaires

e. Por las malas burlas decidí _____.
1. dejarle
2. lavarme
3. curarme

V. *Traduzca al español:*

a. He often cut the prayer short.
b. He always returned the jug to its place.
c. I went out hurriedly with the sausage in my hand.
d. The jug had a hole in the bottom
e. It was raining, and it had rained all day.
f. "Punish him," they said; and he did nothing else.
g. Lázaro denied that he had stolen the sausage.
h. We stopped where the earnings were good.
i. When I returned I found that sinner beside the fire.
j. A lot of people came up to help him and I left (*irse*).

LA NOVELA MORISCA

LA ÚNICA PARTE de España que todavía dominan los musulmanes a fines del siglo XV, el reino de Granada, cayó a los Reyes Católicos el 2 de enero de 1492, y así se vió concluída la reconquista del territorio español iniciada en el siglo octavo. Desde el principio la reconquista había tenido un carácter religioso. Todo el poder de la religión católica, y más tarde la fuerza de las ideas renacentistas y la influencia papal, se combinaron para hacer más determinada la resistencia cristiana y más firme la resolución de echar al invasor del suelo español. La victoria, sin embargo, no se debió a las fuerzas superiores de los españoles sino a las luchas interiores y las guerras civiles que ardían entre los moros.

Vencido una vez el enemigo, se podía admitir sus méritos. Los moros habían traído a España una cultura superior a la que existía entonces en Europa. Puestos en contacto con la civilización musulmana, los cristianos vieron la elegancia de su arquitectura, la belleza y el refinamiento de sus palacios, la superioridad de sus caballos y de sus armas. Además, el trato de los conquistadores moros para con sus súbditos cristianos se considera generalmente benévolo. Las dos razas iban mezclándose cada vez más en los ejércitos combatientes. Y ocurría a menudo que algún príncipe cristiano se aliaba a los moros contra sus rivales cristianos.

Por consecuencia no es de extrañarse que la vida mora comenzara a celebrarse en las leyendas y en los romances del período. Los palacios y jardines como los de la Alhambra evocaron el encanto y el esplendor de la civilización musulmana, recordando al mismo tiempo la gentileza de sus costumbres y la valentía del enemigo conquistado.

Era la novela morisca una forma de ficción puramente española de origen. De fondo histórico, en ella se veían idealizados y perfeccionados los moros y sus costumbres. De este género la obra maestra es Las guerras civiles de Granada, por Ginés Pérez de Hita, de la cual fueron popularizados algunos episodios por Washington Irving bajo el título Tales of the Alhambra. La primera muestra del género, sin embargo, es la Historia del Abencerraje y la hermosa Jarifa, cuyo autor y cuya fecha exacta son desconocidos.

El Abencerraje ha gustado por su generosa idealización de costumbres moras, por sus cuadros de la vida granadina y por la elegante y sencilla narración. Ha sido llamada «la joya de la novela histórica», y un crítico dice del estilo que «el autor primitivo había escrito con pluma del ala de algún ángel».

La historia del Abencerraje y la hermosa Jarifa

Dice el cuento que en tiempo del infante don Fernando,[1] que ganó Antequera, fué [2] un caballero que se llamó Rodrigo de Narváez, notable en virtud y hechos [3] de armas. Éste, peleando contra moros, hizo cosas de mucho esfuerzo [4]; y particularmente en aquella empresa [5] y
5 guerra de Antequera hizo tanto en servicio de su ley [6] y de su rey, que después de ganada la villa, le hizo [7] alcaide de ella. Hízole también alcaide de Álora; de suerte que [8] tenía a cargo ambas fuerzas, repartiendo [9] el tiempo en ambas partes, y acudiendo siempre a la mayor necesidad. Lo más ordinario [10] residía en Álora, y allí tenía
10 cincuenta escuderos,[11] hidalgos a los gajes [12] del rey, para la defensa y seguridad de la fuerza.[13] Tenían todos ellos tanta fe en la virtud de su capitán, que ninguna empresa [14] se les hacía difícil; y así no dejaban de ofender a sus enemigos y defenderse de ellos, y en todas las escaramuzas que entraban salían vencedores, en lo cual ganaban honra
15 y provecho, de que andaban siempre ricos. Pues una noche acabando de cenar, que hacía el tiempo muy sosegado,[15] el alcaide dijo a todos ellos estas palabras:

—Paréceme, señores y hermanos míos, que ninguna cosa despierta tanto los corazones de los hombres, como el continuo ejercicio de
20 las armas, porque con él [16] se cobra experiencia en las propias, y se pierde miedo a las ajenas. Y de esto no hay para qué yo traiga testigos de fuera; porque vosotros sois verdaderos testimonios. Digo esto, porque han pasado muchos días que no hemos hecho cosa que nuestros nombres acreciente, y daría yo mala cuenta de mí y de mi
25 oficio, si teniendo a cargo tan virtuosa gente y valiente compañía dejase pasar el tiempo en balde. Paréceme (si os parece), pues la claridad y seguridad de la noche nos convida, que será bien dar a

---

[1] Fernando (el de Antequera: regente de Castilla durante la infancia de Juan II. Después de un sitio de algunos meses, Fernando tomó Antequera de los moros el 24 de septiembre de 1410. Fernando se hizo más tarde rey de Aragón. Antequera queda a unos cincuenta kilómetros al norte de Málaga.)
[2] (hubo; había)
[3] feats
[4] (valentía; ánimo; coraje)
[5] (campaña)

[6] (la religión cristiana)
[7] le hizo (el rey le hizo)
[8] de suerte que (de manera que; de modo que)
[9] (distribuyendo; dividiendo)
[10] lo más ordinario (por lo común; ordinariamente)
[11] (caballeros; hidalgos; nobles)
[12] (sueldos; emolumentos)
[13] (fortaleza; castillo)
[14] (proyecto; acción; hecho)
[15] (tranquilo)
[16] (el ejercicio)

entender a nuestros enemigos, que los valedores [17] de Álora no duermen. Yo os he dicho mi voluntad, hágase lo que os pareciere.[18]

Ellos respondieron que ordenase,[19] que todos le seguirían. Y nombrando nueve de ellos los hizo armar; y siendo armados, salieron por una puerta falsa [20] que la fortaleza tenía, por no ser sentidos,[21] y 5 porque la fortaleza quedase a buen recaudo.[22] Y yendo por su camino adelante, hallaron otro que se dividía en dos. El alcaide les dijo:

—Ya podría ser que yendo todos por este camino se nos fuese [23] la caza [24] por este otro. Vosotros cinco os id por el uno, yo con estos 10 cuatro me iré por el otro; y si acaso los unos toparen [25] enemigos que no basten a vencer, toque uno su cuerno, y a la señal acudirán los otros en su ayuda.

Yendo los cinco escuderos por su camino adelante, hablando en diversas cosas, uno de ellos dijo: 15

—Teneos, compañeros, que o yo me engaño, o viene gente. Y metiéndose entre una arboleda que junto al camino se hacía, oyeron ruido; y mirando con más atención vieron venir un gentil [26] moro en un caballo roano; él era grande de cuerpo, y hermoso de rostro, y parecía muy bien a caballo. Traía vestida una marlota [27] de car- 20 mesí,[28] y un albornoz de damasco [29] del mismo color, todo bordado de oro y plata. Traía el brazo derecho regazado,[30] y labrado [31] en él una hermosa dama, y en la mano una gruesa lanza de dos hierros. Traía una adarga [32] y cimitarra, y en la cabeza una toca tunecí,[33] que dándole muchas vueltas por ella,[34] le servía de hermosura y defensa [35] 25 de su persona. En este hábito venía el moro, mostrando gentil continente, y cantando un cantar que él compuso en la dulce membranza [36] de sus amores, que decía:

Nacido en Granada,
Criado en Cártama, 30

---

[17] (protectores; defensores)
[18] lo . . . pareciere   what seems proper to you
[19] he should command
[20] **puerta falsa**   side or back door
[21] heard
[22] **a buen recaudo**   in safety
[23] (escapara)
[24] prey; quarry
[25] **topar (encontrar; hallar)**
[26] (gallardo; noble)
[27] close-fitting moorish gown

[28] crimson; red silk
[29] **albornoz de damasco**   a hooded cloak of damask
[30] tucked; pleated
[31] (bordado; trabajado)
[32] (escudo)
[33] **toca tunecí**   Tunisian headdress
[34] **dándole . . . ella** (dándole a la toca muchas vueltas por su cabeza)
[35] **le . . . defensa**   it served for the adornment and defense
[36] (recuerdo)

Enamorado en Coín,
Frontero de Álora.[37]

Aunque a la música faltaba el arte, no faltaba al moro contentamiento; y como traía el corazón enamorado, a todo lo que decía daba
5 buena gracia. Los escuderos, transportados en verle,[38] erraron [39] poco
de dejarle pasar, hasta que dieron con [40] él. Él, viéndose salteado,[41]
con ánimo gentil [42] volvió por sí,[43] y estuvo por ver lo que harían.
Luego, de los cinco escuderos cuatro se apartaron, y uno le acometió;
mas como el moro sabía más de aquel menester,[44] de una lanzada dió
10 con él y con su caballo en el suelo. Visto esto, de los cuatro que quedaban tres le acometieron; de manera que ya contra el moro eran tres
cristianos que cada uno bastaba para diez moros, y todos juntos no
podían con [45] éste solo. Allí se vió en gran peligro, porque se le
quebró la lanza, y los escuderos le daban mucha prisa [46]; mas fingiendo
15 que huía, puso las piernas a su caballo, y arremetió al ascudero que
derribara; y como una ave se colgó [47] de la silla, y le tomó su lanza,
con la cual volvió a hacer rostro a sus enemigos, que le iban siguiendo
pensando que huía, y dióse tan buena maña que a poco rato tenía dos
en el suelo. El otro que quedaba, viendo la necesidad de sus com-
20 pañeros, tocó el cuerno, y fué a ayudarlos. Aquí se trabó fuertemente [48]
la escaramuza, porque ellos estaban afrentados de ver que un caballero les duraba [49] tanto. A esta hora le dió uno de los dos escuderos
una lanzada en un muslo, que a no ser el golpe en soslayo [50] se le
pasara todo.[51] Él, con rabia de verse herido, volvió por sí, y dióle una
25 lanzada que dió con él y con su caballo muy mal herido en tierra.
Rodrigo de Narváez, barruntando [52] la necesidad en que sus compañeros estaban, atravesó el camino, y como traía mejor caballo se
adelantó; y viendo la valentía del moro quedó espantado,[53] porque
de los cinco escuderos tenía a los cuatro en el suelo, y el otro casi
30 al mismo punto. Él le dijo:

[37] Granada, Cártama, Coín, Álora (ciudades y lugares de la provincia de
 Granada)
[38] (mirarle)
[39] (faltaron)
[40] dieron con   hit; knocked; struck
[41] (atacado)
[42] con ánimo gentil   with admirable
 courage
[43] volvió por sí (preparó a defenderse)
[44] (arte; trabajo)
[45] no podían con   could not subdue,
 conquer

[46] le . . . prisa (le apretaban mucho)
[47] se colgó (colgándose de la silla, el
 moro toma para sí la lanza del
 escudero caído)
[48] se trabó fuertemente (se hace más
 intensa)
[49] (resistía)
[50] en soslayo (oblicuo)
[51] se . . . todo   would have cut
 through it completely
[52] (adivinando; sospechando)
[53] (admirado; turbado; preocupado)

—Moro, vente [54] a mí, y si tú me vences, yo te aseguro de los demás.

Y comenzaron a trabar brava escaramuza; mas como el alcaide venía de refresco, y el moro y su caballo estaban heridos, dábale tanta prisa, que no podía mantenerse; mas, viendo que en sola esta batalla le iba la vida y contentamiento, dió una lanzada a Rodrigo de Narváez, 5 que a no tomar el golpe en su adarga le hubiera muerto. Él en recibiendo el golpe arremetió a él, y dióle una herida en el brazo derecho, y cerrando luego con él le trabó a brazos,[55] y sacándole de la silla, dió con él en el suelo. Y yendo [56] sobre él, le dijo:

—Caballero, date por vencido, o te mato.   10

—Matarme bien podrás —dijo el moro— que en tu poder me tienes; mas no podrá vencerme sino quien una vez me venció.

El alcaide no paró en [57] el misterio con que se decían estas palabras, y usando en aquel punto de su acostumbrada virtud, le ayudó a levantar, porque de la herida que le dió el escudero en el muslo, y de la 15 del brazo, aunque no eran grandes, y del gran cansancio y caída quedó quebrantado [58]; y tomando de los escuderos aparejo,[59] le ligó las heridas; y hecho esto, le hizo subir en un caballo de un escudero, porque el suyo estaba herido, y volvieron [60] el camino de Álora.

PREGUNTAS

1. ¿A quién hizo el rey alcaide de Álora?
2. ¿Residía Rodrigo siempre en Álora?
3. ¿Quiénes le ayudaban a defender la fortaleza?
4. ¿Qué les propone Rodrigo a los escuderos una noche?
5. ¿Cuántos caballeros acompañaron a Rodrigo?
6. ¿Por dónde salieron?
7. ¿Por qué quería Rodrigo un poco más tarde que los soldados se separaran en dos grupos?
8. En caso de un ataque ¿cómo pudiera un grupo pedir ayuda al otro?
9. ¿A quién vieron los escuderos acercarse?
10. ¿Cómo se sabe que el moro no tenía miedo?
11. ¿Por qué faltaron poco los caballeros de dejarle pasar?
12. ¿Dónde vino a parar el primer escudero que le atacó?

[54] vente (imperativo del verbo «venirse»)
[55] le . . . brazos   he wrestled with him
[56] (colocándose)
[57] no paró en (no se fijó en; no observó)
[58] bruised
[59] (los artículos necesarios)
[60] (tomaron de nuevo)

13. ¿Cuántos le acometieron después?
14. ¿Cómo obtuvo el moro otra lanza?
15. ¿Qué hizo el escudero que quedaba?
16. ¿Qué impresión recibió Rodrigo al ver al moro y el estado de sus compañeros?
17. ¿Por qué no pudo el moro mantenerse contra Rodrigo?
18. ¿Qué respuesta misteriosa dió el moro al mandar Rodrigo que se diera por vencido?
19. ¿Qué heridas tuvo el moro?
20. ¿Adónde fueron los escuderos con su cautivo?

EJERCICIOS

I. *Termine las frases:*

  a. El que tiene a su cargo la defensa de una fortaleza es _____.
  b. Un combate rápido o ligero en que tropas avanzadas ponen a prueba la fuerza del enemigo se llama _____.
  c. Un hidalgo, u hombre de buen linaje que servía en el ejército del rey o de un gran señor se llamaba _____.
  d. Los soldados de aquella época mataban con _____ y _____.
  e. El objeto que usaban para protegerse de los golpes de la espada se llamaba _____.
  f. El golpe que se recibe de una lanza se puede llamar _____.
  g. Otros escuderos acudieron cuando oyeron tocar _____.
  h. En todo combate hay vencidos y _____ (*conquerors*).
  i. El toque del cuerno era la señal que les pidió _____ (*help*).
  j. El sable corvo del moro se llamaba _____.

II. *Dé los sinónimos:*

  acometer   castillo   conquistar   hidalgo   luchar

III. *Dé los antónimos:*

  atacar   bajar   hermoso   maldad   perder

IV. *Termine con palabras apropiadas:*

  a. moros y _____ (*Christians*)
  b. amigos y _____ (*companions*)
  c. los brazos y las _____ (*legs*)
  d. en el suelo y en la _____ (*saddle*)

e. batallas y _____ (*skirmishes*)

f. El camino se _____ (*divided*) en dos.

g. La claridad de la noche nos _____ (*invites*).

h. Viene _____ (*people*).

i. a poco _____ (*after a short while*)

j. Le ligó _____ (*his arm*).

v. *Traduzca al español:*

a. Rodrigo helped him to get up.

b. The Moor saw himself in great danger.

c. For (*hace*) many days now we haven't done anything.

d. He had acquired (*cobrar*) a lot of experience in the use (*ejercicio*) of arms.

e. Rodrigo was a captain (*capitán*) in the army of Prince Ferdinand.

f. He lived in (*residir*) Álora, but he frequently had to go to the defense of (*acudir*) Antequera.

g. Those nobles received their wages (*gajes*) from the king.

h. In such skirmishes they were winning (*ganar*) honor and profit (*provecho*).

i. I would not like to give a bad account (*cuenta*) of myself and of my job (*oficio*).

j. They saw a Moor coming (*venir*) through a grove (*arboleda*).

La historia del Abencerraje (*continuada*)

Y mientras Rodrigo iba adelante con él, hablando de la buena disposición y valentía del moro, éste, dió un grande y profundo suspiro, y habló algunas palabras en algarabía [1] que ninguno entendió. Rodrigo de Narváez iba mirando su buen talle y disposición: acordábase de lo que le vió hacer; y parecíale que tan gran tristeza en ánimo [2] 5 tan fuerte no podía proceder de sola la causa que allí parecía. Y por informarse de él, le dijo:

—Caballero, mirad que el prisionero que en la prisión pierde el ánimo, aventura [3] el derecho de la libertad. Mirad que en la guerra los caballeros han de ganar y perder; porque los más de sus trances [4] 10 están sujetos a la fortuna, y parece flaqueza [5] que quien hasta aquí

---

[1] algunas . . . algarabía (algunas palabras indistintas en la lengua árabe)
[2] heart
[3] (arriesga)
[4] (encuentros; batallas)
[5] (debilidad)

ha dado tan buena muestra de su esfuerzo, la dé ahora tan mala. Si
suspiráis del dolor de las llagas,[6] a lugar vais do [7] seréis bien curado;
si os duele la prisión, jornadas [8] son de guerra a que están sujetos
cuantos la siguen. Y si tenéis otro dolor secreto, fiadle de mí, que yo
5 os prometo como hidalgo de hacer, por remediarle, lo que en mí
fuere.[9]

El moro, levantando el rostro, que en el suelo tenía, le dijo:

—¿Cómo os llamáis, caballero, que tanto sentimiento mostráis de
mi mal?

10   Él le dijo:

—A mí llaman Rodrigo de Narváez; soy alcaide de Antequera y
Álora.

El moro, tornando el semblante algo alegre, le dijo:

—Por cierto ahora pierdo parte de mi queja; pues ya que mi for-
15 tuna me fué adversa, me puso en vuestras manos; que aunque nunca
os vi sino ahora, gran noticia tengo de vuestra virtud,[10] y experiencia
de vuestro esfuerzo; y porque [11] no os parezca que el dolor de las
heridas me hace suspirar, y también porque me parece que en vos
cabe cualquier secreto, mandad apartar vuestros escuderos, y ha-
20 blaros he dos [12] palabras.

El alcaide los hizo apartar, y quedando solos, el moro, arrancando
un gran suspiro, le dijo:

—A mí me llaman Abindarráez el mozo, a diferencia de un tío
mío, hermano de mi padre, que tiene el mismo nombre. Soy de los
25 Abencerrajes de Granada, de los cuales muchas veces habrás oído
decir; eran la flor de todo aquel reino porque en gentileza de sus personas, buena gracia, disposición y gran esfuerzo, hacían ventaja a
todos los demás; eran muy estimados del rey y de todos los caballeros,
y muy amados y quistos [13] de la gente común. En todas las escara-
30 muzas que entraban salían vencedores, y en todos los regocijos [14] de
caballería [15] se señalaban. Ellos inventaban las galas [16] y los trajes;
de manera que se podía bien decir, que en ejercicio de paz y de
guerra, eran ley [17] de todo el reino. Dícese que nunca hubo Abencerraje escaso [18] ni cobarde, ni de mala disposición: no se tenía por

[6] (heridas)
[7] (donde)
[8] (condiciones)
[9] lo . . . fuere (lo que me sea posible)
[10] (valor; buenas cualidades)
[11] (para que)
[12] hablaros he dos (le voy a decir dos . . .)

[13] liked
[14] (diversiones)
[15] knighthood
[16] (celebraciones; juegos)
[17] (modelo; ejemplo)
[18] (mezquino)

Abencerraje el que no servía dama, ni se tenía por dama la que no tenía Abencerraje por servidor. Quiso la fortuna, enemiga de su bien, que de esta excelencia [19] cayesen de la manera que oirás. El rey de Granada hizo a dos de estos caballeros, los que más valían, un notable e injusto agravio, movido de falsa información que contra ellos [5] tuvo; y se decía, aunque yo no lo creo, que estos dos y a su instancia otros diez, se conjuraron [20] de matar al rey, y dividir el reino entre sí, vengando su injuria. Esta conjuración, siendo verdadera o falsa, fué descubierta; y por no escandalizar el rey al reino, que tanto los amaba, los hizo a todos una noche degollar [21]; sus casas fueron derriba- [10] das, sus heredades [22] enajenadas,[23] y su nombre dado en el reino por traidor.

—Resultó de este infeliz caso que ningún Abencerraje pudiese vivir en Granada, salvo [24] mi padre y un tío mío, que hallaron inocentes de este delito, a condición que los hijos que les naciesen enviasen a [15] criar fuera de la ciudad, para que no volviesen a ella, y las hijas casasen fuera del reino.

—Yo salí al mundo, y para cumplir mi padre el mandamiento del rey, envióme a Cártama, al alcaide que en ella estaba, con quien tenía estrecha amistad. Éste tenía una hija, casi de mi edad, a quien amaba [20] más que a sí; porque, allende [25] de ser sola y hermosísima, le costó la mujer, que murió de su parto. Ésta y yo en nuestra niñez siempre nos tuvimos por hermanos, porque así nos oíamos llamar; nunca me acuerdo haber pasado hora que no estuviésemos juntos: juntos nos criaron, juntos andábamos, juntos comíamos y bebíamos. Nació de [25] esta conformidad un natural amor, que fué siempre creciendo con nuestras edades. Acuérdome que, entrando una siesta en la huerta que dicen de los Jazmines, la hallé sentada junto a la fuente, componiendo [26] su hermosa cabeza; miréla vencido de su hermosura. ¡No sé cómo me pesó de que fuese mi hermana! Y no aguardando más [30] fuíme a ella; y cuando me vió, con los brazos abiertos me salió a recibir, y sentándome junto a sí me dijo:

«Hermano, ¿cómo me dejaste tanto tiempo sola?»

Yo la [27] respondí: «Señora mía, porque ha [28] gran rato que os busco; y nunca hallé quien me dijese do estabais, hasta que mi corazón [35]

[19] (condición tan alta)
[20] se conjuraron (conspiraron)
[21] (cortar la garganta)
[22] (bienes; propiedad)
[23] (vendidas)
[24] (excepto)
[25] (además)
[26] (peinando; hermoseando)
[27] *Although the use of* la *as an indirect object is now rare, it is nevertheless grammatically correct.*
[28] (hace)

me lo dijo; mas decidme ahora: ¿qué certenidad tenéis vos de que seamos hermanos?»

«¿No ves, dijo ella, que a no serlo, no nos dejara mi padre andar siempre juntos y solos?»

5 «Pues si ese bien me habían de quitar, dije yo, más quiero el mal que tengo.»

Entonces ella, encendiendo su hermoso rostro en color, me dijo:

«¿Y qué pierdes tú en que seamos hermanos?»

«Pierdo a mí y a vos,» dije yo.

10 «Yo no te entiendo, dijo ella, mas a mí me parece que sólo serlo nos obliga a amarnos naturalmente.»

«A mí, sola vuestra hermosura me obliga,[29] que antes [30] esa hermandad parece que me resfría algunas veces»: y con esto bajando mis ojos, de empacho [31] de lo que la dije, vila [32] en las aguas de la
15 fuente, de suerte que dondequiera que volvía la cabeza hallaba su imagen, y en mis entrañas la más verdadera. Y decíame yo a mí mismo: y si yo me anegase [33] ahora en esta fuente donde veo a mi señora, ¡cuánto más disculpado moriría yo que Narciso [34]! Y si ella me amase como yo la amo, ¡qué dichoso sería yo! Y si la fortuna nos
20 permitiese vivir siempre juntos, ¡qué sabrosa vida sería la mía! Diciendo esto, levantéme, y volviendo las manos a unos jazmines, de que la fuente estaba rodeada, mezclándolos con arrayán,[35] hice una hermosa guirnalda,[36] y poniéndola sobre mi cabeza me volví a ella coronado y vencido.

25 Ella puso los ojos en mí (a mi parecer) más dulcemente que solía, y quitándomela, la puso sobre su cabeza. Pareciome en aquel punto más hermosa que Venus cuando salió al juicio de la manzana, y volviendo el rostro a mí, me dijo:

«¿Qué te parece ahora de mí, Abindarráez?»

30 Yo la dije: «Paréceme que acabáis de vencer al mundo, y que os coronan por reina y señora de él.» [37]

Levantándose, me tomó por la mano y me dijo:

«Si eso fuera, hermano, no perdiérades [38] vos nada.»

Yo sin la responder la seguí hasta que salimos de la huerta. Esta
35 engañosa vida trajimos mucho tiempo, hasta que ya el amor, por

---

[29] me obliga (me obliga a amarte)
[30] (más bien; al contrario)
[31] (vergüenza)
[32] (la vi)
[33] (matase; ahogase)
[34] Narciso (se refiere al mito griego en que Narciso, enamorado de su propia imagen, se tiró al agua ahogándose)
[35] myrtle
[36] (corona o adorno para la cabeza hecho de flores, etc.)
[37] de él (del mundo)
[38] (del verbo «perder»)

vengarse de nosotros, nos descubrió la cautela [39]; que como fuimos
creciendo en edad, ambos acabamos de entender que no éramos hermanos. Ella no sé lo que sintió al principio de saberlo; mas yo nunca
mayor contentamiento recibí. En el mismo punto que fuimos cer-
tificados de esto, aquel amor limpio y sano que nos teníamos se co-   5
menzó a dañar, y se convirtió en una rabiosa [40] enfermedad, que nos
durará hasta la muerte. Aquí no hubo primeros movimientos que
excusar; porque el principio de estos amores fué un gusto y deleite
fundado sobre bien; mas después no vino el mal por principios,[41] sino
de golpe y todo junto. Ya yo tenía mi contentamiento puesto en ella, 10
y mi alma hecha a medida [42] de la suya. Todo lo que no veía en ella
me parecía feo, excusado [43] y sin provecho en el mundo. Todo mi
pensamiento era en ella. Ya en este tiempo nuestros pasatiempos
eran diferentes; ya yo la miraba con recelo [44] de ser sentido; ya tenía
envidia del sol que la tocaba. Su presencia me lastimaba la vida, y su 15
ausencia me enflaquecía el corazón. Y de todo esto creo que no me
debía nada, porque me pagaba en la misma moneda.[45] Quiso la fortuna, envidiosa de nuestra dulce vida, quitarnos este contentamiento,
en la manera que oirás.

El rey de Granada, por mejorar en cargo [46] al alcaide de Cártama, 20
envióle a mandar que luego dejase aquella fuerza, y se fuese a Coín
(que es aquel lugar frontero del vuestro) y que me dejase a mí en
Cártama en poder del alcaide que a ella viniese. Sabida esta desastrada
nueva por mi señora y por mí, juzgad vos (si algún tiempo fuistes
enamorado) lo que podríamos sentir. Juntámonos en un lugar secreto 25
a llorar nuestro apartamiento.[47] Yo la llamaba señora mía, alma mía,
solo bien mío, y otros dulces nombres que el amor me enseñaba; y
ella me decía mil dulces palabras que hasta ahora me suenan en las
orejas: y al fin despedímonos con muchas lágrimas y sollozos, dejando
cada uno al otro por prenda un abrazo, con un suspiro arrancado de 30
las entrañas.[48] Y porque ella me vió en tanta necesidad y con señales
de muerto, me dijo:

«Abindarráez, a mí se me sale el alma en apartándome de ti; y
porque siento de ti lo mismo, yo quiero ser tuya hasta la muerte: tuyo
es mi corazón, tuya es mi vida, mi honra y mi hacienda; y en testi- 35

---

[39] nos . . . cautela (nos enseñó a en-
    gañar)
[40] (loca)
[41] por principios (poco a poco)
[42] mi . . . medida (mi alma se había
    hecho idéntica)
[43] (innecesario)

[44] (temor)
[45] pagaba . . . moneda (ella me tenía
    igual afecto; también me quería)
[46] mejorar en cargo (darle mejor puesto
    o empleo)
[47] (separación)
[48] (alma; corazón)

monio de esto, llegada a Coín, donde ahora voy con mi padre, en teniendo lugar de hablarte, o por ausencia, o por indisposición suya (que ya deseo) yo te avisaré: irás donde yo estuviere, y allí yo te daré lo que solamente llevo conmigo, debajo de nombre de esposo, 5 que de otra suerte ni tu lealtad, ni mi ser lo consentirían; que todo lo demás muchos días ha que es tuyo.»
Con esta promesa mi corazón se sosegó [49] algo y beséla las manos por la merced que me prometía.

PREGUNTAS

1. ¿Cómo se sabe que el moro estaba triste?
2. ¿Por qué se mostró más alegre el moro al saber quién le había tomado?
3. ¿Por qué no oyeron los escuderos la relación del moro?
4. ¿Cómo se llamaba el moro?
5. ¿Qué fama tenían los Abencerrajes?
6. ¿Cómo cayeron los Abencerrajes de su alta condición en el reino?
7. ¿Cómo se vengó el rey en los conspiradores?
8. ¿Por qué pudo vivir en Granada el padre de Abindarráez?
9. ¿Adónde enviaron al recién nacido a criar?
10. ¿Qué edad tenía la hija del alcaide de Cártama?
11. ¿Por qué amaba tanto el alcaide a su hija?
12. ¿Pasaban mucho tiempo juntos los jóvenes?
13. ¿Por qué creía la joven que eran hermanos?
14. ¿Al muchacho le gustaba que fuesen hermanos?
15. Según Abindarráez, ¿qué perdería él si lo fuesen?
16. ¿Qué hizo Abindarráez de unos jazmines y arrayán?
17. ¿Cuál de los dos se puso primero la guirnalda?
18. ¿Qué dijo Abindarráez al ver coronada a su amada?
19. ¿Estaban más contentos los jóvenes al descubrir que no eran hermanos?
20. ¿Creía Abindarráez que la joven le amaba a él?
21. ¿Adónde envió el rey al alcaide de Cártama?
22. ¿Va Abindarráez a acompañarlos a Coín?
23. Al saber de su separación inminente, ¿qué hacían los amantes?
24. ¿Qué le prometió la joven que le sosegó a Abindarráez un poco?

[49] se sosegó (se tranquilizó)

EJERCICIOS

I. *Termine las frases:*

  a. El hombre a quien tienen encerrado en una prisión es _____.
  b. Otra palabra que quiere decir *llagas* es _____.
  c. Cuando algunos conspiran en secreto contra un gobierno establecido se dice que hay _____.
  d. Una corona que se hace de flores, hojas, etc., es también _____.
  e. Un lugar con frutales, plantas, jazmines y tal vez una fuente se llama _____.
  f. No vivían separados sino _____.
  g. Uno se pone una guirnalda sobre _____.

II. *Termine con un sustantivo:*

  a. suspirar; echando _____
  b. sollozar; echando _____
  c. gustar; dar _____
  d. envidiar; tener _____
  e. dañar; causar _____

III. *Diga rápidamente, cambiando al castellano la palabra entre paréntesis:*

  a. huertas y jardines (*gardens*)
  b. hermanos y tíos (*uncles*)
  c. reyes y _____ (*queens*)
  d. limpio y _____ (*healthy*)
  e. gusto y _____ (*contentment*)
  f. sollozos y _____ (*tears*)
  g. ríos y _____ (*fountains*)
  h. arrayán y _____ (*jasmine*)
  i. el rey y _____ (*the kingdom*)
  j. afrentas y _____ (*wrongs*)

IV. *Dé un antónimo de:*

  dentro   enfermo   ganar   paz

V. *Traduzca al español:*

  a. I followed her until we left the garden.
  b. Envious fortune took away (*quitar*) from us that sweet life.
  c. The fountain was surrounded by jasmine and myrtle.

d. The men of his family were rich and generous (*liberales*).
e. The King did not want to scandalize the entire kingdom.
f. They found my father and an uncle of mine innocent.
g. How fortunate (*dichoso*) I would be if we could always be together.
h. She took me by the hand without saying anything.

III. *La historia del Abencerraje* (*continuada*)

Ellos se partieron otro día, yo quedé como quien caminando por
unas fragosas y ásperas montañas se le eclipsa el sol: comencé a
sentir su ausencia ásperamente, buscando falsos remedios contra ella.
Miraba las ventanas do se solía poner, las aguas do se bañaba, la
5 cámara en que dormía, el jardín do reposaba la siesta. Andaba todas
sus estaciones [1] y en todas ellas hallaba representación de mi fatiga.[2]
Verdad es que la esperanza que mi dió de llamarme, me sostenía, y
con ella engañaba parte de mis trabajos [3]; aunque algunas veces, de
verla alargar tanto,[4] me causaba mayor pena, y holgara que [5] me
10 dejara del todo desesperado, porque la desesperación fatiga [6] hasta
que se tiene por cierta, y la esperanza hasta que se cumple el deseo.
Quiso mi ventura, que esta mañana mi señora me cumplió su
palabra, enviándome a llamar con una criada suya, de quien se fiaba;
porque su padre era partido para Granada llamado del rey para
15 volver luego. Yo, resucitado con esta buena nueva, apercibíme [7]; y
dejando venir la noche por salir más secreto, púseme en el hábito
que me encontrastes, por mostrar a mi señora la alegría de mi corazón;
y si tú me venciste, no fué por esfuerzo (que no es posible), sino
porque mi corta suerte, o la determinación del cielo quisieron
20 atajarme [8] tanto bien. Así que, considera tú ahora el bien que perdí,
y el mal que tengo. Yo iba de Cártama a Coín, breve jornada (aunque
el deseo la alargaba mucho), el más ufano Abencerraje que nunca se
vió: iba llamado de mi señora a ver a mi señora, a gozar de mi señora
y a casarme con mi señora. Véome ahora herido, cautivo y vencido,
25 y lo que más siento que el término y coyuntura [9] de mi bien se acaba

[1] sus estaciones (los lugares que frecuentaba)
[2] anxiety; discouragement
[3] (dificultades; fatiga)
[4] verla alargar tanto (ver prolongada tanto la ausencia)
[5] y holgara que (y tal vez fuera mejor si)
[6] (da pena; molesta)
[7] (me preparé)
[8] (prohibirme; negarme)
[9] término y coyuntura (ocasión y oportunidad)

esta noche. Déjame pues, cristiano, consolar entre mis suspiros, y no los juzgues a flaqueza; pues lo fuera muy mayor tener ánimo para sufrir tan riguroso trance.

Rodrigo de Narváez quedó espantado y apiadado [10] del estraño acontecimiento del moro; y pareciéndole que para su negocio ninguna 5 cosa le podría dañar más que la dilación, le dijo:

—Abindarráez, quiero que veas que puede más mi virtud que tu ruin fortuna: si tú me prometes como caballero de volver a mi prisión dentro de tercero día, yo te daré libertad para que sigas tu camino; porque me pesaría de atajarte tan buena empresa. 10

El moro, cuando lo oyó, se quiso de contento echar a sus pies, y le dijo:

—Rodrigo de Narváez, si vos esto hacéis, habréis hecho la mayor gentileza de corazón que nunca hombre hizo, y a mí me daréis la vida; y para lo que pedís, tomad de mí la seguridad que quisiéredes, que yo 15 lo cumpliré.

El alcaide llamó a sus escuderos, y les dijo:

—Señores, fiad de mí este prisionero, que yo salgo fiador de su rescate [11]:

Ellos dijeron que ordenase a su voluntad; y tomando la mano 20 derecha entre las dos suyas al moro, le dijo:

—¿Vos prometéisme como caballero de volver a mi castillo de Álora a ser mi prisionero dentro de tercero día?

Él le dijo:

—Sí, prometo. 25

—Pues id con la buena ventura, y si para vuestro negocio tenéis necesidad de mi persona, o de otra cosa alguna, también se hará.

Y diciendo que se lo agradecía, se fué camino de Coín a mucha prisa.

Rodrigo de Narváez y sus escuderos se volvieron a Álora, hablando 30 en la valentía y buena manera del moro. Y con la prisa que el Abencerraje llevaba, no tardó mucho en llegar a Coín. Yéndose derecho a la fortaleza, como le era mandado, no paró hasta que halló una puerta que en ella había, y deteniéndose allí, comenzó a reconocer el campo, por ver si había algo de que guardarse, y viendo que estaba 35 todo seguro, tocó en ella con el cuento [12] de la lanza, que ésta era la señal que le había dado la dueña. Luego ella misma le abrió, y le dijo:

[10] (movido a compasión)   [12] (punto)
[11] (el dinero que compra la libertad de
       un prisionero o cautivo)

—¿En qué os habéis detenido, señor mío, que vuestra tardanza nos ha puesto en gran confusión? Mi señora ha rato que os espera: apeaos,[13] y subiréis donde está.

Él se apeó, y puso su caballo en lugar secreto, que allí halló; y
5 dejando la lanza con su adarga y cimitarra, llevándole la dueña por la mano, lo más paso que pudo, por no ser sentido de la gente del castillo, subió por una escalera hasta llegar al aposento de la hermosa Jarifa (que así se llamaba la dama). Ella, que ya había sentido su venida, con los brazos abiertos le salió a recibir; ambos se abrazaron
10 sin hablarse palabra del sobrado [14] contentamiento. Y la dama le dijo:

—¿En qué os habéis detenido, señor mío, que vuestra tardanza me ha puesto en gran congoja y sobresalto [15]?

—Mi señora —dijo él—, vos sabéis bien que por mi negligencia no habrá sido; mas no siempre suceden las cosas como los hombres
15 desean.

Ella le tomó por la mano, y le metió en una cámara secreta, y sentándose sobre una cama que en ella había, le dijo:

—He querido, Abindarráez, que veáis en cual manera cumplen las cautivas de amor sus palabras; porque, desde el día que os la di
20 por prenda [16] de mi corazón, he buscado aparejos [17] para quitárosla: yo os mandé venir a este mi castillo a ser mi prisionero, como yo lo soy vuestra, y haceros señor de mi persona, y de la hacienda de mi padre, debajo del nombre de esposo, aunque esto según entiendo, será muy contra su voluntad; que como no tiene tanto conocimiento
25 de vuestro valor, y experiencia de vuestra virtud como yo, quisiera darme marido más rico; mas yo, vuestra persona y mi contentamiento tengo por la mayor riqueza del mundo.

Y diciendo esto, bajó la cabeza, mostrando un cierto empacho de haberse descubierto tanto.
30 El moro la tomó entre sus brazos, y besándola muchas veces las manos por la merced que le hacía, la dijo:

—Señora mía, en pago de tanto bien como me habéis ofrecido, no tengo qué daros,[18] que no sea vuestro, sino sola esta prenda, en señal que [19] os recibo por mi señora y esposa.
35 Y llamando a la dueña se desposaron. Y siendo desposados, pasaron muy amorosas obras y palabras, que son más para contemplación que

---

[13] apearse (desmontar)
[14] (mucho; excesivo)
[15] congoja y sobresalto (pena y miedo)
[16] por prenda   as a pledge
[17] (instrumentos)

[18] no . . . daros (no tengo nada que daros)
[19] en señal que   in recognition of which

para escritura. Tras esto [20] al moro vino un profundo pensamiento,[21] y dejando llevarse de él [22] dió un gran suspiro. La dama, no pudiendo sufrir tan grande ofensa de su hermosura y voluntad, con gran fuerza de amor le volvió a sí, y le dijo:

—¿Qué es esto, Abindarráez? Parece que te has entristecido con 5 mi alegría; yo te oigo suspirar revolviendo el cuerpo a todas partes; pues si yo soy todo tu bien y contentamiento, como me decías, ¿por quién suspiras? Y si no lo soy, ¿por qué me engañaste? Si has hallado alguna falta en mi persona, pon los ojos en mi voluntad, que basta para encubrir muchas; y si sirves otra dama, dime quién es para que 10 la sirva yo; y si tienes otro dolor secreto de que yo no soy ofendida, dímelo, que o yo moriré o te libraré de él. El Abencerraje, corrido [23] de lo que había hecho, y pareciéndole que no declararse era ocasión de gran sospecha, con un apasionado suspiro dijo:

—Señora mía, si yo no os quisiera más que a mí, no hubiera hecho 15 este sentimiento; porque el pesar que conmigo traía, sufríale con buen ánimo cuando iba por mí solo; mas ahora, que me obliga a apartarme de vos, no tengo fuerzas para sufrirle; y así entenderéis que mis suspiros se causan más de sobra [24] de lealtad que de falta de ella; y porque no estéis más suspensa sin saber de qué, quiero deciros lo que 20 pasa.

Luego le contó todo lo que había sucedido; y al cabo la dijo:

—De suerte, señora, que vuestro cautivo lo es también del alcaide de Álora: yo no siento la pena de la prisión, que vos enseñasteis mi corazón a sufrir; mas vivir sin vos tendría por la misma muerte. 25

La dama con buen semblante le dijo:

—No te congojes,[25] Abindarráez, que yo tomo el remedio de tu rescate a mi cargo; porque a mí me cumple [26] más; yo digo así, que cualquier caballero que diere la palabra de volver a la prisión, cumplirá con [27] enviar el rescate que se le puede pedir; y para esto ponedle 30 vos mismo el nombre [28] que quisiéredes, que yo tengo las llaves de la riqueza de mi padre, y yo os las pondré en vuestro poder: enviad de todo ello lo que os pareciéren. Rodrigo de Narváez es buen caballero, y os dió una vez libertad, y le fiastes este negocio, que le obliga ahora

---

[20] tras esto (luego)
[21] vino . . . pensamiento (vino un período de intensa reflexión)
[22] (el pensamiento)
[23] (avergonzado; teniendo vergüenza)
[24] (exceso)
[25] congojarse (afligirse; apenarse; entristecerse)

[26] me cumple (me importa; me conviene)
[27] cumplirá con   will fulfill his obligation by
[28] ponedle . . . nombre (indica tú la cantidad)

a usar de mayor virtud: yo creo que se contentará con esto, pues
teniéndoos en su poder ha de hacer lo mismo.

El Abencerraje la respondió:

—Bien parece, señora mía, que lo mucho que me queréis no os
5 deja que me aconsejéis bien. Por cierto no caeré yo en tan gran yerro;
porque, si cuando venía a verme con vos, que iba por mí solo, estaba
obligado a cumplir mi palabra, ahora que soy vuestro se me ha
doblado la obligación. Yo volveré a Álora y me pondré en las manos
del alcaide de ella, y tras hacer yo lo que debo, haga él lo que quisiere.

10 —Pues nunca Dios quiera —dijo Jarifa— que yendo vos a ser
preso quede yo libre: Pues no lo soy yo, quiero acompañaros en esta
jornada, que ni el amor que os tengo, ni el miedo que he cobrado a
mi padre de haberle ofendido, me consentirán hacer otra cosa.

El moro llorando de contentamiento la abrazó y le dijo:

15 —Siempre vais, señora mía, acrecentándome las mercedes [29]; hágase
lo que vos quisiéredes, que así lo quiero yo.

Y con este acuerdo, aparejando lo necesario, otro día de mañana
se partieron, llevando la dama el rostro cubierto por no ser conocida.

Luego llegaron a la fortaleza, y llamando a la puerta, fué abierta
20 por los guardas, que ya tenían noticia de lo pasado; y yendo un hombre
corriendo a llamar al alcaide, le dijo:

—Señor, en el castillo está el moro que venciste, y trae consigo una
gentil dama.

Al alcaide le dió el corazón [30] lo que podía ser, y bajó abajo. El
25 Abencerraje, tomando a su esposa de la mano, se fué a él, y le dijo:

—Rodrigo de Narváez, mira si te cumplo bien mi palabra, pues te
prometí traer un preso, y te traigo dos, que el uno basta para vencer
otros muchos; ves aquí mi señora; juzga si he padecido con justa
causa; recíbenos por tuyos, que yo fío mi señora y mi honra de tí.

PREGUNTAS

1. ¿Cuándo se marcharon el alcaide y su hija?
2. ¿Cómo impresiona a Abindarráez la ausencia de su amada?
3. ¿Qué hacía él para sentir menos su ausencia?
4. ¿Qué le sostenía?
5. ¿Cuándo le había llamado la muchacha?
6. ¿Dónde había ido el alcaide, su padre?

[29] acrecentándome las mercedes (ha-   [30] le . . . corazón (su corazón le dijo)
ciéndome más favores)

7. ¿Por qué había salido el moro de noche?
8. Según el moro, ¿qué cosas tenían la culpa de su captura?
9. ¿Cómo quedó Rodrigo al terminar el moro su relato?
10. ¿Cuántos días de libertad tendrá el moro?
11. ¿Qué les pide Rodrigo a sus escuderos?
12. ¿Cómo partió el moro?
13. ¿Adónde se dirigió el moro al llegar a Coín?
14. ¿Qué halló en la fortaleza?
15. ¿Por qué quería examinar el campo con cuidado antes de entrar?
16. ¿Qué quería saber la dueña que le abrió?
17. ¿Cómo llegaron al aposento de Jarifa?
18. ¿Cómo salió a recibirle Jarifa?
19. ¿Creía Jarifa que su padre les diera permiso de casarse?
20. ¿Quién es testigo de su promesa de casarse?
21. ¿De qué manera ofendió el moro a su dama?
22. ¿Qué haría Jarifa en caso de que sirviera él a otra dama?
23. Le aconsejó Jarifa que no volviera, pero que sí mandara el rescate. ¿Pensó el Abencerraje que le aconsejaba bien?
24. Jarifa no quiere separarse otra vez de Abindarráez. ¿Qué se resuelve a hacer?
25. ¿Por qué se cubría la dama el rostro?
26. ¿Qué dijo el moro al ver otra vez al alcaide?

EJERCICIOS

I. *Llene los espacios con palabras apropiadas:*

a. Sentí su _____ (*absence*).
b. Me dió _____ (*hope*).
c. Prometo _____ (*to keep my word*).
d. _____ (*he delayed*) poco en llegar.
e. _____ (*they embraced*) sin hablarse.
f. La puerta _____ (*was opened*) por guardas.
g. Así _____ (*I want it*).
h. Tenía _____ (*covered*) el rostro.
i. Ella no quería ser _____ (*known*).
j. No es _____ (*lack*) de lealtad.

II. *Diga a quién se refiere cada frase:*

a. La virtud de _____.
b. La riqueza del _____.

c. La belleza de _____.

d. Las dificultades de _____.

e. Las jóvenes tenían miedo de haber ofendido al _____.

f. También merecen parte del rescate _____.

g. Prometió de volver a Álora _____.

h. _____ era testigo de los desposorios.

i. Había cometido un terrible agravio contra la familia _____.

j. No quería que su amante volviera solo a la prisión _____.

III. *Dé un sinónimo de:*

agraviar	aposento	desear	hacienda	irse
mandar	marido	mercedes	preso	suceder

IV. *Dé el infinitivo de:*

caeré	contentará	dió	engañaste	entenderéis
enviad	obliga	pondré	vais	venciste

V. *Traduzca al español:*

a. I gave him my word to return right away.

b. After dismounting he left his horse in a secret place.

c. He went straight (*derecho*) to the fortress where she was waiting for him.

d. She did not open the door until he gave the signal.

e. She was afraid of her father because he had wanted to give her a richer husband.

f. You will not return to Álora alone (*solo*); I am going to accompany you.

g. One of the guards ran to call Rodrigo.

h. I take this business of the ransom upon myself (*a mi cargo*).

i. After several sad sighs he said he was obliged to leave (*dejar*) her again.

j. He had kept his word, and even (*aún*) more because Rodrigo now had two prisoners.

IV. *La historia del Abencerraje*   (concluída)

Rodrigo de Narváez holgó mucho de verlos, y dijo a la dama:

—Yo no sé cuál de vosotros debe más al otro, mas yo debo mucho a los dos. Entrad y reposaréis en esta vuestra casa, y tenedla de aquí adelante por tal, pues lo es su dueño.

Y con esto se fueron a un aposento que les estaba aparejado, y de
ahí a poco comieron. Y el alcaide preguntó al Abencerraje:

—Señor, ¿qué tal venís de las heridas?

—Paréceme, señor, que con el camino las traigo enconadas,[1] y con
algún dolor.   5

La hermosa Jarifa, muy alterada, dijo:

—¿Qué es esto, señor? ¿Heridas tenéis vos de que yo no sepa?

—Señora, verdad es que de la escaramuza de la otra noche saqué
dos pequeñas heridas, y el camino, y no haberme curado me habrán
hecho algún daño.   10

—Bien será —dijo el alcaide— que os acostéis, y vendrá un cirujano
que hay en el castillo.

Luego la hermosa Jarifa le comenzó a desnudar con grande alteración, y viniendo el maestro[2] y viéndole, dijo que no era nada, y con
ungüento que le puso le quitó el dolor; y de ahí a tres días estuvo sano. 15

Un día acaeció que acabando de comer el Abencerraje, dijo estas
palabras:

—Rodrigo de Narváez, según eres discreto, en la manera de nuestra
venida entenderás lo demás: yo tengo esperanza que este negocio, que
está tan dañado, se ha de remediar por tus manos. Esta dueña es la 20
hermosa Jarifa, de quien te hube dicho es mi señora y mi esposa; no
quiso quedar en Coín, de miedo de haber ofendido a su padre; todavía
se teme de este caso; bien sé que por tu virtud te ama el rey, aunque
eres cristiano; suplícote alcances[3] de él que nos perdone su padre,
por haber hecho esto sin que él lo supiese, pues la fortuna lo trajo 25
por este camino.

El alcaide les dijo:

—Consolaos, que yo os prometo de hacer en ello cuanto pudiere.

Y tomando tinta y papel escribió una carta al rey. Escrita la carta,
despachó un escudero con ella, que llegado ante el rey se la dió: el 30
cual, sabiendo cuya era, se holgó mucho, que a este solo cristiano
amaba por su virtud y buenas maneras. Y como la leyó, volvió el
rostro al alcaide de Coín, que allí estaba, y llamándole aparte, le dijo:

—Lee esta carta, que es del alcaide de Álora; y leyéndola recibió
grande alteración.   35

El rey le dijo:

—No te congojes, aunque tengas por qué; sabe que ninguna cosa
me pedirá el alcaide de Álora que yo no lo haga; y así te mando que

---

[1] (inflamadas; irritadas) [3] alcanzar (lograr; arreglar)
[2] (médico; cirujano)

vayas luego a Álora y te veas con él, y perdones tus hijos, y los lleves a tu casa; que en pago de este servicio, a ellos y a ti haré siempre merced.

El moro lo sintió en el alma; mas viendo que no podía pasar [4] el
5 mandato del rey, volvió de buen continente, y dijo que así lo haría como su Alteza lo mandaba; y luego se partió a Álora, donde ya sabían del escudero todo lo que había pasado, y fué de todos recibido con mucho regocijo y alegría.

El Abencerraje y su hija parecieron ante él con harta vergüenza, y
10 le besaron las manos. Él los recibió muy bien, y les dijo:

—No se trate aquí de cosas pasadas; yo os perdono haberos casado sin mi voluntad, que en lo demás, vos, hija, escogisteis mejor marido que yo os pudiera dar.

El alcaide todos aquellos días les hacía muchas fiestas; y una noche,
15 acabando de cenar en un jardín, les dijo:

—Yo tengo en tanto haber sido parte para que este negocio haya venido a tan buen estado, que ninguna cosa me pudiera hacer más contento; y así digo, que sólo la honra de haberos tenido por mis prisioneros quiero por rescate de la prisión. De hoy más, vos, señor
20 Abindarráez, sois libre de mí para hacer de vos lo que quisiéredes.

Ellos le besaron las manos por la merced y bien que les hacía, y otro día por la mañana partieron de la fortaleza, acompañándolos el alcaide parte del camino.

Estando ya en Coín, gozando sosegada [5] y seguramente el bien que
25 tanto habían deseado, el padre les dijo:

—Hijos, ahora que con mi voluntad sois señores de mi hacienda, es justo que mostréis el agradecimiento que a Rodrigo de Narváez se debe por la buena obra que os hizo; que por haber usado con vosotros de tanta gentileza no ha de perder su rescate; antes le merece muy
30 mayor; yo os quiero dar seis mil doblas zahenes [6]; enviádselas, y tenedle de aquí adelante por amigo, aunque las leyes sean diferentes.

Abindarráez le besó las manos; y tomándolas, con cuatro muy hermosos caballos y cuatro lanzas con los hierros y cuentos de oro, y otras cuatro adargas, las envió al alcaide de Álora, y le escribió así:

35   *Carta del Abencerraje Abindarráez al alcaide de Álora*

«Si piensas, Rodrigo de Narváez, que con darme libertad en tu castillo para venirme al mío me dejaste libre, engañaste; que cuando

---

[4] pasar (por alto)   disregard   [6] (moneda de oro)
[5] (sosegadamente; tranquilamente)

libertaste mi cuerpo prendiste [7] mi corazón. Las buenas obras prisiones son [8] de los nobles corazones; y si tú por alcanzar honra y fama acostumbras hacer bien a los que podrías destruir, yo por parecer [9] a aquellos donde vengo, y no degenerar [10] de la alta sangre de los Abencerrajes, antes coger y meter en mis venas toda la que 5 de ellos se vertió, estoy obligado a agradecerlo y servirlo: recibirás en ese breve presente [11] la voluntad de quien le envía, que es muy grande, y de mi Jarifa otra tan limpia y leal, que me contento yo de ella.»

El alcaide tuvo en mucho la grandeza y curiosidad del presente, y 10 recibiendo de él los caballos, lanzas y adargas, escribió a Jarifa así:

Carta del alcaide de Álora a la hermosa Jarifa

«Hermosa Jarifa: no ha querido Abindarráez dejarme gozar del verdadero triunfo de su prisión, que consiste en perdonar y hacer bien; y como a mí en esta tierra nunca se me ofreció empresa tan generosa, ni tan digna de capitán español, quisiera gozarla toda y 15 labrar de ella una estatua para mi posteridad y descendencia. Los caballos y armas recibo yo, para ayudarle a defender de sus enemigos; y si en enviarme el oro se mostró caballero generoso, en recibirlo yo pareciera codicioso mercader. Yo os sirvo con ello en pago de la merced que me hicistes en serviros de mí en mi castillo; 20 también, señora, yo no acostumbro a robar damas, sino servirlas y honrarlas.»

Y con esto les volvió a enviar las doblas. Jarifa las recibió y dijo:

—Quien pensare vencer a Rodrigo de Narváez en armas y cortesía, pensará mal.   25

De esta manera quedaron los unos de los otros muy satisfechos y contentos, y trabados con [12] estrecha amistad, que les duró toda la vida.

PREGUNTAS

1. ¿Cómo recibió Rodrigo al cautivo y su dama?
2. ¿Qué mencionó el alcaide que le dió a Jarifa mucho miedo?
3. ¿Dijo el maestro que eran graves las heridas?

[7] (capturaste; hiciste cautivo)
[8] prisiones son   are the bonds
[9] (imitar)
[10] degenerar (caer)
[11] breve presente (regalo inadecuado)
[12] trabados con (unidos en)

4. ¿Qué le puso el maestro para quitarle el dolor?
5. ¿Por qué no podían volver los amantes a Coín?
6. ¿Por qué creía Abindarráez que el alcaide de Álora podría ayudarles?
7. ¿Estaba dispuesto a ayudarles Rodrigo? ¿Qué hizo?
8. ¿A cuántos cristianos amaba el rey de Granada?
9. ¿Cómo recibió el padre tales noticias?
10. ¿Qué le mandó el rey?
11. ¿Quería el rey que el padre perdonara a su hija?
12. ¿Se alegró el padre al oír el mandato del rey?
13. ¿Cómo recibieron al padre en Álora?
14. ¿Qué hicieron los jóvenes al encontrarse ante el padre de Jarifa?
15. ¿Les perdonó que se casaron contra su voluntad?
16. ¿Qué quería Rodrigo por rescate?
17. ¿Aceptaron la libertad que Rodrigo les ofreció?
18. Ya llegados a Coín, ¿qué propone el padre de Jarifa?
19. ¿Qué regalos le enviaron a Rodrigo?
20. Según Abindarráez una parte de su persona quedó prisionera en Álora. ¿Qué parte es?
21. ¿A quién estaba dirigida la respuesta de Rodrigo?
22. ¿Aceptó Rodrigo las armas y los caballos que mandaron?
23. ¿Por qué no quería aceptar Rodrigo también el dinero?
24. ¿Qué dijo la hermosa Jarifa al recibir las doblas?

EJERCICIOS

I. *Llene cada espacio con una palabra apropiada:*

a. Le _____ ungüento para _____ el dolor.
b. El rey de Granada amaba poco a los _____.
c. Comenzó a _____ para ver mejor sus heridas.
d. El rey mandó que el padre _____ a los hijos.
e. Los dos jóvenes tenían vergüenza de _____ ante el padre.
f. No es mi costumbre robar damas _____ servirlas.
g. El alcaide no aceptó las _____.
h. Tomando _____ y _____ le escribió al rey una _____.
i. Entrad; esta casa es _____.
j. Abindarráez había sacado dos pequeñas _____ en la escaramuza.

II. *Dé el infinitivo de:*

acaeció	escrito	leyó	lleves	podrías
quiso	sintió	supiese	suplico	vertió

III. *Diga rápidamente, cambiando al castellano la palabra entre paréntesis:*

a. hijos y _____ (*fathers*)
b. fama y _____ (*fortune*)
c. hacienda y _____ (*goods*)
d. plata y _____ (*gold*)
e. fortalezas y _____ (*arms*)
f. regocijo y _____ (*happiness*)
g. mujeres y _____ (*husbands*)
h. cuerpos y _____ (*souls*)
i. casas y _____ (*castles*)
j. daños y _____ (*remedies*)

IV. *Traduzca al español:*

The father said: "Children, you are (*sois*) now masters of my property. It seems to me you ought to show your gratitude (*agradecimiento*) to the warden of Álora for the favors (*mercedes*) he has done you. He has certainly conquered all our hearts (*voluntades*), but ought not for that reason (*por eso*) lose the ransom."

They knew that Jarifa's father was right. They sent Rodrigo a thousand gold coins (*doblas*), some horses, arms, and other valuable things. He returned (*devolver*) the money, however, saying it was not his custom to take money (*robar*) from women.

That seemed a little odd (*raro*) to Abindarráez, because the letter had been sent by him, and not by Jarifa. But Rodrigo had made it possible for him to regain (*recobrar*) the favor and friendship of the King of Granada. And that (*eso*) was also very important to him.

MIGUEL DE CERVANTES 1547-1616

EL AUTOR del inolvidable[1] Don Quijote de la Mancha nació en Alcalá de Henares, a unos 30 kilómetros de Madrid, durante el reinado de Carlos I. En la época que siguió, es decir, durante los reinados de Felipe II y Felipe III, aparecieron sus obras principales. Cervantes fué contemporáneo de escritores de fama mundial y de talentos tan excepcionales que el período se llamó después «el siglo de oro» por el brillo y la cantidad de obras literarias que se produjeron. Entre sus contemporáneos figuran Lope de Vega, gran poeta y fecundísimo autor de comedias, y Tirso de Molina, otro dramaturgo insigne que lanzó al mundo el personaje[2] de don Juan Tenorio.

Vivió Cervantes en Madrid, Valladolid, Sevilla, y viajó en el extranjero. Como soldado en la milicia participó en varias expediciones contra los turcos, entre ellas la batalla naval de Lepanto (1571), en la que fué herido, perdiendo permanentemente el uso de la mano izquierda. Después de estas campañas, embarcado para España en la galera «Sol», Cervantes tuvo la mala suerte de caer en manos de piratas que se apoderaron de la galera. Y así quedó cautivo y esclavo de los turcos por cinco años siendo rescatado al fin por frailes trinitarios. Al volver a España recibió varios empleos y comisiones del gobierno en Andalucía, y allí, a causa de irregularidades en sus cuentas sufrió encarcelamiento dos veces. ¡Seguramente no le faltó a Cervantes el material para escribir innumerables novelas!

Cervantes no fué gran poeta; sus piezas de teatro,[3] aunque interesantes, carecían[4] de espontaneidad y no gustaban tanto como las de sus rivales. Pero en la prosa descubrió la manera de comunicarnos su ingenio, la riqueza de su pensamiento y la grandeza de su espíritu profundo.

Son sus obras más destacadas[5] el Don Quijote de la Mancha, cuya Primera parte fué publicada en 1605 y la Segunda en 1615; las Novelas ejemplares[6] (1613), colección de doce novelas cortas; Los trabajos[7] de Persiles y Sigismunda (1617), su novela póstuma donde, según algunos críticos, se leen algunas de las páginas más deleitosas[8] y perfectas del autor.

Para entender mejor el trozo del Quijote que sigue, sería necesario tener en cuenta estos datos:

(a) Nos encontramos casi al principio de la Segunda parte. Don Quijote descansa en casa antes de salir a buscar nuevas aventuras. Los episodios que se mencionarán, como, por ejemplo, el de los molinos de viento, son aventuras famosas de la Primera parte.

[1] (que no puede olvidarse)
[2] fictional character
[3] piezas de teatro (obras dramáticas)
[4] (faltaban; no tenían)
[5] outstanding
[6] *Exemplary Novels*
[7] hardships
[8] (que producen deleite)

(b) Cervantes ha dicho en broma varias veces en la Primera parte que la historia de don Quijote y sus hazañas fué compuesta en la lengua árabe por un moro llamado Cide Hamete Benengeli. Aquí Cervantes continúa esa ficción.

(c) Se cree que Cervantes escribió este capítulo hacia el año 1612 o 1613. La Primera parte del Quijote se había publicado en 1605, logrando [9] todo el éxito que aquí afirma Sansón.

(d) Dulcinea del Toboso, hermosa dueña del corazón del caballero, apenas tiene más substancia que Cide Hamete Benengeli. Creada por la febril [10] imaginación de don Quijote porque cada caballero andante, según él, necesitaba una «dama de quien enamorarse», Dulcinea es en verdad una tosca [11] labradora que vive de cerca.

[9] attaining
[10] feverish
[11] coarse

Don Quijote de la Mancha   (Segunda parte)

CAPÍTULO III

DEL RIDÍCULO RAZONAMIENTO [1] QUE PASÓ ENTRE DON QUIJOTE, SANCHO PANZA Y EL BACHILLER SANSÓN CARRASCO

Era el Bachiller, aunque se llamaba Sansón, no muy grande de cuerpo, aunque muy gran socarrón [2] de color macilenta,[3] pero de muy buen entendimiento; tendría hasta veinticuatro años, carirredondo,[4] de nariz chata [5] y de boca grande, señales [6] todas de ser de
5 condición [7] maliciosa y amigo de donaires y de burlas, como lo mostró en viendo a don Quijote, poniéndose delante de él de rodillas, diciéndole:

—Deme vuestra grandeza las manos, señor don Quijote de la Mancha, que es vuestra merced uno de los más famosos caballeros
10 andantes que ha habido, ni aun habrá,[8] en toda la redondez de la tierra.[9] Bien haya [10] Cide Hamete Benengeli, que la historia de vuestras grandezas dejó escrita, y bien haya el que las hizo traducir de arábigo en nuestro vulgar castellano, para universal entretenimiento de las gentes.

15   Hízole levantar don Quijote, y dijo:

—¿Verdad es que hay historia mía, y que fué moro y sabio el que la compuso?

—Es verdad, señor —dijo Sansón—; el día de hoy están impresos más de doce mil libros de tal historia en Portugal, Barcelona y Valen-
20 cia, y aun hay fama [11] que se está imprimiendo en Amberes y a mí se me trasluce [12] que no habrá nación ni lengua donde no se traduzca.

—Una de las cosas —dijo don Quijote— que más debe de dar contento a un hombre virtuoso y eminente es verse, viviendo, andar con buen nombre por las lenguas de las gentes, y también impreso y
25 en estampa.[13] Dije con buen nombre, porque siendo al contrario, ninguna muerte se le igualará.

—Si por buena fama y si por buen nombre va —dijo el Bachiller—,

---

[1] (conversación)
[2] sly, witty
[3] wan
[4] round-faced
[5] flat-(nosed)
[6] indications
[7] (carácter o genio)
[8] ha . . . habrá   that ever was or will be

[9] redondez . . . tierra   round world
[10] bien haya   blest be
[11] hay fama   there is news
[12] se me trasluce   it is obvious to me
[13] impreso . . . estampa   in print and being published

vuesa merced lleva la palma [14] a todos los caballeros andantes; porque el moro en su lengua y el cristiano en la suya, tuvieron cuidado de pintar muy al vivo [15] la gallardía,[16] el ánimo [17] grande en acometer [18] los peligros, la paciencia en las adversidades, la honestidad y continencia en los amores tan platónicos de vuesa merced y de mi señora 5 doña Dulcinea del Toboso.

—Nunca —dijo a este punto Sancho Panza— he oído llamar con *don* a mi señora Dulcinea, sino solamente *la señora Dulcinea del Toboso,* y ya en esto anda errada [19] la historia.

—No es objeción de importancia ésa—respondió Carrasco. 10

—No, por cierto —respondió don Quijote—. Pero dígame, señor Bachiller: ¿qué hazañas [20] mías son las que más se ponderan [21] en esa historia?

—En eso —respondió el Bachiller— hay diferentes opiniones, como hay diferentes gustos: unos prefieren la aventura de los molinos de 15 viento; otros, la de los batanes [22]; éste, a la descripción de los dos ejércitos, que después parecieron ser dos manadas de carneros [23]; aquél, la del muerto que llevaban a enterrar a Segovia; uno dice que a todas se aventaja la de la libertad de los galeotes [24]; otro, que ninguna iguala a la de la pendencia del valeroso vizcaíno.[25] El autor lo 20 dice todo y todo lo apunta,[26] hasta lo de las cabriolas [27] que el buen Sancho hizo en la manta.[28]

—En la manta no hice yo cabriolas —respondió Sancho—; en el aire sí, y aun más de las que yo quisiera.

—A lo que yo imagino —dijo don Quijote—, no hay historia humana en el mundo que no tenga sus altibajos,[29] especialmente las que 25 tratan de caballerías; las cuales nunca pueden estar llenas de prósperos sucesos.

—Con todo eso —respondió el Bachiller—, dicen algunos que han leído la historia que el autor de ella debía haber olvidado algunos de 30 los infinitos palos [30] que en diferentes encuentros dieron al señor don Quijote.

---

[14] lleva la palma (es superior)
[15] in a lifelike manner
[16] gallantry
[17] courage, willingness
[18] to undertake
[19] anda errada (no es correcta)
[20] deeds
[21] más se ponderan   do they talk most about
[22] fulling mill

[23] manadas de carneros   flocks of sheep
[24] galley slaves
[25] pendencia . . . vizcaíno   fight of the brave Vizcayan
[26] todo lo apunta   puts it all down
[27] somersaults
[28] blanket
[29] ups and downs
[30] beatings

—Pues, si ese moro quiere decir verdades —dijo Sancho—, que entre los palos de mi señor ponga los míos; porque nunca a su merced le tomaron la medida de las espaldas [31] que no me la tomasen a mí de todo el cuerpo.

5 —Callad, Sancho —dijo don Quijote—, y no interrumpáis al señor Bachiller, a quien suplico pase adelante en decirme lo que se dice de mí en la referida historia.

—Y de mí —dijo Sancho—; que también dicen que soy yo uno de los principales presonajes de ella.

10 —Personajes, que no presonajes, Sancho amigo —dijo Sansón.

—¿Otro reprochador de voquibles [32] tenemos? —dijo Sancho—. Pues ándense a eso,[33] y no acabaremos en toda la vida.

—Mala me la dé Dios,[34] Sancho —respondió el Bachiller—, si no sois vos la segunda persona de la historia; y hay algunos a quienes 15 más les gusta oíros hablar que al más pintado [35] de toda ella, y otros hay que os critican por creer que pudiera ser verdad el gobierno de aquella ínsula ofrecida por el señor don Quijote.

—Aún hay sol en las bardas [36] —dijo don Quijote—; y Sancho con la experiencia que dan los años estará más hábil para ser gobernador 20 que está ahora.

—Por Dios, señor —dijo Sancho—, la isla que yo no gobernase con los años que tengo no la gobernaré con los años de Matusalén. El daño está en que la ínsula se entretiene,[37] no sé dónde, y no en faltarme a mí el caletre [38] para gobernarla.

25 —Encomendadlo a Dios, Sancho —dijo don Quijote—; que todo se hará bien, y quizá mejor de lo que vos pensáis; que no se mueve la hoja en un árbol sin la voluntad de Dios.

—Así es verdad —dijo Sansón—; que si Dios quiere, no le faltarán a Sancho mil islas que gobernar.

30 —Gobernadores he visto por ahí —dijo Sancho— que a mi parecer, no llegan a la suela [39] de mi zapato, y, con todo eso, los llaman señoría,[40] y se sirven con plata.

—Esos no son gobernadores de ínsulas —replicó Sansón—, sino

---

[31] nunca . . . espaldas   never did they take the measure of his back
[32] (Don Quijote tiene la costumbre de corregir a Sancho como lo hace ahora Sansón; Sancho quiere decir «vocablos», en vez de «voquibles».)
[33] ándense a eso   get mixed up in that
[34] mala . . . Dios   confound me
[35] al más pintado   the most proper
[36] aún . . . bardas   there's still (sun on the roof) time
[37] se entretiene   is withheld
[38] (capacidad)
[39] sole
[40] your lordship

de otros gobiernos más fáciles de manejar [41]; que los que gobiernan ínsulas, por lo menos, han de saber gramática.

—Con la *grama* bien me avendría [42] yo —dijo Sancho—; pero la *tica* no la entiendo.[43] Pero dejando esto del gobierno en las manos de Dios, digo, Señor bachiller Sansón Carrasco, que me ha dado mucho 5 gusto que el autor de la historia haya hablado de mí de manera que no enfadan [44] las cosas que de mí se cuentan; que a fe de buen escudero que si hubiera dicho de mí cosas que no fueran muy de cristiano viejo, como soy,[45] que nos habían de oír los sordos.[46]

—Eso fuera hacer milagros —respondió Sansón—. Pero una de 10 las tachas [47] que ponen a tal historia es que su autor puso en ella una novela que se llama *El curioso impertinente* [48]; no por ser mala, sino por no tener nada que ver con la historia del señor don Quijote.

—Ahora digo —dijo don Quijote— que no ha sido sabio el autor 15 de mi historia, sino algún ignorante hablador que se puso a escribirla, salga lo que saliere,[49] como hacía el pintor de Úbeda, a quien preguntándole qué pintaba, respondió: «Lo que saliere.» [50] Tal vez pintaba un gallo,[51] y tan mal parecido [52] era que con letras góticas tenía que escribir junto a él: «Éste es gallo.» Y así debe de ser mi historia 20 si tendrá necesidad de comento para entenderla.

—Eso no —respondió Sansón—; porque la historia es tan clara que los niños la manosean,[53] los mozos la leen, los hombres la entienden y los viejos la celebran; y finalmente, es tan leída y tan sabida que apenas se ve algún rocín flaco,[54] cuando dicen: «Allí va Roci- 25 nante.» Y no hay antecámara [55] de señor donde no se halle un *Don Quijote;* unos le toman si otros le dejan. Finalmente, no hay en la historia una palabra deshonesta ni un pensamiento menos que católico.[56]

—A escribir de otra suerte —dijo don Quijote—, no fuera escribir 30 verdades, sino mentiras. Y no sé yo qué le movió al autor a valerse

[41] run, manage
[42] **grama . . . avendría** grass I would accept
[43] (**Sancho no entiende la palabra «gramática».**)
[44] **no enfadan** don't bother (anyone)
[45] **muy . . . soy** entirely o.k., which I am
[46] **nos . . . sordos** even the deaf would hear from us
[47] (**defectos**)

[48] **el curioso impertinente** the man who was abnormally curious
[49] **salga . . . saliere** having it come out as it may
[50] **lo que saliere** what I end up with
[51] rooster
[52] **tan mal parecido** so unlike it
[53] **la manosean** handle it
[54] **rocín flaco** thin nag
[55] antechamber
[56] (**perfecto; cierto**)

de novelas y cuentos ajenos, habiendo tanto [57] que escribir en los
míos. La historia es como cosa sagrada; porque ha de ser verdadera,
y donde está la verdad, está Dios; pero no obstante esto, hay algunos
que así componen y arrojan libros de sí [58] como si fuesen buñuelos.[59]
5   —No hay libro tan malo —dijo el Bachiller—, que no tenga algo
bueno.

—No hay duda en eso —replicó don Quijote—; pero la parte de la
historia que de mí trata, a pocos habrá contentado.

—Antes es el revés; pero algunos se quejan que el autor olvida
10 contar quién fué el ladrón que hurtó el rucio [60] a Sancho y sólo se
infiere de lo escrito que se le hurtaron, y después le vemos a caballo
sobre el mismo jumento [61] sin explicación alguna. También dicen que
se le olvidó poner lo que Sancho hizo de aquellos cien escudos que
halló en la maleta en Sierra Morena, y cómo los gastó.
15   Sancho respondió:

—Yo, señor Sansón, no estoy ahora para ponerme en cuentas [62] ni
cuentos; que me ha tomado un desmayo [63] de estómago [64] que puede
ser serio si no lo reparo con dos tragos [65] de añejo [66] que tengo en
casa; a la vuelta satifaré [67] a vuesa merced y a todo el mundo de lo
20 que preguntar quisieren, así de la pérdida del jumento como del gasto
de los cien escudos.

Y sin esperar respuesta ni decir otra palabra, se fué a su casa.

Don Quijote pidió y rogó al Bachiller que se quedase a hacer
penitencia [68] con él. Aceptó el Bachiller, y hablaron más de caba-
25 llerías; acabóse el banquete, durmieron la siesta, volvió Sancho, y
continuaron la plática [69] pasada.

PREGUNTAS

1. ¿Cuántos años tenía el Bachiller?
2. ¿Era un hombre grande?
3. ¿De qué condición era?
4. Según Sansón ¿quién era autor de la nueva historia?
5. ¿Habían traducido la historia al castellano?

[57] **habiendo tanto**   having so much
[58] **arrojan . . . sí**   turn them out
[59] **si fuesen buñuelos**   like hot cakes
[60] grey (donkey)
[61] (asno)
[62] calculations
[63] queasiness
[64] stomach
[65] swallows
[66] (vino viejo)
[67] **satifaré (satisfaré)**   I will satisfy
[68] **a hacer penitencia (a comer)**
[69] (charla)

6. ¿Por qué estaba contento don Quijote?
7. ¿Qué hazañas de don Quijote prefiere el público?
8. ¿Qué dijo Sancho de lo de las cabriolas?
9. ¿Qué decía el público con respecto a los palos que se le habían dado a don Quijote?
10. ¿En qué detalle criticaba el público a Sancho?
11. ¿Qué tiene que saber el gobernador de una isla algo que no sabe Sancho?
12. ¿Qué opinión tenía Sancho de los gobernadores que había visto?
13. ¿Cuál es una tacha más que ponen a la historia?
14. ¿Quién estaba leyendo la historia?
15. ¿En qué detalles faltaba la memoria de Cervantes?
16. Sancho se enfermó muy de pronto. ¿Por qué?
17. ¿De qué hablaron Sansón y don Quijote durante la comida?
18. ¿Qué hicieron después de comer?
19. ¿Nos explica Cervantes el robo del jumento, y lo de los escudos?

EJERCICIOS

I. *Repita, cambiando al castellano la palabra entre paréntesis:*

a. una nariz (*flat*)
b. el mundo (*round*)
c. (*good*) fama
d. amores (*platonic*)

e. (*happy*) sucesos
f. personajes (*principal*)
g. un cuerpo (*thin*)
h. una cosa (*sacred*)

II. *Repita, agregando otro sustantivo, como en el ejemplo:*

a. los libros y los autores
b. el oro y la _____
c. los escuderos y los _____
d. los ciegos y los _____ (*servant boys*)
e. los jóvenes y los _____ (*old men*)
f. los cuentos y las _____ (*narrations*)
g. los donaires y las _____ (*jokes*)
h. las faltas y los _____ (*errors*)
i. los moros y los _____ (*Christians*)
j. las ideas y los _____ (*thoughts*)

III. *Traduzca:*

There is	There was	There will be
There would be	Are there?	Has there been?

IV. *Dé el infinitivo de:*

compuso	cuentan	hará
impreso	pase	pudiera
satisfaré	sois	tomasen

V. *Traduzca al español:*

a. On seeing don Quijote he got down on his knees before him.

b. "Never has there been a gentleman so famous," said Sansón.

c. "A wise author," stated (*observar*) the knight errant, "does not write lies (*mentiras*), but the truth."

d. The author of the *Quijote* has given all of us much pleasure.

e. The history does not have in it an indecent word nor a thought that is any less than perfect.

f. That story (*cuento; narración*) had nothing to do with (*que ver con*) Rocinante.

g. "Those who govern islands must know grammar," responded Sansón.

Trabajos de Persiles y Sigismunda

I.   UNA NOCHE EN LISBOA

Yo, señores, soy extranjero, y de nación polaca [1]; muchacho salí de mi tierra y vine a España; serví a españoles, aprendí la lengua castellana de la manera que veis, y llevado del general deseo que todos tienen de ver tierras, vine a Portugal a ver la gran ciudad de 5 Lisboa; y la misma noche que entré en ella, me sucedió un caso, que si lo creyeseis, haréis mucho, y si no, no importa, que la verdad, señores, ha de tener siempre su asiento.[2]

Digo que la primera noche que entré en Lisboa, yendo por una de sus principales calles o *rúas,* como ellos las llaman, al pasar un lugar 10 estrecho y no muy limpio, un embozado [3] portugués con quien encontré me desvió de sí [4] con tanta fuerza que tuve necesidad de arrimarme al suelo.[5] Despertó el agravio [6] la cólera,[7] remetí [8] mi venganza a mi espada, puse mano,[9] púsola el portugués con gallardo brío,[10] y la ciega noche, y la fortuna más ciega, a la luz de mi mejor

---

[1] **de nación polaca**   a Pole
[2] (**lugar**)
[3] with his face concealed
[4] **me . . . sí**   pushed me out of his way
[5] **tuve . . . suelo**   I found myself (leaning) on the ground
[6] (**ofensa**)
[7] (**ira**)
[8] (**dejé**)
[9] **puse mano**   I took out my sword
[10] **gallardo brío** (**mucho ánimo, espíritu, energía**)

suerte, sin saber yo adónde, encontró la punta de mi espada a mi contrario, el cual, dando de espaldas,[11] dió el cuerpo al suelo y el alma adonde Dios se sabe. Luego me representó el temor lo que había hecho; me pasmé [12]; quise huir, pero no sabía adónde; el rumor de la gente que me pareció que acudía me puso alas en los pies, y con pasos precipitados, volví la calle abajo buscando dónde esconderme o adónde tener lugar de limpiar mi espada, porque si la justicia me cogiese no me hallase con manifiestos indicios de mi delito.

Yendo, pues, así ya del temor desmayado,[13] vi una luz en una casa principal, y me arrojé [14] a ella, sin saber con qué designio. Hallé una sala baja abierta y muy bien aderezada [15]; alargué el paso y entré en otra cuadra,[16] también bien aderezada, y llevado de la luz que en otra cuadra parecía, hallé en un lecho [17] echada una señora, que, alborotada,[18] sentándose en él, me preguntó quién era, qué buscaba y adónde iba y quién me había dado licencia de entrar con tan poco respeto. Yo le respondí:

—Señora, a tantas preguntas no os puedo responder. Os digo solamente que soy un hombre extranjero, que, a lo que creo, dejó muerto a otro en esa calle, más por su desgracia y su soberbia que por mi culpa. Os suplico que me escapéis [19] del rigor de la justicia, que pienso que me viene siguiendo . . .

—¿Sois castellano? —me preguntó en su lengua portuguesa.

—No, señora —le respondí—, sino forastero [20] y bien lejos de esta tierra.

—Pues aunque fuerais mil veces castellano —replicó ella—, os librara, yo, si pudiera, y os libraré, si puedo. Subid por encima de este lecho y entraos debajo de este tapiz,[21] y entraos en un hueco [22] que allí hallaréis; y no os mováis porque si viniera la justicia me tendrá respeto y creerá lo que yo quisiere decirles.

Hice luego lo que me mandó: alcé [23] el tapiz, hallé el hueco, me estreché [24] en él, recogí el aliento [25] y comencé a encomendarme a Dios lo mejor que pude; y estando en esta confusa aflicción entró un criado de casa, diciendo casi a gritos:

—Señora, a mi señor don Duarte han muerto; aquí le traen traspa-

[11] **dando de espaldas** falling on his back
[12] **me pasmé** I was helpless with astonishment
[13] dulled
[14] **me arrojé** (me lancé; me precipité)
[15] (amueblada)
[16] (cuarto)
[17] (cama)
[18] disturbed
[19] **me escapéis** (me salvéis)
[20] (extranjero)
[21] tapestry
[22] hole
[23] **alcé** (alzar) I lifted
[24] squeezed
[25] **recogí el aliento** I recovered my breath

sado [26] de una estocada [27] de parte a parte [28] por el ojo derecho, y no
se sabe el matador, ni la ocasión de la pendencia,[29] en la cual apenas
se oyeron los golpes de las espadas; solamente hay un muchacho que
dice que vió entrar un hombre huyendo en esta casa.

5 　—Ése debe ser el matador, sin duda —respondió la señora—, y
no podrá escaparse. ¡Cuántas veces temía yo, ¡ay, desdichada!, ver
que traían a mi hijo sin vida, porque de su arrogante proceder [30] no se
podían esperar sino desgracias! [31]

　　En esto, en hombros de otros cuatro, entraron al muerto y le
10 tendieron [32] en el suelo, delante de los ojos de la afligida madre, la
cual, con voz lamentable, comenzó a decir:

　　—¡Ay, venganza, y cómo me estás llamando a las puertas del alma!
Pero tengo que guardar mi palabra, y eso no consiente que responda
a tu gusto. ¡Ay, con todo esto, dolor, que me aprietas mucho!

15 　Considerad, señores, cómo estaría mi corazón, oyendo las apretadas
razones [33] de la madre, que bien estaba claro que había de imaginar
que yo era el matador de su hijo. Pero ¿qué podía hacer yo entonces
sino callar y esperar en mi desesperación? Y más cuando entró en el
aposento [34] la justicia, que con comedimiento [35] dijo a la señora:

20 　—Guiados por la voz de un muchacho, que dice que se entró en
esta casa el homicida de este caballero, nos hemos atrevido a entrar
en ella.

　　Entonces yo abrí los oídos y estuve atento a las respuestas que daría
la afligida madre, que respondió, llena el alma de generoso ánimo [36]
25 y de piedad cristiana:

　　—Si tal hombre ha entrado en esta casa, no está, al menos, en esta
estancia [37]; por allá le pueden buscar, aunque plegue a Dios [38] que no
le hallen, porque mal se remedia una muerte con otra, y más cuando
las injurias no proceden de malicia.

30 　Volvió la justicia a buscar [39] la casa, y volvieron en mí los espíritus
que me habían abandonado. Mandó la señora quitar delante de sí el
cuerpo muerto del hijo, y que le amortajasen [40] y diesen orden en su
sepultura [41]; mandó asimismo que la dejasen sola, porque no estaba

---

[26] pierced
[27] sword thrust
[28] de parte a parte　through and
　　through
[29] (disputa)
[30] (conducta)
[31] (desdichas)
[32] stretched (him) out
[33] apretadas razones (reflexiones peli-
　　grosas)

[34] (cuarto, pieza, cuadra)
[35] (cortesía)
[36] (espíritu)
[37] (cuadra, aposento, etc.)
[38] plegue a Dios　may God grant
[39] volvió a buscar (buscó otra vez)
[40] lay him out
[41] diesen . . . sepultura　make ar-
　　rangements for his burial

para recibir consuelos ni de parientes ni de amigos y conocidos. Hecho esto, llamó a una doncella suya que, a lo que pareció, debió de ser de la que más se fiaba,[42] y habiéndola hablado al oído, la despidió, mandándole que cerrase tras sí la puerta; ella lo hizo así, y la señora, sentándose en el lecho, tentó [43] el tapiz; y creo que me puso las manos 5 sobre el corazón, el cual, palpitando aprisa, daba indicios del temor que sentía; ella, viendo esto, me dijo con baja y lastimada [44] voz:

—Hombre, quienquiera que seas, ya ves que me has quitado el aliento de mi pecho, la luz de mis ojos, y finalmente la vida que me sustentaba; pero porque entiendo que ha sido sin culpa tuya, no 10 quiero vengarme de ti. Y así, en cumplimiento de la promesa que te hice de librarte cuando aquí entraste, has de hacer lo que ahora te diré. Ponte las manos en el rostro, porque si yo me descuido en abrir los ojos, no me obligues a que te conozca; y sal de ese encerramiento,[45] y sigue a una doncella mía que ahora vendrá aquí, la cual te pondrá 15 en la calle y te dará cien escudos de oro [46] con que facilites tu remedio.[47] No eres conocido; no tienes ningún indicio que te manifieste [48]; sosiega [49] el pecho,[50] que el alboroto [51] suele descubrir el delincuente.[52]

En esto volvió la doncella; yo salí detrás del paño, cubierto el rostro con la mano, y en señal de agradecimiento, hincado de rodillas [53] 20 besé el pie de la dama muchas veces, y luego seguí los de la doncella, que allí mismo, callando, me asió [54] del brazo, y por la puerta falsa de un jardín, a obscuras [55] me puso en la calle. En viéndome en ella, lo primero que hice fué limpiar la espada, y con sosegado paso salí a una calle principal, de donde reconocí mi posada, y me entré en 25 ella, como si no me hubiera pasado ni próspero suceso ni adverso. El huésped [56] me contó la desgracia del recién muerto caballero, y así exageró la grandeza de su linaje, como la arrogancia de su condición,[57] de la cual se creía que algún enemigo secreto le hubiese matado.

Pasé aquella noche dando gracias a Dios de las recibidas mercedes 30 y ponderando el valeroso y nunca visto ánimo cristiano y admirable proceder [58] de doña Guiomar de Sosa, que así supe [59] se llamaba mi

[42] de . . . fiaba   the one she most trusted
[43] (tocó)
[44] (piadosa)
[45] enclosure
[46] (moneda portuguesa de oro)
[47] (escape)
[48] no . . . manifieste   there's nothing in your appearance that might betray you
[49] (cálmate)
[50] (corazón)
[51] (agitación)
[52] (criminal)
[53] hincado de rodillas (arrodillado)
[54] (cogió)
[55] a obscuras   in the darkness
[56] (mesonero)
[57] (genio; carácter)
[58] (conducta; comportamiento)
[59] I learned

bienhechora [60]; salí por la mañana al río, y hallé en él un barco lleno de gente que se iba a embarcar en una gran nave [61] que en Sangian [62] estaba de partida [63] para las Indias orientales; volví a mi posada, vendí a mi huésped la cabalgadura,[64] y diciéndole poco, volví al río y al
5 barco; y otro día [65] me hallé en el gran navío fuera del puerto, dadas las velas [66] al viento, siguiendo el camino que se deseaba.

PREGUNTAS

1. ¿En qué ciudad estaba el viajero?
2. ¿Cómo se llaman las calles en el idioma portugués?
3. ¿Cuál de los caballeros sacó primero la espada?
4. ¿Piensa el extranjero que haya matado al portugués?
5. ¿Qué quería hacer el extranjero al considerar lo que había hecho?
6. ¿Qué indicios de su delito llevaba?
7. ¿Qué había en esa casa que le llamó la atención?
8. ¿Dónde estaba la señora cuando entró él?
9. ¿Qué preguntas le hace la señora?
10. ¿Era castellano el extranjero?
11. ¿Dónde estaba el hueco que le indicó la señora?
12. ¿Qué dijo la criada que entró poco después?
13. ¿Qué responde la señora cuando le preguntan si ha visto al matador?
14. ¿Quién conduce al extranjero a la calle?
15. ¿Qué hace él antes de salir del aposento? ¿Al llegar a la calle?
16. ¿Cuánto sabe el huésped del incidente?
17. ¿Cómo pasó aquella noche el extranjero?
18. ¿Qué vende al huésped?
19. ¿Cómo sale el extranjero del país?

EJERCICIOS

I. Termine las frases:

a. Otra palabra que quiere decir criada es _____.
b. Una habitación se llama también _____.
c. Había preguntas y tuvo que _____.

[60] benefactress
[61] (barco grande)
[62] (Mencionado varias veces en *Persiles y Sigismunda*; no se sabe con exactitud a qué lugar se refiere.)
[63] estaba de partida   ready to depart
[64] mount
[65] (el día siguiente)
[66] sails

d. Una cama se puede llamar también _____.

e. No se remedia una muerte con _____.

II. *¿Qué palabra pondría usted en el espacio?*

a. cabeza; _____; lengua

b. dedo; _____; brazo

c. niño; _____; hombre

d. _____; estado; pueblo

e. _____; la península ibérica; Europa

III. *Dé el pretérito de cada verbo:*

alargará	aprietas	diré	encuentro	entrábamos
estoy	hallan	oyen	pasmo	salgo
sigo	vende	vuelvo		

IV. *Traduzca al español:*

a. She had seized me by the arm.

b. He squeezed himself into the small hole.

c. The woman did not want to receive condolences.

d. When she was talking to the policemen I was very frightened.

e. He was not a Spaniard, but a foreigner.

f. The authorities searched the house again.

g. It was a large boat with the wind in its sails.

h. I entered as if nothing had happened to me.

II. CUENTO DEL ENAMORADO PORTUGUÉS

Yo, señores, soy portugués de nación, noble en sangre, rico en los
bienes de fortuna y no pobre en los de naturaleza; mi nombre es
Manuel de Sosa Coitiño; mi patria, Lisboa; y mi oficio, el de soldado.
Junto a [1] la casa de mis padres estaba la de otro caballero del antiguo
linaje de los Pereiras, el cual tenía sola una hija, única heredera de sus 5
bienes, que eran muchos. Ella, por el linaje, por la riqueza y por la
hermosura, era deseada de todos los mejores del reino; y yo, que
como más vecino [2] de su casa, tenía más comodidad de verla, la miré,
la conocí y la adoré con una esperanza, más dudosa que cierta, que
viniese a ser mi esposa; y para ganar tiempo, entendiendo que con 10
ella habían de valer poco requiebros,[3] promesas ni dádivas,[4] determiné

---

[1] junto a (al lado de)   [3] flattery

[2] (cerca)   [4] (regalos)

de que un pariente mío se la pidiese a sus padres para esposa mía, pues
ni en el linaje, ni en la hacienda, ni aun en la edad, diferenciábamos
en nada. La respuesta que trajo fué que su hija Leonora aún no estaba
en edad de casarse; que dejase pasar dos años, que le daba la palabra
5 de no disponer de su hija en todo aquel tiempo sin hacerme sabedor
de ello. Llevé este primer golpe en los hombros de mi paciencia y en
el escudo de la esperanza; pero no dejé por esto de servirla [5] pública-
mente, a sombra de mi honesta pretensión,[6] que luego se supo por
toda la ciudad; pero ella, retirada en la fortaleza de su prudencia,
10 admitía mis servicios [7] y daba a entender que si no los agradecía con
otros,[8] por lo menos no los desestimaba.[9]

Sucedió que en este tiempo mi rey me envió por capitán general a
las fuerzas que tiene en Berbería.[10] Llegó el día de mi partida y hablé
a su padre, y le hice que me volviese a dar la palabra que me había
15 dado antes. Él tenía lástima de mí, porque era discreto,[11] y consintió
que me despidiese de su mujer y de su hija Leonora, la cual, en
compañía de su madre, salió a verme. Y salieron con ella la honestidad,
la gallardía [12] y el silencio. Me pasmé cuando vi tan cerca de mí tanta
hermosura; quise hablar, y ni supe ni pude hacer otra cosa que callar
20 y dar con mi silencio indicio de mi turbación, la cual, vista por el
padre, que era tan cortés como discreto, se abrazó conmigo [13] y dijo:

—Nunca, señor Manuel de Sosa, los días de partida dan licencia a
la lengua que se desmande,[14] y puede ser que este silencio hable más
en su favor que cualquier otra retórica. Vaya a ejercer su cargo [15] y
25 vuelva a buen punto,[16] y yo no faltaré ninguno en lo que tocare [17] a
servirle. Leonora es obediente; mi mujer desea darme gusto, y yo tengo
el deseo que he dicho. Con estas cosas me parece que usted puede
esperar buen suceso en lo que deseo.

Estas palabras todas me quedaron en la memoria y en el alma de
30 tal manera que no se me han olvidado, ni se me olvidarán mientras
que la vida me dure. Ni la hermosa Leonora ni su madre me dijeron
palabra, ni yo pude, como he dicho, decir alguna.

Me fuí a Berbería; ejercité mi cargo a satisfacción de mi rey, dos

---

[5] favor, serve, or court her
[6] a . . . pretensión in the spirit of
straightforward courtship
[7] (atenciones)
[8] si . . . otros if she did not repay
my favors with ones of her own
[9] no los desestimaba did not reject
them
[10] Barbary, North Africa

[11] (sabio)
[12] (elegancia)
[13] se abrazó conmigo threw his arm
around me
[14] desmandarse to wag, get out of hand
[15] ejercer su cargo (hacer su trabajo)
[16] a buen punto at the proper time
[17] may be proper

años; volví a Lisboa; hallé que la fama y la hermosura de Leonora
había salido ya de los límites de la ciudad y del reino, y venían em-
bajadas de príncipes y señores que la pedían por esposa; pero ella,
tan sujeta a [18] la voluntad de sus padres, no miraba si era o no so-
licitada.   5

En fin, viendo yo pasado el término de los dos años, volví a suplicar
a su padre que me la diese por esposa, y finalmente, un día me avisaron
que para un domingo venidero,[19] me entregarían a mi deseada Leonora,
cuya nueva [20] faltó poco para no quitarme la vida [21] de contento.
Convidé [22] a mis parientes, llamé a mis amigos, hice galas,[23] envié 10
presentes, con todos los requisitos que pudiesen mostrar [24] ser yo el
que me casaba, y Leonora la que había de ser mi esposa. Llegóse
este día, y yo fuí acompañado de todo lo mejor de la ciudad a un
monasterio de monjas [25] adonde me dijeron que mi esposa, desde el
día antes me esperaba; que había sido su gusto que en aquel monasterio 15
se celebrase el desposorio.[26]

Llegué al monasterio; salieron a recibirme casi toda la gente principal del reino, que aguardándome[27] estaba con infinitas señoras de la
ciudad de las más principales.[28] El templo sonaba de música, así de
voces como de instrumentos, y en esto salió por la puerta del claustro 20
Leonora, acompañada de la priora y de muchas monjas, ricamente
vestida de raso [29] blanco; traía los cabellos sueltos [30] por las espaldas,
tan rubios que deslumbraban [31] el sol, y tan luengos,[32] que casi besaban
la tierra; hubo opiniones que la cintura, collar y anillos [33] que traía,
valían un reino. Vuelvo a decir que salió tan bella, tan gallarda y tan 25
ricamente vestida y adornada, que causó envidia [34] en las mujeres y
admiración en los hombres. Me quedé tal con su vista, que me hallé
indigno de merecerla, por parecerme que la agraviaba, aunque yo
fuera el emperador del mundo. Habían construído en medio de la
iglesia un modo de teatro, donde desenfadamente,[35] y sin que nadie 30
lo estorbase,[36] se había de celebrar nuestro desposorio. Subió primero

[18] **tan sujeta a** so dominated by
[19] **domingo venidero** on a future Sun-
    day
[20] (**noticias**)
[21] **faltó . . . vida** almost killed me
[22] (**invité**)
[23] **hice galas** I celebrated; dressed up;
    sported around
[24] **todos . . . mostrar** all things nec-
    essary to show
[25] **monasterio de monjas** convent
[26] the marriage vows

[27] (**esperándome**)
[28] (**ilustres, importantes**)
[29] satin
[30] free, loose
[31] outshone
[32] (**largos**)
[33] **cintura, collar y anillos** girdle, neck-
    lace and rings
[34] envy
[35] without embarrassment
[36] interfering with

la hermosa Leonora; pareció ella a todos los ojos que la miraban como
la bella Aurora, o la casta Diana en los bosques. Subí yo al teatro,
pensando que subía a mi cielo, y arrodillado ante ella, casi di demos-
tración [37] de adorarla. Una voz se alzó en el templo diciendo:

5   —Vivid felices y luengos años en el mundo, ¡oh dichosos y bellísi-
mos amantes! Y que hermosísimos hijos coronen [38] vuestra mesa; no
habrá lugar en vuestros pechos para los rabios celos,[39] ni las dudosas
sospechas [40]; rechazad [41] siempre la envidia, y la buena fortuna nunca
saldrá de vuestra casa.

10   Estas razones [42] santas me llenaban el alma de contento, viendo con
qué gusto general llevaba el pueblo mi ventura. En esto, la hermosa
Leonora me tomó por la mano, y así, en pie [43] como estábamos,
alzando un poco la voz, me dijo:

—Bien sabéis, señor Manuel de Sosa, cómo mi padre os dió la
15 palabra que no dispondría de mi persona [44] en dos años; y también, si
mal no me acuerdo, os dije yo, viéndome obligada de los infinitos
beneficios que me habéis hecho, más por vuestra cortesía que por
mis merecimientos,[45] que yo no tomaría otro esposo en la tierra sino
a vos. Esta palabra mi padre os la ha cumplido, y yo os quiero cumplir
20 la mía, como veréis; y así, porque sé que los engaños, aunque sean
honrosos y provechosos,[46] tienen un no sé qué de traición cuando se
dilatan y entretienen,[47] quiero, del que os parecerá que os he hecho,[48]
sacaros en este instante. Yo señor mío, soy casada, y en ninguna
manera, mi esposo vivo, puedo casarme con otro; yo no os dejo por
25 ningún hombre de la tierra, sino por uno del Cielo, que es Jesucristo,
Dios y hombre verdadero: él es mi esposo, a él le di la palabra
primero que a vos; a él, sin engaño y de toda mi voluntad, y a vos
con disimulación y sin firmeza alguna. Yo confieso que, para escoger
esposo en la tierra, ninguno os pudiera igualar; pero habiéndole de
30 escoger en el Cielo, ¿quién como Dios? Si esto os parece traición o
descomedido trato,[49] dadme la pena que quisiéredes y el nombre que

---

[37] (impresión)
[38] que . . . coronen   may beautiful
children grace
[39] rabios celos   consuming jealousies
[40] dudosas sospechas   worrisome suspi-
cions
[41] reject
[42] (palabras)
[43] en pie   standing
[44] dispondría . . . persona   give me
away in marriage

[45] (méritos)
[46] honrosos y provechosos   for honor-
able and worthwhile ends
[47] dilatan y entretienen   drawn out and
entertained
[48] del . . . hecho   the false impression
which, you probably think, I have
given you
[49] descomedido trato (mal comportamiento)

se os antojare,[50] que no habrá muerte, promesa o amenaza, que me aparte [51] del Crucificado esposo mío.

Calló, y al mismo punto la priora y las otras monjas comenzaron a desnudarla [52] y a cortarle la preciosa madeja [53] de sus cabellos. Yo enmudecí,[54] y, por no dar muestras de flaqueza,[55] tuve cuenta con 5 reprimir [56] las lágrimas que me venían a los ojos; y hincándome otra vez de rodillas ante ella, casi por fuerza [57] le besé la mano; y ella, cristianamente compasiva, me echó los brazos al cuello; alcéme [58] en pie, y alzando la voz de modo que todos me oyesen, dije:

—*Maria optimam partem elegit.*[59]   10

Y diciendo esto, me bajé del teatro, y, acompañado de mis amigos, volví a mi casa, adonde, yendo y viniendo con la imaginación en este extraño suceso,[60] vine casi a perder el juicio y también la vida.

PREGUNTAS

1. ¿Cuál era el oficio del portugués?
2. ¿Quién vivía cerca de su casa?
3. ¿Cómo era la niña del vecino?
4. ¿Tenía el padre otros hijos?
5. ¿Está seguro Manuel de que los dos pueden casarse? Explique usted.
6. ¿Qué respuesta trajo el pariente que pidió a Leonora?
7. ¿Admitía Leonora la pretensión del portugués?
8. ¿Por qué tuvo Manuel que salir del país?
9. ¿Qué hizo Manuel antes de irse?
10. ¿Qué dijo Manuel al despedirse de Leonora?
11. ¿Qué le promete el padre?
12. ¿Cuánto tiempo quedó Manuel en Berbería?
13. ¿Qué halló Manuel al volver de allí?
14. ¿Qué contestó el padre cuando Manuel pidió a Leonora de nuevo?
15. ¿Cuál de los dos había querido casarse en el monasterio?
16. All llegar Manuel al monasterio, ¿quiénes salieron a recibirle?
17. ¿Quién acompañaba a Leonora cuando salió?
18. ¿Cómo está vestida Leonora?

[50] que . . . antojare (que os gustara)
[51] (separe)
[52] (quitarle la ropa, adornos, galas)
[53] preciosa madeja   the lovely coils
[54] (me callé)
[55] (debilidad; falta de fuerzas)
[56] tuve . . . reprimir   I made a point of holding back
[57] por fuerza   irresistibly
[58] (me puse)
[59] Maria . . . elegit (María escogió la buena parte: *Biblia*, *S. Lucas*, X, 42.)
[60] yendo . . . suceso   pondering and reliving this strange event

19. ¿Qué habían construído en la iglesia?
20. ¿Por qué no podía Leonora casarse con Manuel?

EJERCICIOS

I. *¿Cuáles son los verbos que corresponden a estas palabras?*

aviso	casamiento	despedida
indicio	lástima	partida
regalo	respuesta	suceso

II. *Dé un antónimo de:*

acordar	callar	dar
partida	perder	pobremente
salir	secretamente	sentado

III. *¿A cuál sustantivo corresponde cada uno de los adjetivos a la derecha?*

a. una hija   principales, obediente,
b. el muchacho   largos, viejo, santa,
c. un monasterio   enamorado, raro,
d. unas señoras   rubios
e. los años
f. los cabellos
g. la Biblia
h. un suceso

IV. *Dé el infinitivo de estos verbos:*

alcé	dejé	entretienen	hubo	oyesen
quiero	supe	trajo	tuve	vine

V. *Traduzca:*

a. He had already asked her father several times.
b. It seemed to me that all the illustrious and important women were there.
c. He doubted that he deserved her, so beautiful did she seem to him.
d. She had never told him that she would marry him.
e. My father gave you his word, and I gave you mine, also.
f. She never became (*llegar a ser*) my wife.
g. Some very important people accompanied me to the church.
h. All this occurred in a monastery of nuns.

MARIANO JOSÉ DE LARRA   1809-1837

PERIODISTA, ensayista, poeta, novelista, crítico, autor de dramas románticos, Mariano José de Larra (1809-1837) ya era uno de los escritores de mayor fama en España antes de cumplir los veintitrés años.

Nace Larra en Madrid. Su padre, médico en el ejército del rey José Bonaparte,[1] se marcha de España al caer el gobierno de éste en 1813, llevando consigo al joven Mariano. Después de varios años en Francia, durante los cuales Mariano casi olvida el idioma español, su padre le envía a España para continuar sus estudios. Alumno inteligente y precoz,[2] Mariano crece[3] entre las inquietudes políticas y literarias de la época, terminando sus estudios oficiales en 1826. Contra la voluntad de su familia, se casa joven pero el enlace[4] termina en disgustos y separación. Después, amargado[5] y lleno de pesimismo, se dedica exclusivamente al periodismo y a las letras.

Larra se identificó con la corriente ascendiente del Romanticismo en España, en el teatro con obras como Macías, y en la novela con El doncel de don Enrique el doliente; sin embargo, el vigor de su personalidad se descubre mayormente en su prosa y particularmente en sus artículos de costumbres.

En Empeños y desempeños Larra se ocupa en[6] pintar las ridiculeces de la gente de Madrid, un tema favorito suyo. Este artículo de costumbres apareció en El pobrecito hablador,[7] la popularísima revista escrita enteramente por Larra, en septiembre de 1832.

Bajo la firma de «Fígaro», su seudónimo predilecto,[8] Larra publicó sus artículos en revistas y periódicos. Unas veces jovial, otras irónico y satírico, fué el enemigo implacable del censor, el crítico mordaz[9] de la política irresponsable, de la grosería,[10] de la ignorancia y de la pereza.[11] Su intelecto penetrante buscaba las causas de la decadencia nacional; pero reconociendo las muchas imperfecciones de su país y la imposibilidad de corregirlas, se le amargó[12] el espíritu idealista.

Tal vez a causa de esta lucha interna, o quizá por haber sido rechazado[13] por una amante, Larra con un pistoletazo[14] puso fin a su breve y torturada existencia en febrero de 1837.

[1] José Bonaparte (hermano mayor de Napoleón y rey de España, 1808-1814)
[2] precocious
[3] grows up
[4] (unión)
[5] bitter
[6] se ocupa en   is engaged in
[7] The Little Tattler, or The Talkative Waif, but do not translate.
[8] (preferido)
[9] mordant; biting
[10] (descortesía; rusticidad)
[11] laziness
[12] became embittered
[13] rejected
[14] pistol shot

Empeños y desempeños

En prensa [1] tenía yo mi imaginación no ha [2] muchas mañanas,
buscando un tema nuevo sobre que dejar correr libremente mi atrevida
sin hueso,[3] que ya pedía conversación y acaso nunca lo hubiera encontrado a no ser por [4] la casualidad [5] que contaré; y digo que no lo
5 hubiera encontrado, porque entre tantas apuntaciones [6] y notas como
en mi pupitre tengo hacinadas,[7] acaso dos solas contendrán cosas que
se puedan decir, o que no deban por ahora dejarse de decir.[8]
Tengo un sobrino, y vamos adelante, que esto nada tiene de particular. Este tal sobrino es un mancebo [9] que ha recibido una educa-
10 ción de las más escogidas [10] que en este nuestro siglo se suelen dar;
es decir que sabe leer, aunque no en todos los libros, y escribir, si
bien no cosas dignas de ser leídas; contar no es cosa mayor,[11] porque
descuida el cuento de sus cuentas [12] en sus acreedores,[13] que mejor que
él se las saben llevar [14]; baila bastante bien; canta lo que basta para
15 hacerse rogar [15] y no estar nunca en voz; monta a caballo como un
centauro,[16] y da gozo ver con qué soltura [17] y desembarazo [18] atro-
pella [19] por esas calles de Madrid a sus amigos y conocidos; de ciencias
y artes ignora lo suficiente para poder hablar de todo con maestría.[20]
En materia de bella literatura y de teatro no se hable, porque está
20 abonado,[21] y si no entiende la comedia, para eso la paga,[22] y aun
la suele silbar [23]; de este modo da a entender que ha visto cosas
mejores en otros países, porque ha viajado por el extranjero a fuer de
bien criado.[24] Habla un poco de francés y de italiano siempre que
había de hablar español,[25] y español no lo habla, sino lo maltrata [26];
25 a eso dice que la lengua española es la suya, y que puede hacer con
ella lo que más le viniere en voluntad.[27] Por supuesto que no cree en

[1] **en prensa**   in a squeeze
[2] (hace)
[3] **atrevida sin hueso**   wagging tongue
[4] **a . . . por**   if it had not been for
[5] (**suceso, caso, asunto**)
[6] memoranda
[7] piled up
[8] **dejarse de decir**   be left unsaid
[9] (**joven**)
[10] select, choice
[11] **contar . . . mayor**   counting is no problem
[12] **descuida . . . cuentas**   he leaves the keeping of his accounts
[13] **en sus acreedores**   to his creditors
[14] keep

[15] **para hacerse rogar**   to be begged
[16] centaur
[17] (**facilidad**)
[18] (**naturalidad**)
[19] he tramples
[20] **con maestría** (**con gran autoridad**)
[21] **está abonado**   he has a season ticket
[22] **para . . . paga**   he gets even with it
[23] to whistle; to hiss
[24] **a . . . criado**   by way of being well brought up
[25] **siempre . . . español**   when he ought to be speaking Spanish
[26] (**abusa**)
[27] **lo . . . voluntad** (**lo que quiera**)

Dios, porque quiere pasar por hombre de luces [28]; pero, en cambio, cree en chalanes [29] y en mozas, en amigos y en rufianes. Se me olvidaba. No hablemos de su pundonor,[30] porque éste es tal, que por la menor bagatela [31] pone una estocada [32] en el corazón de su mejor amigo con la más singular gracia y desenvoltura [33] que en esgrimidor [34] alguno 5 se ha conocido.[35]

Así se deja conocer [36] que es uno de los gerifaltes [37] que más lugar ocupan en la corte,[38] y que constituye uno de los adornos de la sociedad de buen tono [39] de esta capital.

Este es mi pariente, y bien sé yo que si su padre le viera, estaría 10 tan embobado [40] con su hijo como lo estoy yo con mi sobrino, por tanta buena cualidad como en él se ha llegado a reunir.[41] Conoce mi Joaquín esta fragilidad [42] y aun suele aprovecharse de [43] ella.

Las ocho serían [44] y yo me vestía, cuando entra mi criado y me anuncia a mi sobrino. 15

—¿Mi sobrino? Pues debe de ser la una.

—No, señor; son las ocho no más.

Abro los ojos asombrado [45] y me encuentro a mi elegante [46] de pie, vestido y en mi casa a las ocho de la mañana.

—Joaquín, ¿tú a estas horas? 20

—¡Querido tío, buenos días!

—¿Vas de viaje [47]?

—No, señor.

—¿Qué madrugón [48] es éste?

—¿Yo madrugar,[49] tío? Todavía no me he acostado. Vengo de casa 25 de la marquesita del Peñol: hasta ahora ha durado el baile. Francisco se ha ido a casa con los seis dominós [50] que he llevado esta noche para mudarme.[51]

—¿Seis no más?

---

[28] de luces (muy inteligente)
[29] swindlers
[30] (honor)
[31] trifle
[32] (un golpe dado con la punta de la espada)
[33] (soltura; facilidad)
[34] en esgrimidor   in a fencer
[35] alguno...conocido   anyone has met
[36] se deja conocer   he lets it be known
[37] falcons
[38] Madrid
[39] de buen tono (elegante)

[40] fascinated
[41] se . . . reunir   has been assembled
[42] (my) weakness, susceptibility
[43] aprovecharse de   to take advantage of
[44] las ocho serían   it was around eight
[45] (sorprendido)
[46] a mi elegante (a mi elegante sobrino)
[47] de viaje   on a trip
[48] what (kind of) early rising
[49] to get up early
[50] costumes (for a masked ball)
[51] to disguise myself

—Tenía que engañar [52] a seis personas.

—¿Engañar? Mal hecho.

—Querido tío, usted es muy antiguo.

—Gracias, sobrino; adelante.[53]

5   —Tío mío, tengo que pedirle a usted un gran favor.

—¿Seré yo la séptima persona?

—Querido tío, ya me he quitado la máscara.[54]

—Di [55] el favor—y eché mano de la llave de mi gaveta.[56]

—En el día [57] no hay rentas [58] que basten [59] para nada; tanto baile,

10 tanto . . . ; en una palabra, tengo un compromiso.[60] ¿Se acuerda usted de la repetición [61] de Breguet que me vió usted días pasados?

—Sí, que te había costado cinco mil reales.

—No era mía.

—¡Ah!

15   —El marqués de _____ acababa de llegar de París, quería mandarla limpiar, y no conociendo a ningún relojero [62] en Madrid, le prometí enviársela al mío.

—Sigue.

—Pero mi suerte lo dispuso de otra manera [63]; tenía yo aquel día

20 un compromiso de honor [64]; la baronesita y yo habíamos quedado en ir [65] juntos a Chamartín a pasar un día; era imposible ir en su coche,[66] es demasiado conocido . . .

—Adelante.

—Era indispensable tomar yo un coche, disponer [67] una casa y una

25 comida de campo . . . ; a la sazón me hallaba sin un cuarto; mi honor era lo primero [68]; además, que andan las ocasiones por las nubes . . .[69]

—Sigue.

—Empeñé [70] la repetición de mi amigo.

30   —¡Por tu honor!

—Cierto.

—¡Bien entendido [71]! ¿Y ahora?

[52] to fool, deceive
[53] (sigue, continúa)
[54] mask
[55] (del verbo «decir»)
[56] money drawer
[57] en el día (hoy día)
[58] incomes
[59] que basten (que sean suficientes)
[60] (problema; dificultad)
[61] a watch that strikes the hour
[62] (el hombre que vende, o arregla relojes)

[63] lo . . . manera   willed it otherwise
[64] compromiso de honor   very importante date
[65] quedado en ir   agreed to go
[66] carriage
[67] (tener suficiente dinero para . . .)
[68] lo primero (la cosa más importante)
[69] que . . . nubes (porque hay tan pocas oportunidades)
[70] I pawned
[71] bien entendido   I quite understand

—Hoy como con el marqués; le he dicho que la tengo en casa compuesta,[72] y . . .

—Ya entiendo.

—Ya ve usted, tío . . . Esto pudiera producir un lance [73] muy desagradable.

—¿Cuánto es?

—Cien duros.

—¿Nada más? No se me hace mucho.[74]

Era claro que la vida de mi sobrino y su honor se hallaban en inminente riesgo.[75] ¿Qué podía hacer un tío tan cariñoso,[76] tan amante de su sobrino, tan rico y sin hijos? Conté,[77] pues, sus cien duros, es decir, los míos.

—Sobrino, vamos a la casa donde está empeñada la repetición.

—*Quand il vous plaira,*[78] querido tío.

Llegamos al café, una de las lonjas [79] de empeño, y comencé a sospechar desde luego que esta aventura había de producir un artículo de costumbres.[80]

—Tío, aquí será preciso [81] esperar.

—¿A quién?

—Al hombre que sabe la casa.[82]

—¿No la sabes tú?

—No, señor; estos hombres no quieren nunca que se vaya con ellos.

—¿Y se les confían [83] repeticiones de cinco mil reales?

—Es un honrado corredor [84] que vive de este tráfico. Aquí está. Éste es el honrado corredor.

Y entró un hombre como de unos cuarenta años, si es que se podía [85] seguir la huella [86] del tiempo en una cara como la suya. Rostro [87] acuchillado [88] con varios chirlos [89] y jirones [90] tan bien colocados, que más parecían nacidos [91] en aquella cara, que efectos de encuentros desgraciados; mirar bizco,[92] como de quien mira y no

---

[72] (arreglada)
[73] (suceso, situación)
[74] **no . . . mucho** it doesn't seem much to me
[75] (peligro)
[76] (afectuoso)
[77] counted
[78] **quand . . . plaira** (cuando quiera)
[79] (tiendas)
[80] **artículo de costumbres** article on customs and manners
[81] (necesario)
[82] (que sabe donde está la casa; reci-

ben los artículos en un lugar, y los guardan en otro)
[83] **se les confían** one trusts them with
[84] (intermediario en compras y ventas)
[85] **si . . . podía** if indeed one could
[86] track; traces
[87] (cara)
[88] (como un cuchillo)
[89] scars
[90] rips
[91] (del verbo «nacer»)
[92] **mirar bizco** he had squint eyes

mira; sus barbas crecidas [93] daban claros indicios [94] de no tener con las navajas [95] todo aquel trato y familiaridad que exige [96] el aseo [97]; ruin sombrero,[98] y una capa de estas que no tapan [99] lo que llevan debajo, con muchas cenefas de barro de Madrid [100]; botas o zapatos,
5 que esto no se conocía,[101] con más lodo [102] que cordobán.[103] Tenía el corredor, en fin, un aire [104] misterioso y escudriñador.[105]

—¿Está eso,[106] señorito?

—Está; tío, déle usted el dinero.

—Es inútil; yo no entrego mi dinero de esta suerte.[107]

10 —Caballero, no hay cuidado.[108]

—No lo habrá ciertamente, porque no lo daré.

Aquí empezaron los votos y juramentos [109] del honrado corredor, de quien tan injustamente se desconfiaba, y las lamentaciones deprecatorias de mi sobrino, que veía escapársele de las manos su repetición;
15 pero me mantuve firme, aunque fué preciso ceder [110] al mediante [111] una honesta gratificación.[112]

En el camino, nuestro cicerone,[113] más aplacado,[114] sacó un paquetillo,[115] y mostrándomelo secretamente:

—Caballero —me dijo al oído—, cigarros habanos,[116] cajetillas,[117]
20 y otras frioleras,[118] por si usted gusta.

—Gracias, honrado corredor.

Llegamos por fin, a fuerza de apisonar con los pies [119] calles y encrucijadas,[120] a una casa y a un cuarto cuarto,[121] que alguno hubiera llamado guardilla [122] a haber vivido en él un poeta.

25 No podré explicar el mal aspecto de las diversas prendas [123] que de tan varias partes allí se habían venido a reunir. ¡Oh, si hablaran todos

---

[93] barbas crecidas   heavy growth of beard
[94] (indicaciones)
[95] (instrumentos para afeitarse)
[96] (demanda)
[97] (la limpieza)   grooming
[98] ruin sombrero   a wreck of a hat
[99] (cubren)
[100] con . . . Madrid   trimmed in Madrid mud
[101] esto . . . conocía (esto no podía conocerse)
[102] (barro)
[103] leather
[104] (apariencia)
[105] prying
[106] está eso   is that ready (to be settled)
[107] de esta suerte (de esta manera)

[108] (peligro)
[109] votos y juramentos   vows and oaths
[110] (dar)
[111] (intermediario)
[112] (propina)   tip
[113] (guía)
[114] appeased
[115] (paquete)
[116] (de la Habana)
[117] (cigarrillos en paquetes)
[118] (cositas; bagatelas)
[119] apisonar con los pies (caminar mucho)
[120] (bocacalles)
[121] cuarto cuarto (un cuarto en el cuarto piso)
[122] garret
[123] (objetos)

aquellos cautivos [124]! Este hermoso vestido de mujer, ¿qué diría de cosas dentro de sus límites ocurridas? ¿Qué el collar,[125] muchas veces importuno,[126] con prisa desatado y arrojado con despecho [127]? ¿Qué sería escuchar aquella sortija [128] de diamantes, inseparable compañera de los hermosos dedos de marfil [129] de su hermoso dueño? ¡Qué diá- 5 logo pudiera trabar [130] aquella rica capa de chinchilla con aquel chal [131] de cachemira! Desvié [132] mi pensamiento de estas locuras, y parecióme bien que no hablasen. Admiréme sobremanera [133] al reconocer en los dos prestamistas [134] que dirigían toda aquella máquina a dos personas de la buena sociedad, y de quien nunca hubiera presu- 10 mido que se mantuvieran con aquel comercio; avergonzáronse [135] ellos algo de hallarse sorprendidos en tal ocupación, y me echaron una mirada de estas que llevan en sí una larga reconvención [136] sobre el corredor que de aquella manera había comprometido [137] su buen nombre, introduciendo profanos [138] en el santuario [139] de sus misterios. 15

Hubo de [140] entrar mi sobrino a la pieza inmediata, donde se debía buscar la repetición y contar el dinero; yo imaginé que aquél debía de ser lugar más a propósito [141] todavía para aventuras que el mismo Puerto Lápice [142]; calé [143] el sombrero hasta las cejas,[144] levanté el embozo [145] hasta los ojos, púseme a obscuras, donde podía escuchar 20 sin ser notado, y di a mi observación libre rienda [146] que caminase por do más le pluguiese.[147] Poco tiempo habría pasado en aquel recogi- miento,[148] cuando se abre la puerta, y un joven vestido modestamente pregunta por el corredor.

—Pepe, te he esperado inútilmente; te he visto pasar, y seguido tus 25 huellas. Ya estoy aquí y sin un cuarto.[149]

—Ya le he dicho a usted que por ropas es imposible.

—¡Un frac nuevo! ¡Una levita [150] poco usada! ¿No ha de valer esto más de dieciséis duros que necesito?

[124] captives
[125] necklace
[126] bothersome
[127] **con despecho**   spitefully
[128] ring
[129] ivory
[130] (**sostener**)
[131] shawl
[132] (**aparté**)
[133] (**mucho**)
[134] pawnbrokers
[135] **avergonzarse** (**tener vergüenza**)
[136] remonstrance
[137] (**puesto a riesgo**)
[138] outsiders
[139] (lugar sagrado)
[140] **hubo de** (**tuvo que**)
[141] **a propósito** (**apropiado**)
[142] **Puerto Lápice** (lugar **mencionado en** *Don Quijote*, **Primera parte, capítulo VIII**)
[143] pulled down
[144] eyebrows
[145] muffler
[146] rein
[147] (**placer**)   please
[148] secluded spot
[149] **sin un cuarto** (absolutamente sin dinero)
[150] (**saco; chaqueta**)

—Mire usted: aquellos armarios [151] están llenos de ropas de otros como usted; nadie parece a sacarlas, y nadie da por ellas el valor que se prestó.

—Mi ropa vale más de cincuenta duros; te juro [152] que antes de 5 ocho días vuelvo por ella.

—Eso mismo decía el dueño de aquel sobretodo,[153] que ha pasado en aquella percha [154] dos inviernos; y la que trajo aquel chal, que lleva aquí dos carnavales [155]; y la . . .

—¡Pepe, te daré lo que quieras; mira: estoy comprometido; no me 10 queda más recurso que tirarme un tiro [156]!

Al llegar aquí el diálogo saqué dinero de mi bolsa, diciendo para mí [157]: «No se tirará un tiro por dieciséis duros un joven de tan buen aspecto. ¡Quién sabe si no habrá comido hoy su familia, si alguna desgracia . . .! [158]» Iba a llamarle, pero me previno [159] Pepe di-15 ciendo:

—¡Mal hecho [160]!

—Tengo que ir esta noche sin falta a casa de la señora de W——, y estoy sin traje; he dado palabra de no faltar a una persona respetable. Tengo que buscar además un dominó para una prima mía, a quien he 20 prometido acompañar.

Al oír esto, guardé [161] mi bolsa,[162] menos poseído ya de mi ardiente caridad.

—¡Es posible! Traiga usted una alhaja.[163]

—Ni una me queda; tú lo sabes: tienes mi reloj, mis botones, mi 25 cadena.[164]

—¡Dieciséis duros!

—Mira, con ocho me contento.

—Yo no puedo hacer nada en eso; es mucho.

—Con cinco me conformo,[165] y firmaré [166] los dieciséis, y te daré 30 ahora mismo uno de gratificación.

—Ya sabe usted que yo deseo servirle; pero como no soy el dueño . . . ¿A ver [167] el frac?

---

[151] (roperos)
[152] (prometo)
[153] overcoat
[154] a clothes tree
[155] (años)
[156] no . . . tiro I have no choice but to shoot myself
[157] **para mí** to myself
[158] (infortunio; desventura)

[159] forestalled; warned
[160] **mal hecho** (no lo hagas)
[161] I put away
[162] (cartera; billetera)
[163] (joya; piedra preciosa)
[164] chain
[165] **me conformo** (estaré satisfecho)
[166] I will sign
[167] **a ver** (puedo ver)

Respiró [168] el joven, sonrióse [169] el corredor; tomó el joven cinco duros, dió de ellos uno y firmó dieciséis, contento con el buen negocio [170] que había hecho.

—Dentro de tres días vuelvo por ello. Adiós. Hasta pasado mañana.

—Hasta el año que viene.

Retumbaban todavía [171] en mis oídos las pisadas [172] del joven, cuando se abre violentamente la puerta, y la señora de H—— en persona, con los ojos encendidos y toda fuera de sí,[173] se precipita [174] en la habitación.

—¡Don Fernando!

A su voz salió uno de los prestamistas, caballero de no mala figura y de muy galantes modales.

—¡Señora!

—¿Me ha enviado usted esta esquela [175]?

—Estoy sin un maravedí [176]; mi amigo no la conoce a usted. Es un hombre ordinario. Y como hemos dado ya más de lo que valen los adornos que tiene usted ahí . . .

—Pero ¿no sabe usted que tengo repartidos los billetes [177] para el baile de esta noche? Es preciso darlo, o me muero de sofoco.[178]

—Yo, señora . . .

—Necesito indispensablemente [179] mil reales y retirar, siquiera hasta mañana,[180] mi diadema [181] de perlas y mis brazaletes para esta noche; en cambio, vendrá una vajilla [182] de plata y cuanto [183] tengo en casa. Debo a los músicos tres noches, y esta mañana me han dicho decididamente que no tocarán si no les pago. El catalán [184] me ha enviado la cuenta de las velas,[185] y no enviará más mientras no le satisfaga.[186]

—Si yo fuera solo . . .

—¿Reñiremos [187]? ¿No sabe usted que esta noche el juego [188] sólo

[168] took heart
[169] smiled
[170] arrangement
[171] **retumbaban todavía** were still resounding
[172] (**el ruido que hacen los pies al caminar**)
[173] **fuera de sí** upset
[174] **precipitarse** (**entrar de una manera precipitosa**)
[175] (**cuenta**)
[176] **sin un maravedí** (**sin un cuarto; sin dinero**)
[177] **tengo . . . billetes** (**he enviado ya las invitaciones**)

[178] (**vergüenza**)
[179] (**urgentemente**)
[180] **retirar . . . mañana** to have back at least by tomorrow
[181] (**corona**)
[182] (**los platos y otras cosas en que se sirve la comida**)
[183] (**todas las cosas que**)
[184] (**persona de Cataluña**)
[185] candles
[186] (**satisfacer**)
[187] (**reñir**) to quarrel
[188] gambling

puede producir? . . . ¡Nos fué tan mal [189] la otra noche! ¿Quiere
usted más billetes? No me han dejado más que seis. Envíe usted a casa
por los efectos que he dicho.

   —Yo conozco . . . ; por mí . . . ; pero aquí pueden oírnos;
5 entre usted en ese gabinete.[190]

   Entráronse, y se cerró la puerta tras [191] ellos.

   Siguió a esta escena la de un jugador perdidoso,[192] que había
perdido el último maravedí, y necesitaba armarse [193] para volver
a jugar; dejó un reloj, tomó diez y firmó quince, y se despidió
10 diciendo:

   —Tengo corazonada [194]; voy a sacar veinte onzas [195] en media hora,
y vuelvo por mi reloj.

   Otro jugador ganancioso [196] vino a sacar unas sortijas del tiempo
de su prosperidad; algún empleado [197] vino a tomar su mesada [198]
15 adelantada [199] sobre su sueldo, descabalada [200] por los crecidos intereses; algún necesitado [201] se remedió,[202] si es remedio comprar un
duro con dos; y sólo mentaré [203] en particular al criado de un personaje
que vino por fin a rescatar [204] ciertas alhajas que había más de tres
años que cautivas en aquel Argel [205] estaban. Habíanse vendido las
20 alhajas, desconfiados ya los prestamistas de que nunca las pagaran,
y porque los intereses estaban a punto de traspasar su valor. No quiero
pintar la riña [206] que en aquella bendita casa se armó.[207] Después de
dos años de reclamaciones inútiles, hoy venían por las alhajas; ayer
se habían vendido. Juró y blasfemó el criado, y fuése, prometiendo
25 poner el remedio [208] de aquel atrevimiento [209] en manos de quien más
conviniese.[210]

   ¿Es posible que se viva de esta manera? Pero ¿qué mucho, si el
artesano ha de parecer artista, el artista empleado, el empleado tí-

---

[189] nos . . . mal   it went against us
   so
[190] (cuartito; oficina).
[191] behind
[192] jugador perdidoso (uno que pierde
   jugando)
[193] to arm
[194] a hunch
[195] (de oro; moneda que valía 80 pesetas)
[196] (el jugador que gana)
[197] clerk
[198] (el sueldo de un mes)
[199] in advance

[200] (disminuida, reducida)
[201] (un hombre pobre, indigente)
[202] se remedió   got help
[203] (mencionaré)
[204] to redeem
[205] Algiers; many Christian captives, like
   Cervantes, were held for ransom
   there.
[206] (pelea; disputa)
[207] se armó (empezó)
[208] (solución)
[209] aquel atrevimiento   such daring
[210] quien más conviniese   a more suit-
   able person

tulo,[211] el título grande [212] y el grande príncipe? ¿Cómo se puede
vivir haciendo menos papel que el vecino [213]? ¡Bien haya el lujo! ¡Bien
haya la vanidad!

En esto salía ya del gabinete la bella convidadora [214]; habíase secado
el manantial [215] de sus lágrimas.   5

—Adiós, y no falte usted a la noche [216] —dijo misteriosamente su
voz penetrante y agitada.

—Descuide [217] usted; dentro de media hora enviaré a Pepe —respondió el prestamista. Bajó los ojos la belleza, compuso sus blon-
dos [218] cabellos, arregló su mantilla y salió precipitadamente.   10

A poco salió mi sobrino, que, después de darme las gracias, se
empeñó tercamente [219] en hacerme admitir [220] un billete para el baile
de la señora H——. Sonreíme, nada dije a mi sobrino, ya que nada
había oído, y asistí al baile. Los músicos tocaron, las luces ardieron.[221]
¡Oh utilidad de [222] los usureros!   15

No quisiera acabar mi artículo sin advertir que reconocí en el baile
al famoso prestamista, y en los hombros de su mujer el chal magnífico
que llevaba tres carnavales en el cautiverio [223]; y dejó de asom-
brarme [224] desde entonces el lujo que en ella tantas veces no había
comprendido.   20

Retiréme temprano, que no le sientan bien a mis canas [225] ver entrar
a Febo [226] en los bailes; acompañóme mi sobrino, que iba a otra concurrencia.[227] Bajé del coche y nos despedimos. Parecióme no encontrar
en su voz aquel mismo calor afectuoso, aquel interés con que por la
mañana me dirigía la palabra. Un adiós bastante indiferente me re- 25
cordó que aquel día había hecho un favor, y que el tal favor ya había
pasado. Acaso había sido yo tan necio [228] como loco mi sobrino. No
era mucho, decía yo, que un joven los [229] pidiera; ¡pero que los diera
un viejo!

Para distraer estas melancólicas imaginaciones que tan triste idea 30

[211] (de noble, de la nobleza)
[212] grandee
[213] haciendo . . . vecino   not keeping
    up with the Joneses
[214] hostess
[215] (corriente; fuente)
[216] no . . . noche (no falte usted al
    baile de esta noche)
[217] (pierda cuidado; no se preocupe)
[218] (rubios)
[219] (obstinadamente)

[220] (comprar)
[221] burned
[222] oh utilidad de   how useful are
[223] en el cautiverio (como cautivo)
[224] (sorprender)
[225] grey hair
[226] (el sol)
[227] (reunión; función)
[228] (tonto; ignorante)
[229] (los favores)

dan de la humanidad, abrí un libro de poesías y acertó a ser en aquel
punto en que dice Bartolomé de Argensola:

De estos niños Madrid vive logrado,[230]
Y de viejos tan frágiles [231] como ellos,
5   Porque en la misma escuela se han criado.

PREGUNTAS

1. ¿Dónde nació Larra?
2. ¿Qué cargo tuvo su padre en el ejército?
3. ¿Cómo creció el joven Mariano?
4. ¿Son importantes sus artículos de costumbres?
5. ¿Cómo se llama la revista que escribió Larra?
6. ¿Cómo murió Larra?
7. ¿Qué busca el autor?
8. ¿No tiene ya apuntaciones, de las cuales puede preparar un artículo?
9. ¿Por qué no puede preparar un artículo de las apuntaciones que tiene ya en su pupitre?
10. ¿Qué dice el autor sobre la educación de su sobrino?
11. ¿Qué suele hacer el sobrino al ver una comedia que no entiende?
12. ¿Cuáles son las lenguas extranjeras que habla el sobrino?
13. ¿Cómo se disculpa el sobrino por maltratar el español?
14. ¿A qué hora llega el sobrino a la casa del tío?
15. ¿Qué piensa el tío al verle tan de mañana?
16. ¿Por qué había llevado el sobrino seis dominós en vez de uno, o dos?
17. ¿De quién era la repetición que el tío le había visto?
18. ¿Por qué le había entregado el marqués su reloj a Joaquín?
19. ¿Cómo pasó que Joaquín lo había empeñado?
20. ¿Adónde se resuelven ir los dos?
21. ¿A quién esperan allí en el café? ¿Por qué?
22. ¿Qué aspecto tiene la cara del corredor?
23. ¿Qué es que no quiere hacer el tío?
24. ¿Adónde llegan por fin los tres?
25. ¿Cuáles son algunos de los artículos empeñados que ve el autor allí?
26. ¿Quiénes son los prestamistas?
27. ¿Por qué entra Joaquín en la pieza inmediata?
28. ¿Dónde se puso el autor? ¿Con qué motivo?

---

[230] (bastante bien)   [231] (débiles)

29. ¿Qué quiere empeñar el joven que entra?
30. ¿Cuántos duros quiere el joven? ¿Cuántos recibe?
31. ¿De qué se queja la señora de H——?
32. ¿Qué permite la señora de H—— en su casa, que le ayuda a vivir?
33. ¿Qué quería el jugador perdidoso?
34. ¿Qué quería hacer el jugador ganancioso?
35. ¿Por qué no podía reclamar las alhajas el criado?
36. Según el autor ¿por qué buscan algunos al prestamista?
37. ¿Quién sale del gabinete?
38. ¿Adónde fueron el autor y su sobrino esa misma noche?
39. ¿Quién llevaba cierto chal que reconoce el autor?
40. ¿Qué parece notar el autor en la actitud del sobrino al despedirse?

EJERCICIOS

I. *Dé el infinitivo de:*

basten	constituye	contaré	contendrán	empeñé
encuentro	mantuve	monta	vas	viera

II. *Cambie estos verbos al presente indicativo:*

abrí	bajé	ha durado	firmó	se fué
hemos dado	respiró	seré	sonreíme	venían

III. *Dé un antónimo de:*

amigo	antiguo	blondos	comenzar	comprar
ganar	largo	necio	poco	subir

IV. *Termine, usando la forma apropiada del verbo entre paréntesis:*

a. (*leer*) Cosas dignas de ser _____.
b. (*silbar*) Paga la comedia para poder _____.
c. (*conocer*) No creía que él me _____.
d. (*decir*) Yo se lo _____ mañana.
e. (*ir*) El corredor no quiere que se _____ ellos con él.
f. (*desconfiar*) Mi tío me dijo que más y más _____ al corredor.
g. (*gustar*) Le dije que los cigarros habanos no me _____.
h. (*poner*) Yo me _____ donde podía escuchar.
i. (*traer*) La dama que _____ el chal se ha ido.
j. (*firmar*) Si fuese necesario los _____ yo.

v. *Traduzca al español:*

a. These notes on my desk (*pupitre*) contain some things that can be said.

b. He met a Marquis who had just arrived from Paris.

c. I began to suspect (*sospechar*) that this adventure was going to produce something.

d. The runner had a sad and mysterious air.

e. That lady wanted to sell everything (*cuanto*) she had at home.

f. It is useless (*inútil*) to beg; I will not go.

g. In the adjoining room (*pieza inmediata*) I could listen without being observed (*notado*).

h. I have distributed (*repartir*) all the tickets for tonight's dance.

GUSTAVO ADOLFO BÉCQUER
1836–1870

DURANTE su vida breve y desdichada Bécquer escribió poemas, ensayos y cuentos. Este sevillano abandonó su ciudad natal a la edad de dieciocho años para ganar fama y gloria en Madrid. Su hermano predilecto, Valeriano, pintor de profesión, llegó algunos años más tarde, y trabajando juntos, compartieron sueños y desengaños.

A pesar de heroicos esfuerzos por parte de ambos, nunca se les concedió el reconocimiento ni la gloria que buscaban. Murieron los hermanos el mismo año, Valeriano en septiembre, Gustavo Adolfo en diciembre.

Puesto que muchas de las obras de Gustavo Adolfo se publicaron, algunas veces sin firma, en revistas y periódicos, su gran talento fué reconocido solamente por algunos amigos y colaboradores. Sin embargo, desde la publicación de sus Rimas, en 1871, Bécquer, «el poeta del amor y del dolor», ha llegado a ser uno de los más queridos de los poetas españoles. Se estableció también su fama de cuentista y raras veces se ve una colección de cuentos de este período que no incluya alguno de los suyos, lleno siempre de fantasía y de melancolía.

¡Es raro!

I.

Andrés era uno de esos hombres en cuya alma rebosan [1] el sentimiento que no han gastado nunca, y el cariño que no pueden depositar
en nadie. Huérfano casi al nacer, quedó al cuidado de unos parientes.
Y más tarde, cuando hablaban de su niñez, se oscureció [2] su frente
5 y exclamaba con un suspiro: «¡Ya pasó aquello [3]!»

Ya [4] joven, se lanzó al mundo y el mundo para los pobres, y para
cierta clase de pobres sobre todo, no es un paraíso ni mucho menos.[5]
Con el alma toda idealismo, toda amor, tenía que ocuparse en la difícil
y prosaica tarea de buscarse el *pan nuestro cotidiano.*

10 No obstante, algunas veces, sentándose en la orilla [6] de su solitario
lecho,[7] con los codos [8] sobre las rodillas y la cabeza entre las manos,
exclamaba:

—¡Si yo tuviera alguien a quien querer con toda mi alma! ¡Una
mujer,[9] un caballo, un perro siquiera!

15 Como no tenía un cuarto, no le era posible tener nada, ningún
objeto en que satisfacer su hambre de amor. En su desesperación
llegó a cobrarle cariño al cuchitril [10] donde habitaba, a los mezquinos
muebles que le servían, hasta a la patrona,[11] que era su genio del mal.[12]

Un día pudo proporcionarse [13] un escasísimo sueldo para vivir. La
20 noche de aquel día, cuando iba a su casa, al atravesar [14] una calle
estrecha oyó lamentos, como lloros [15] de una criatura [16] recién nacida.

—Diantre,[17] ¿qué es esto? y tocó con la punta del pie una cosa
blanda que se movía. Era uno de esos perrillos que arrojan a la basura
de pequeñuelos.[18]

25 —La Providencia lo ha puesto en mi camino —dijo para sí Andrés,
recogiéndole [19] y abrigándole [20] en su levita.[21]

Y se lo llevó a su cuchitril.

—¡Cómo es eso! —preguntó la patrona al verle entrar con el pe-

---

[1] overflow
[2] clouded
[3] all of that
[4] (todavía)
[5] **ni mucho menos**   by any means
[6] edge
[7] (cama)
[8] elbows
[9] wife
[10] (rincón)
[11] landlady
[12] **genio del mal**   evil spirit

[13] provide for himself
[14] (cruzar)
[15] crying
[16] (bebé)
[17] (diablo)
[18] **pequeñuelos . . . que** which are thrown in the garbage as young pups
[19] picking it up
[20] sheltering it
[21] coat

rrillo—. No nos faltaba más que [22] ese nuevo embeleco [23] en casa. ¡Ahora mismo lo deja usted donde lo encontró, o mañana busca donde acomodarse [24] con él!

Al otro día salió Andrés de la casa, y en el discurso de dos o tres meses salió de otras doscientas [25] por la misma cuestión. Pero todos estos disgustos los compensaba la inteligencia y el cariño del perro, con el cual Andrés se distraía [26] como una persona en sus eternas horas de solitud y fastidio.[27] Juntos comían, juntos descansaban, y juntos salieron a las calles.

En tertulias,[28] teatros, cafés, y sitios donde no se permitían los perros, no entró nuestro héroe, que exclamaba algunas veces con toda la efusión de su alma:

—¡Animalito! No le falta más que hablar.[29]

Sería enfadoso [30] explicar cómo, pero es el caso que Andrés mejoró [31] algo de posición, y viéndose con algún dinero, dijo:

—¡Si yo tuviese una mujer! Pero para tener una mujer es preciso mucho. Los hombres como yo, antes de elegirla, necesitan un paraíso que ofrecerle, y un paraíso en Madrid cuesta un ojo de la cara . . . Si pudiera comprar un caballo . . . ¡Un caballo! No hay animal más noble ni más hermoso. ¡Cómo lo había de querer [32] mi perro! ¡Cómo se divertirían el uno con el otro y yo con los dos!

Una tarde fué a los toros y, antes de comenzar la función, dirigióse maquinalmente al corral, donde esperaban ensillados [33] los que habían de salir a la lidia.[34]

Andrés no pudo menos de experimentar una sensación penosísima al encontrarse en aquel sitio. Unos de los caballos, con la piel pegada a los huesos y la crin [35] sucia y descompuesta, aguardaban inmóviles su turno como si presintiesen [36] la terrible muerte que habría de poner término, dentro de breves horas,[37] a la miserable vida que arrastraban [38]; otros, medio ciegos, buscaban el pesebre [39] para comer, o, hiriendo [40] el suelo con el casco [41] buscaban la manera de huir del

---

[22] **no . . . que**   the only thing we lacked was
[23] "cutie"
[24] (vivir)
[25] (casas)
[26] amused
[27] boredom
[28] gatherings
[29] **no . . . hablar**   you do everything but talk
[30] boring

[31] improved
[32] **había de querer**   would love it
[33] in their saddles
[34] fight (bulls)
[35] mane
[36] knew in advance
[37] **breves horas (poco tiempo)**
[38] dragged (out)
[39] feed box; manger
[40] **herir (dar golpes)**
[41] hoof

peligro que olfateaban [42] con horror. Y todos aquellos animales habían sido jóvenes y hermosos.

—Si piensan algo —decía Andrés—, ¿qué pensarán estos animales, en el fondo [43] de su confusa inteligencia, cuando en medio de la
5 plaza se muerden [44] la lengua y expiran con una contracción espantosa? En verdad que [45] la ingratitud del hombre es algunas veces inconcebible.

Des estas reflexiones vino a sacarle la voz de uno de los picadores, que juraba y maldecía, mientras probaba las piernas de uno de los
10 caballos. El animal no parecía del todo [46] despreciable,[47] y Andrés pensó en adquirirle. Costar, no debería costar mucho; pero ¿y mantenerlo?

El picador le hundió [48] la espuela [49] y se preparó a salir. Nuestro joven vaciló un instante y le detuvo. Cómo lo hizo, no lo sé, pero en
15 menos de un cuarto de hora convenció al jinete para que lo dejase,[50] buscó al dueño, y se quedó con él.

El caballo estaba, o parecía estar loco; pero no era viejo. Y después de unas semanas comenzó a engordar y a ser más dócil. Verdad que tenía sus caprichos y que nadie podía montarlo más que Andrés; pero
20 decía éste:

—Así no me lo pedirán prestado,[51] y en cuanto a rarezas,[52] nos iremos acostumbrando mutuamente a las que tenemos.

El perro llegó a familiarizarse de tal modo con su nuevo camarada, que ni a beber salían el uno sin el otro. Y cuando salían al camino los
25 tres, Andrés se creía el más feliz de los hombres.

II.

Pasó algún tiempo. Nuestro joven estaba rico o casi rico.

Un día, después de haber corrido mucho, se apeó [1] fatigado [2] junto a un árbol y se sentó a su sombra.

---

[42] olfateaban   smelled
[43] depths
[44] bite
[45] que   *Do not translate.*
[46] del todo (completamente)
[47] (sin mérito)

[48] (hundir)   to sink
[49] spur
[50] jinete . . . dejase   the horseman to get off
[51] (pedir prestado)   to ask to borrow
[52] (caprichos)   peculiarities

[1] apearse   to dismount   [2] (cansadísimo)

Era un día de primavera luminoso y azul. Respirando el aire tibio,[3] y mirando los limpios horizontes, Andrés se entregó a meditaciones tristes, y al mismo tiempo, llenas de felicidad.

—Yo quiero mucho a estos dos seres [4] —pensaba, mientras acariciaba a su perro con una mano, y con la otra le daba a su caballo un puñado [5] de hierbas—, pero todavía hay un hueco [6] en mi corazón que no se ha llenado nunca. Decididamente, necesito una mujer.

En aquel momento pasaba por el camino una muchacha con un cántaro en la cabeza.

Andrés no tenía sed y, sin embargo, le pidió agua. La muchacha se detuvo para ofrecérsela.

—¿Cómo te llamas? —le preguntó así que [7] hubo bebido.

—Plácida.

—¿Y en qué te ocupas?

—Soy hija de un comerciante [8] que murió arruinado y perseguido [9] por sus opiniones políticas. Después de su muerte, mi madre y yo nos retiramos a una aldea, donde lo pasamos bien mal.[10] Mi madre está enferma y yo tengo que hacerlo todo.

—¿Y cómo no te has casado?

—No sé. En el pueblo dicen que no sirvo para trabajar, que soy muy delicada, muy señorita.[11]

La muchacha se alejó después de despedirse. Cuando la había perdido de vista, dijo Andrés con la satisfacción del que resuelve un problema:

—Esa mujer me conviene.

Montó en su caballo y, seguido de su perro, se dirigió a la aldea. Pronto hizo conocimiento con la madre, y casi tan pronto se enamoró locamente de la hija. Cuando, al cabo de algunos meses, ésta se quedó huérfana, se casó enamorado de su mujer, que es una de las mayores felicidades de este mundo.

Casarse y establecerse en una quinta situada en uno de los sitios más pintorescos de su país fué obra de algunos días.

Cuando se vió en ella [12] rico, con su mujer, su perro y su caballo, era tan feliz el pobre Andrés que creía que soñaba.

---

[3] warm
[4] beings
[5] handful
[6] hole, void
[7] **así que** as soon as

[8] merchant
[9] persecuted
[10] **pasarlo mal** to have a hard time
[11] **muy señorita** very ladylike
[12] (**quinta**)

III.

Así vivió por espacio de algunos años dichoso, cuando una noche
creyó observar que alguien rondaba [1] su quinta, y más tarde sorprendió
a un hombre moldeando el ojo de la cerradura [2] de una puerta del
jardín.

5 —Ladrones tenemos —dijo.

Y determinó avisar al pueblo más cercano, donde había una pareja
de guardias civiles.

—¿Adónde vas? —le preguntó su mujer.

—Al pueblo.

10 —¿A qué?

—A dar aviso a los civiles, porque sospecho que alguien nos ronda
la quinta.

Cuando la mujer oyó esto, palideció ligeramente. Él, dándole un
beso, prosiguió [3]:

15 —Me marcho a pie, porque el camino es corto. Adiós hasta la
tarde.

El caballo, que acostumbraba a salir todos los días, relinchó [4]
tristemente del establo al sentirle alejarse, y su perro comenzó a
hacerle fiestas.[5]

20 —No, no vienes conmigo —exclamó hablándole como si lo en-
tendiese—. Cuando vas al pueblo ladras [6] a los muchachos y corres a
las gallinas,[7] y un día te van a dar tal golpe que no te queden ánimos [8]
de volver por otro . . . No abrirle hasta que yo me marche —prosiguió dirigiéndose a un criado, y cerró la puerta para que no le
25 siguiese.

Fué al pueblo, despachó su diligencia,[9] se entretuvo un poco con
el alcalde charlando de diversas cosas y se volvió hacia su quinta. Al
llegar cerca extrañó bastante que no saliese el perro a recibirle. Silba [10]
. . . ¡Nada! Entra en el patio. ¡Ni un criado!

30 —¡Qué diantre será esto! —exclama con inquietud. Entonces vió
el perro tendido [11] en un charco [12] de sangre a la puerta de la cuadra.[13]
Algunos pedazos de ropa diseminados por el suelo atestiguaron [14]

[1] (rondar) to prowl (around)
[2] moldeando . . . cerradura making a
    copy of the keyhole
[3] prosiguió (continuó)
[4] (relinchar) to neigh
[5] hacerle fiestas beg (to go)
[6] (ladrar) to bark
[7] hens
[8] desire
[9] errand
[10] (silbar) to whistle
[11] stretched out
[12] puddle
[13] (establo)
[14] were indications

que se había defendido y que al defenderse había recibido las heridas que le cubrieron.

Andrés lo llama. El perro, moribundo,[15] abre los ojos, hace un esfuerzo para levantarse, menea débilmente la cola, lame la mano que lo acaricia y muere.   5

—Mi caballo . . . ¿Dónde está mi caballo? —exclama entonces con voz sorda y ahogada por la emoción, al ver desierto el establo y rota la cuerda que lo sujetaba.

Sale de allí como un loco. Llama a su mujer. Nadie responde. A[16] sus criados, tampoco. Recorre toda la casa. Sola, abandonada. Sale 10 de nuevo al camino. Ve las señales del casco de su caballo.

—Todo lo comprendo —dice como iluminado por una idea repentina—: los ladrones se han aprovechado de mi ausencia para hacer su negocio, y se llevan a mi mujer para exigirme por su rescate[17] una gran suma de dinero. ¡Dinero! ¡Mi sangre, la salvación daría por ella! 15 ¡Pobre perro mío! —exclama volviéndole a mirar; y parte[18] como un desesperado siguiendo la dirección de las pisadas.[19]

Y corrió, corrió sin descansar un instante en pos de[20] aquellas señales una hora, dos, tres.

—¿Habéis visto —preguntaba a todo el mundo— a un hombre a 20 caballo con una mujer?

—Sí —le respondían.

—¿Por dónde van?

—Por allí.

Y Andrés tomaba nuevas fuerzas y seguía corriendo.   25

La noche comenzaba a caer. A la misma pregunta, siempre encontraba la misma respuesta. Y corría, corría, hasta que, al fin, divisó[21] una aldea, y junto a la entrada, al pie de una cruz, vió un grupo de gente, hombres, viejos, muchachos, que contemplaban con curiosidad una cosa que él no podía distinguir.   30

Llega, hace la misma pregunta de siempre y le dice uno de los del grupo:

—Sí, hemos visto a esa pareja. Mirad, por más señas, el caballo que la conducía,[22] que cayó aquí reventado de correr.[23]

Andrés vuelve los ojos en la dirección que señalaban y ve, en 35 efecto, su caballo, su querido caballo, que algunos hombres del pueblo

---

[15] dying
[16] (llama a)
[17] ransom
[18] (sale, se aleja)
[19] tracks

[20] en pos de (siguiendo)
[21] (vió)
[22] **caballo . . . conducía** the horse that carried them
[23] **reventado de correr** run to death

se preparaban a desollar [24] para aprovecharse de la piel. No pudo
menos [25] resistir la emoción; pero reponiéndose [26] en seguida, volvió
a asaltarle la idea de su esposa.

—Y decidme —exclamó sin pensar—, ¿cómo no prestasteis [27]
5 ayuda a aquella mujer desgraciada?

—Vaya si se la prestamos —dijo otro del grupo—. Yo les he
vendido otro caballo para que prosiguiesen [28] su camino [29] con toda
la prisa que, al parecer, les importa.

—Pero —interrumpió Andrés— esa mujer va robada.[30] Ese hombre
10 es un bandido que, sin hacer caso de sus lágrimas y sus lamentos, la
arrastra no sé adónde.

Los maliciosos patanes [31] cambiaron entre sí una mirada, sonriéndose de compasión.

—¡Quiá,[32] señorito! ¿Qué historias está usted cantando? —dijo
15 con sorna su interlocutor—. ¡Robada! Pues ella era la que decía con
más ahinco [33]: «Pronto, pronto. Huyamos de estos lugares. No me
veré tranquila hasta que los pierda de vista para siempre.»

Andrés lo comprendió todo. Una nube de sangre pasó por delante
de sus ojos, de los que brotó ni una lágrima; y cayó al suelo desplo-
mado [34] como un cadáver.

PREGUNTAS

I

1. ¿Con quién vivió Andrés al quedar huérfano?
2. ¿Qué exclamaba cuando hablaban de su niñez?
3. ¿Por qué no podía tener Andrés las cosas que quería?
4. ¿Qué encontró una noche en la calle?
5. ¿Qué le dijo la patrona cuando llegó a casa?
6. ¿Qué hacían juntos, Andrés y su perro?
7. ¿En qué sitios no entró Andrés?
8. ¿Qué le falta al animalito según Andrés?
9. ¿Adónde fué Andrés una tarde?
10. ¿Qué hacía el picador con quien habló?

[24] to skin
[25] **no pudo menos** could scarcely
[26] recovering himself
[27] (**prestar**) lend
[28] (**continuasen**)
[29] (**viaje**)
[30] kidnapped
[31] (rough) laborers
[32] oh, no!
[33] insistence
[34] tumbling downward

11. ¿Qué ocurrió en menos de un cuarto de hora?
12. ¿Cómo estaba el caballo?

II

13. ¿Quedó muy contento Andrés con sus animales?
14. ¿Quién llegó por el camino?
15. ¿Por qué no se ha casado Plácida?
16. ¿Por qué se dirigió Andrés a la aldea?
17. ¿Dónde se estableció Andrés?
18. ¿Cómo estaba Andrés con su mujer y con los animales?

III

19. ¿Qué observó Andrés una noche? ¿Y más tarde?
20. ¿Qué había en el pueblo cercano?
21. ¿Por qué se decidió Andrés a ir a pie?
22. ¿Por qué no llevó el perro?
23. ¿Cómo encontró la quinta al volver Andrés?
24. ¿Cómo estaba el perro?
25. ¿Qué ve Andrés en el camino?
26. ¿Qué piensa Andrés?
27. ¿Cómo los siguió Andrés?
28. ¿Qué preguntó a todo el mundo?
29. ¿Qué hacía la gente al pie de la cruz?
30. ¿Qué se preparaban a hacer algunos hombres?
31. ¿Por qué sabe el patán que la mujer no fué robada?
32. ¿Qué le pasó a Andrés al comprender lo que había ocurrido?

EJERCICIOS

I. *Diga rápidamente, cambiando al castellano las palabras entre paréntesis:*

a. la cabeza y _____ (*the face*)
b. los brazos y _____ (*the legs*)
c. los caballos y _____ (*the dogs*)
d. las lidias y _____ (*the bulls*)
e. las ciudades y las _____ (*villages*)
f. _____ (*the months*) y los años
g. las casas y _____ (*the country houses*)
h. los árboles y _____ (*the gardens*)
i. las lluvias y _____ (*the clouds*)
j. las emociones y _____ (*the tears*)

II. *De las palabras que se encuentran a la derecha, elija una apropiada para*
     cada frase:

a. Buscamos el pan nuestro _____ .   1. semanal
                                              2. anual
                                              3. cotidiano

b. Una _____ recién nacida.   1. lidia
                                              2. criatura
                                              3. levita

c. Se casó _____ de su mujer.   1. enamorado
                                              2. dejado
                                              3. olvidado

d. El ojo de _____ .   1. la quinta
                                              2. la puerta
                                              3. la cerradura

e. Su perro _____ .   1. criado
                                              2. tertulia
                                              3. ladraba

f. El caballo _____ .   1. preguntó
                                              2. palidecía
                                              3. relinchó

g. El perro le lame _____ .   1. el jardín
                                              2. la mano
                                              3. el cielo

h. Corrió sin _____ .   1. mover
                                              2. respirar
                                              3. descansar

i. Estaba en un _____ de sangre.   1. montón
                                              2. desierto
                                              3. charco

j. Atravesó una calle _____ .   1. patrona
                                              2. estrechísima
                                              3. punta

III. *Dé el infinitivo de estos verbos:*

cayó	se detuvo	distraía	hiriendo	hubo bebido
menea	murió	sé	siguiese	vaya

IV. *Traduzca:*

a. There were restaurants where dogs were not permitted but Andrés did not enter (*entrar en*) them.

b. The annoyances (*los disgustos*) did not matter to our hero, so much did he love that dog.

c. The horses, already saddled (*ensillados*), were waiting in the corral.

d. They were no longer (*ya no*) young nor beautiful, and they wanted to flee the dangers of the ring (*lidia*).

e. The *picadores* are bad tempered (*de mal genio*) and they also swear (*jurar*) and curse (*maldecir*) a great deal. The spectators (*los espectadores*) love them little or not at all (*nada*).

f. Although the horse was not old, and not very easy to manage at first, Andrés was so happy that he thought he was dreaming.

BENITO PÉREZ GALDÓS 1843-1920

NACIDO en Las Palmas, Islas Canarias, Galdós fué el menor de una familia numerosa. Poco se sabe de sus primeros años, tal vez porque fueron normales, sin incidentes de importancia. Estudió inglés; mostró cierto talento para el dibujo [1]; cursó el bachillerato. A la edad de veinte años llegó a Madrid, donde emprendió el estudio del derecho. Aunque se hizo abogado, jamás ejerció esta profesión. La corte le fascinó. Se hizo parte del ambiente literario de Madrid. Aunque fracasó Galdós en sus primeras tentativas [2] para distinguirse como dramaturgo, alcanzó, en 1870 un notable éxito al publicarse su novela La fontana de oro.

Galdós poseyó [3] un talento creador rara vez igualado en la historia de la literatura. Su serie intitulada Episodios nacionales, por ejemplo, en la cual se desarrolla la enredosa [4] historia del país desde 1805 hasta el fin del siglo, consta de 46 novelas, cada una de indiscutible valor histórico y artístico. Aparecen en las páginas de esta serie más de mil personajes. La fecunda obra literaria de este famoso escritor consiste en 76 novelas, 22 obras dramáticas y varias obras misceláneas de crítica, de historia y de viajes.

Reformador e idealista, Galdós quería ver España libertada de sus tradiciones, quería que se aprovechara de la razón, del trabajo, y de las ciencias positivas con el fin de renovarse. Aunque se percibe en sus novelas una honda nota, si no de religión sí de compasión y humanidad, Galdós halló insoportable la posición ultraconservadora del catolicismo español, y en sus páginas frecuentemente atacaba su poderío e influencia.

Entre las novelas de Galdós, tal vez sea Doña Perfecta la más conocida y leída; su Fortunata y Jacinta ha sido llamada la mejor novela española después de Don Quijote.

La novela en el tranvía llena de un delicioso humor, no es completamente típica de la novela galdosiana; sin embargo, en ella se observan la técnica formidable y la fuerza creadora que distinguen el arte de este insigne [5] español.

---

[1] drawing
[2] (esfuerzos)
[3] poseer

[4] involved; tangled
[5] (renombrado; famoso)

116

I.   *La novela en el tranvía*

El coche partía de la extremidad del barrio [1] de Salamanca para atravesar todo Madrid en dirección al [2] de Pozas. Impulsado por el deseo de tomar asiento antes que las demás personas, eché mano a la barra, puse el pie en la plataforma y subí; pero en el mismo instante, ¡o previsión!,[3] tropecé [4] con otro viajero que, por el opuesto [5] lado, entraba. Le miro y reconozco a mi amigo el señor don Dionisio Cascajares de la Vallina, persona tan inofensiva como discreta, que tuvo en aquella crítica ocasión la bondad de saludarme con un sincero y entusiasta apretón de manos.[5]

Nuestro inesperado choque [6] no había tenido consecuencias serias [10] y nos sentamos sin dar al asunto exagerada importancia. El señor don Dionisio Cascajares es un médico afamado,[7] aunque no por la profundidad de sus conocimientos patológicos,[8] y un hombre de bien, pues jamás se dijo de él que fuera inclinado a tomar lo ajeno,[9] ni a matar a sus semejantes [10] por otros medios que [11] por su peligrosa y [15] científica profesión. Bien puede asegurarse que la amenidad de su trato [12] y el sistema de no dar a los enfermos otro tratamiento que el que ellos quieren son causa de la confianza que inspira a multitud de familias de todas clases.

Nadie sabe como él sucesos interesantes [13] que no pertenecen al [20] dominio público, ni ninguno tiene en más estupendo grado [14] la manía de preguntar aunque este vicio se compensa en él por la prontitud con que dice cuanto sabe sin que los demás se tomen el trabajo de preguntárselo.

Este hombre, amigo mío, como lo es de todo el mundo, era el que [25] estaba sentado junto a mí cuando el coche bajaba la calle de Serrano, deteniéndose algunas veces para llenar los pocos asientos que quedaban vacíos. Íbamos tan estrechos [15] que me molestaba grandemente el paquete de libros que conmigo llevaba, y ya lo ponía sobre esta rodilla, ya sobre la otra, y por fin me resolví a sentarme sobre él, [30] temiendo molestar a una señora inglesa que estaba sentada a mi mano izquierda.

---

[1] neighborhood. *Do not translate.*
[2] (al barrio)
[3] ¡o previsión!   oh fateful encounter!
[4] I collided
[5] apretón de manos   handshake
[6] collision
[7] (famoso)
[8] conocimientos patológicos   knowl-
   of medicine

[9] lo ajeno   what wasn't his
[10] sus semejantes   his fellow creatures
[11] except
[12] amenidad . . . trato   his considerate
   manner
[13] sucesos interesantes   gossipy items
[14] más estupendo grado   to such an
   amazing extent
[15] close, packed

—Y usted ¿adónde va? —me preguntó Cascajares, mirándome por encima de sus anteojos azules, lo que me hacía el efecto de ser examinado por cuatro ojos.

Contestéle evasivamente, y él, deseando sin duda, no perder la
5 oportunidad de hacer alguna útil investigación, insistió en sus preguntas, diciendo:

—Y Fulanito,[16] ¿qué hace? Y Fulanito, ¿dónde está? —y otras preguntas así, a las cuales tampoco recibió una respuesta cumplida.[17]

Por último,[18] viendo inútiles sus tentativas para pegar la hebra,[19]
10 empezó por un camino más adecuado [20] a su expansivo temperamento y empezó a desembuchar.[21]

—¡Pobre condesa! —dijo, expresando con un movimiento de cabeza su desinteresada compasión—. Si hubiera seguido mis consejos, no se vería en situación tan crítica.

15 —¡Ah!, es claro —contesté maquinalmente, ofreciendo también el tributo de mi compasión a la señora condesa.

—¡Figúrese [22] usted —prosiguió—, que se ha dejado dominar por aquel hombre! Y aquel hombre llegará a ser el dueño de la casa. ¡Pobrecilla! Cree que con llorar y lamentarse se remedia todo. Pero
20 no. Porque ese hombre es un infame [23]; le creo capaz de los mayores crímenes.

—¡Ah! ¡Sí, es atroz [24]! —dije yo participando irreflexivamente de su indignación.

—Él es como todos los hombres de malos instintos y de baja con-
25 dición,[25] que si se elevan un poco, luego no hay quien los sufra. Bien claro indica su rostro que de allí no puede salir cosa buena.

—Ya lo creo, eso se puede ver.

—Le explicaré a usted en breves palabras. La condesa es una mujer excelente, angelical, tan discreta como hermosa y digna [26] por todos
30 conceptos de mejor suerte. Pero está casada con un hombre que no comprende el tesoro que posee, y pasa la vida entregado al juego[27] y a toda clase de entretenimientos ilícitos. Ella, entretanto, se aburre[28] y llora. ¿Es extraño que ella trate de olvidar su pena divirtiéndose honestamente aquí, y allí, dondequiera [29] que suena un piano? Y es

---

[16] so and so
[17] adequate
[18] **por último** (**por fin**)
[19] **pegar la hebra**   to unite thread (of conversation)
[20] **más adecuado**   better suited
[21] get confidential
[22] it's hard to imagine

[23] scoundrel
[24] (**cruel**)
[25] **baja condición**   low social position
[26] worthy
[27] **entregado al juego**   in gambling
[28] gets bored
[29] wherever

la cosa que yo mismo se lo aconsejo y le digo: «Señora, procure [30]
usted distraerse, que la vida se acaba. Un día el señor conde se ha de
arrepentir de sus locuras y se acabarán las penas.» Me parece que
estoy en lo cierto.[31]

—¡Ah!, sin duda —contesté, continuando en mis adentros [32] tan 5
indiferente como al principio a las desventuras de la condesa.

—Pero eso no es lo peor —añadió Cascajares, golpeando el suelo
con su bastón [33]—, sino que ahora el señor conde se pone celoso
. . . ; sí, de cierto joven que se ha tomado la empresa [34] de distraer
a la condesa.   10

—El marido tendrá la culpa de lo que pase.

—Todo eso sería insignificante, porque la condesa es la misma
virtud [35]; todo eso sería insignificante, digo, si no existiera un hombre
abominable que sospecho va a causar un desastre en aquella casa.

—¿De veras? ¿Y quién es ese hombre? —pregunté con una chispa [36] 15
de curiosidad.

—Un antiguo mayordomo [37] muy querido del conde, que procura
martirizar a la infeliz señora. Parece que se ha apoderado de [38] cierto
secreto que la compromete, y con esta arma pretende [39] . . . , qué
sé yo . . . ¡Es una infamia!   20

—Sí que lo es,[40] y ello merece un castigo apropiado — dije yo,
descargando también el peso de mis iras sobre aquel hombre.

—Pero ella es inocente; ella es un ángel . . . Pero aquí estamos
en las Cibeles. Sí; ya veo a la derecha el parque de Buenavista.
Mande [41] usted parar, mozo; que no soy de los que pueden saltar 25
cuando el coche está en marcha.[42] Adiós, mi amigo, adiós.

Paró el coche. Y don Dionisio Cascajares, después de darme otro
apretón de manos, bajó, dando al momento de salir un golpe accidental
al sombrero de la dama inglesa con su bastón.

Siguió el omnibus su marcha y yo seguí pensando en esa pobre 30
condesa, en su cruel y suspicaz [43] consorte, y, sobre todo, en el
hombre siniestro que, según la enérgica expresión del médico, estaba
a punto de causar un desastre en la casa. Pero al fin dejé de pensar
en lo que tan poco me interesaba, y me puse a examinar uno por

---

[30] try
[31] estoy . . . cierto (**tengo razón**)
[32] **en mis adentros**   inwardly
[33] walking stick
[34] (**trabajo; obligación**)
[35] **misma virtud**   virtue itself
[36] spark

[37] steward
[38] **se . . . de**   got hold of
[39] (**procura; trata de**)
[40] **sí . . . es**   indeed it is
[41] please
[42] **en marcha** (**moviendo**)
[43] (**sospechoso**)

uno a mis compañeros de viaje. ¡Cuán [44] distintas caras y cuán diversas expresiones! Unos parecen no inquietarse ni lo más mínimo [45] de los que van a su lado; otros miran y inspeccionan a los demás pasajeros con impertinente curiosidad; unos están alegres, otros tristes, aquél
5 bosteza,[46] ésa ríe, y a pesar de la brevedad del viaje, no hay uno que no desee terminarlo pronto.

Es singular este breve conocimiento con personas que no hemos visto y que probablemente no volveremos a ver. Al entrar, ya encontramos a alguien; otros vienen después que estamos allí; unos se
10 marchan, quedándonos nosotros, y, por último, también nos vamos. Imitación es esto de la vida humana, en que el nacer y el morir son como las entradas y salidas a que me refiero, pues van renovando sin cesar en generaciones de viajeros el pequeño mundo que allí dentro vive. Entran, salen; nacen, mueren . . . ¡Cuántos han pasado por
15 aquí antes que nosotros!
¡Cuántos vendrán después!

II.

Pensaba en esto mientras el coche subía por la calle de Alcalá, hasta que me sacó del golfo de tales consideraciones el golpe de mi paquete de libros al caer al suelo. Al recogerlo mis ojos se fijaron en
20 el pedazo de periódico que servía de envoltorio [1] a los volúmenes, y maquinalmente leyeron lo que allí estaba impreso.[2] De súbito [3] sentí vivamente picada mi curiosidad; busqué el principio y no lo hallé; el papel estaba roto,[4] y únicamente pude leer, con curiosidad, primero, y después con afán creciente,[5] lo que sigue:
25 «Sentía la condesa una agitación indescriptible. La presencia de Mudarra, el insolente mayordomo, que olvidando su bajo origen se atrevía a [6] poner los ojos en persona tan alta, le causaba continua zozobra.[7] El infame la estaba espiando sin cesar, la vigilaba como se vigila a un preso.[8] Ya no le detenía ningún respeto ni era obstáculo a

---

[44] (qué)
[45] inquietarse . . . mínimo   be disturbed at all

[46] yawns

[1] wrapping
[2] printed
[3] de súbito (de repente)   suddenly
[4] torn

[5] afán creciente   growing eagerness
[6] se atrevía a   dared to
[7] (ansiedad)
[8] prisoner

sus infames deseos la debilidad y delicadeza de tan excelente señora.

«Mudarra penetró a deshora [9] en la habitación de la condesa, que, pálida y agitada, sintiendo a la vez vergüenza y terror, no tuvo ánimo para despedirle.

«—No se asuste,[10] señora condesa —dijo con forzada y siniestra sonrisa, que aumentó la turbación [11] de la dama—; no vengo a hacerle a usted daño alguno.

«—¡Oh Dios mío! ¡Cuándo acabará este suplicio [12]!—exclamó la dama, dejando caer sus brazos en desesperación—. Salga usted; yo no puedo acceder a sus deseos. ¡Qué infamia! ¡Abusar de [13] ese modo de mi debilidad y de la indiferencia de mi esposo, autor de estas desdichas!

«—¿Por qué tan arisca,[14] señora condesa? —añadió el feroz mayordomo—. Si yo no tuviera el secreto de su perdición en mi mano; si yo no pudiera informar al señor conde de ciertos particulares . . . , pues . . . , referentes a aquel caballerito . . . Pero no abusaré, no, de esas terribles armas. Usted me comprenderá al fin, conociendo cuán desinteresado es el grande amor que me inspira.

«Al decir esto, Mudarra dió algunos pasos hacia la condesa, que se alejó con horror y repugnancia de aquel monstruo.

«Era Mudarra un hombre como de [15] cincuenta años, moreno, grueso, pequeño y patizambo,[16] de cabellos ásperos [17] y en desorden, de boca grande y colmilluda.[18] Sus ojos medio ocultos detrás de largas, negras y espesísimas [19] cejas, en aquellos instantes expresaban la más bestial concupiscencia.[20]

«—¡Ah! —exclamó Mudarra con ira al ver el natural despego [21] de la dama—. ¡Qué desdicha no ser un mozalbete [22] almidonado [23]! Acuérdese de que puedo informar al señor conde . . . Y me creerá, no lo dude; el señor conde tiene en mí mucha confianza . . . y como está celoso . . . , si yo le presento el papelito . . .

«—¡Infame! —gritó la condesa con noble resolución y dignidad—. Yo soy inocente, y mi esposo no será capaz de prestar oídos [24] a tan

---

[9] **a deshora**   at a very late hour
[10] **no se asuste** (**no tenga miedo**)
[11] (**confusión**)
[12] (**tormento, tortura**)
[13] **abusar de**   to take advantage of
[14] uncooperative, sullen
[15] **como de**   around
[16] knock-kneed
[17] coarse
[18] with large eye teeth
[19] very thick
[20] lust
[21] (**indiferencia; disgusto**)
[22] (**un joven**)
[23] (**guapísimo**)
[24] **prestar oídos** (**escuchar**)

viles calumnias.[25] Y aunque yo fuera culpable prefiero mil veces ser despreciada por mi marido y por todo el mundo, a comprar mi tranquilidad a ese precio. Salga usted de aquí al instante.

«—Muy bien —dijo el mayordomo, devorando su rabia [26]—; ya
5 sé lo que tengo que hacer y demasiado condescendiente [27] he sido hasta aquí. Por última vez propongo que seamos amigos . . .

«Al decir esto, Mudarra hizo una mueca [28] parecida a sonrisa, y dió algunos pasos como para sentarse en el sofá junto a lo condesa. Ésta se levantó de un salto gritando:
10 «—No; ¡salga usted! ¡Infame!

«El mayordomo, entonces, era como una fiera [29] a quien se escapa la presa que ha tenido un momento entre sus uñas.[30] Pero después de hacer un gesto de amenaza, salió de la habitación. La condesa sintió [31] las pisadas, que, alejándose, se perdían en la alfombra de la habitación
15 inmediata, y respiró al fin. Cerró las puertas y quiso dormir; pero el sueño huía de sus ojos, aún [32] aterrados con la imagen del monstruo.

«Capítulo XL. *El complot*.[33] —Mudarra, al salir de la habitación de la condesa, se dirigió a la suya. Se sentó, tomó la pluma, y poniendo delante una carta y examinándola bien empezó a escribir otra, tratando
20 de imitar la letra.[34] Por fin, después de gran trabajo, escribió con caracteres enteramente iguales a los del modelo la carta siguiente: *Había prometido a usted una entrevista y me apresuro . . .*»
El papel estaba roto y no pude leer más.

PREGUNTAS

I

1. ¿En qué ciudad está el caballero del cuento?
2. ¿Adónde va el tranvía?
3. ¿Por qué quiere subir pronto?
4. ¿Con quién tropezó?
5. ¿Qué llevaba el caballero que le molesta?
6. ¿Qué manía tiene el médico?
7. ¿Le gusta al médico charlar?
8. ¿Cómo responde el caballero a las preguntas del médico?

---

[25] slander
[26] (ira)
[27] obliging
[28] grimace
[29] wild beast

[30] claws
[31] **sentir** (oír)
[32] (**todavía**)
[33] conspiracy
[34] **la letra**   handwriting

9. ¿De quién empieza a hablar el médico?
10. ¿Tiene mucho interés el caballero en lo que dice?
11. Según el médico, ¿cómo era la condesa?
12. ¿Por qué se pone celoso el conde?
13. ¿Qué trata de hacer el mayordomo?
14. ¿Dónde se bajó el Dr. Cascajares?
15. ¿Qué hace al salir?
16. ¿Qué se puso a hacer el viajero después?
17. ¿Son distintas las expresiones de los viajeros?
18. ¿En qué particular son todos iguales?
19. ¿Con qué compara el autor un viaje en tranvía?

II

20. ¿Dónde encuentra el caballero la continuación de la novela?
21. ¿Cómo se llama el mayordomo insolente?
22. ¿Cómo vigilaba el mayordomo a la condesa?
23. ¿Qué sabe Mudarra que pueda arruinar a la condesa?
24. ¿Cómo era la figura y la cara de aquel hombre?
25. ¿Qué responde la condesa a sus insinuaciones y amenazas?
26. ¿Qué hizo la condesa después de que salió Mudarra?
27. ¿A dónde fué el mayordomo? ¿Qué hizo allí?

EJERCICIOS

I. *Dé el infinitivo de:*

busqué	dejé	desee	dije	eché
reconozco	refiero	tendrá	trate	vendrán

II. *Indique las palabras en las dos columnas que están relacionadas:*

a. cierto	( )	1.	distraer
b. penas	( )	2.	dolores
c. divertir	( )	3.	raro
d. extraño	( )	4.	abominable
e. detestable	( )	5.	seguro
f. distinto	( )	6.	diferente

III. *Dé un antónimo de:*

aburrirse	a la derecha	antes	conocido	infeliz
marchar	nacen	peor	recibir	salida

IV. *Termine las frases con palabras apropiadas:*

a. El taxi es más rápido, pero el _____ es más barato.
b. Si no hay nadie en el coche decimos que es _____.
c. No puedo _____ porque no hay asientos.
d. No debe estar de pie cuando el tranvía está en _____.
e. Leemos las noticias todos los días en el _____.
f. Podemos decir que Mudarra «se acercó a la condesa» o que dió algunos pasos _____ la condesa.
g. Otra palabra que quiere decir esposo es _____.
h. Aunque me acosté tarde, no pude _____.
i. Yo vivo en esta casa, pero no es mía. El _____ vive en otra ciudad.
j. Él quería saber, tenía mucha curiosidad, y me hacía muchas _____.

V. *Traduzca:*

a. The situation could not be worse and her husband was to blame.
b. I was looking for the opportunity to do something useful.
c. Be careful. That man is mad and is capable of anything.
d. When he entered the living room (*salón*) the Countess became very pale.
e. A certain young man was coming often (*a menudo*) to the house and Mudarra knew it.
f. Mudarra's smile was insolent and forced.
g. I looked for the beginning of the article but I could not find it.
h. The eyes of the Countess were half closed. She knew that he had the little paper.

III. *La novela en el tranvía*   (*continuada*)

Sin apartar la vista del paquete, me puse a pensar en la relación que existía entre las noticias que oí de boca del señor Cascajares y la cosa que acababa de leer, traducida, sin duda de alguna desatinada [1] novela francesa. Será una tontería, dije para mí, pero esa condesa, 5 víctima de la barbarie [2] de un mayordomo imposible ya me inspira interés. ¿Y qué haría aquel maldito para vengarse? Y el conde, ¿qué hará? Y aquel joven de quien habló Cascajares en el coche, ¿qué hay entre la condesa y él? Algo daría por saber . . .

[1] senseless   [2] (crueldad)

Esto pensaba cuando alcé [3] los ojos, y, ¡horror! vi una persona que me hizo estremecer [4] de espanto. Mientras estaba yo absorto en la interesante lectura del folletín,[5] el tranvía se había detenido varias veces para tomar o dejar algún viajero. En una de estas ocasiones había entrado aquel hombre, cuya súbita [6] presencia me produjo tan 5 grande impresión. Era él, Mudarra, el mayordomo en persona, sentado frente a mí, con sus rodillas tocando mis rodillas. En un segundo le examiné de pies a cabeza y reconocí las facciones cuya descripción había leído. No podía ser otro: hasta los más insignificantes detalles de su vestido indicaban claramente que era él. Era el mismo hombre 10 en el aspecto, en el traje, en el respirar, en el toser,[7] hasta en el modo de meterse la mano en el bolsillo para pagar.

De pronto le vi sacar una cartera [8] y observé que este objeto tenía en la cubierta [9] una gran *M* dorada, la inicial de su apellido. Abrióla, sacó una carta y miró el sobre con sonrisa de demonio, y hasta me 15 pareció que decía entre dientes [10]:

«¡Qué bien imitada está la letra!» En efecto,[11] era una carta pequeña, con el sobre garabateado [12] por mano femenina. Lo miró bien, gozando de su infame obra, hasta que observó que yo, con curiosidad indiscreta, descortés, alargaba [13] demasiado el rostro para leerlo. Dirigióme una mirada que me hizo el efecto de un golpe, y guardó su cartera. 20

El coche seguía corriendo, y en el breve tiempo necesario para que yo leyera el trozo de novela, para que pensara un poco en tan extrañas cosas, para que viera al propio Mudarra, convertido en ser vivo y 25 compañero mío en aquel viaje, había dejado atrás la calle de Alcalá, atravesaba la Puerta del Sol y entraba triunfante en la calle Mayor, abriéndose paso por entre los demás coches, carretas, y peatones.[14]

Seguía yo contemplando a aquel hombre como se contempla un objeto de cuya existencia real no estamos seguros, y no quité los ojos 30 de su repugnante cara hasta que le vi levantarse, mandar parar el coche y salir, perdiéndose en el gentío de [15] la calle. Salieron y entraron varias personas, y la decoración viviente [16] mudó por completo.

Cada vez era más viva la curiosidad que me inspiraba aquel suceso,

---

[3] raised
[4] shudder
[5] (periódico)
[6] sudden
[7] to cough
[8] wallet
[9] cover
[10] **decía entre dientes** muttered

[11] **en efecto** actually
[12] scrawled
[13] extended
[14] (los que van a pie)
[15] **gentío de** crowds in
[16] **decoración viviente** the living scenery

que al principio podía considerar como forjado [17] exclusivamente en mi cabeza por la coincidencia de varias sensaciones ocasionadas por la conversación o por la lectura; pero que, al fin, acepté como cosa de indudable realidad.

5 Cuando salió el hombre en quien creí ver al terrible mayordomo, quedéme pensando en el incidente de la carta y me lo expliqué a mi manera, no queriendo ser en la cuestión [18] menos fecundo [19] que el novelista autor de lo que momentos antes había leído. Mudarra, pensé, deseoso de vengarse de la condesa, ¡oh infortunada señora!, finge su 10 letra y escribe una carta a cierto caballerito. En la carta le da una cita en su propia casa; llega el joven a la hora indicada, y poco después el marido, avisado por Mudarra, para que coja en flagrante [20] a su desleal esposa: ¡Oh admirable recurso del ingenio [21]! Esto que en la vida tiene su pro y su contra,[22] en una novela viene como anillo 15 al dedo. La dama se desmaya, el amante se turba, el marido hace una atrocidad y detrás de la cortina está el vil semblante del mayordomo, que se goza [23] en su endiablada venganza.

IV.

Andando, andando seguía el coche, y ya por causa del calor que allí dentro se sentía, ya por el movimiento monótono del vehículo, 20 produce cierto mareo [1] que degenera en sueño. Lo cierto es que sentí pesados los párpados,[2] me incliné, apoyando el codo en el paquete de libros, y cerré los ojos. En esta situación continué viendo la hilera [3] de caras de ambos sexos que ante mí tenía, barbudas [4] unas, limpias de pelo las otras, aquéllas riendo, otras muy serias. Por las ventanillas 25 del coche, yo veía la calle y las cosas, los peatones, y, por fin el coche cesó de andar y desapareció para mí la sensación de que iba en tal coche, no quedando más que el ruido monótono y profundo de las ruedas. Me dormí . . .

¡Oh infortunada condesa! La vi sentada junto a un velador,[5] la

---

[17] fabricated
[18] (asunto)
[19] (imaginativo)
[20] en flagrante   in the act

[21] recurso del ingenio   facility of the mind
[22] su . . . contra   its pros and cons
[23] se goza   takes pleasure

[1] dull feeling
[2] eyelids
[3] line

[4] bearded
[5] candlestick

mano en la mejilla,[6] triste y meditabunda como una estatua de la melancolía. A sus pies estaba un perrillo, que me pareció tan triste como su ama. Yo observaba con creciente ansiedad a la hermosa condesa, a quien tanto deseaba conocer, y me pareció que podía leer sus ideas en aquella noble frente.

De repente se abre la puerta y en la habitación entró un hombre. La condesa dió un grito de sorpresa y se levantó muy agitada.

—¿Qué es esto? —dijo—. Rafael . . . Usted . . . ¿Cómo ha entrado usted aquí?

—Señora —contestó el que había entrado, joven de muy buen porte.[7] ¿No me esperaba usted? He recibido una carta suya . . .

—¡Una carta mía! —exclamó más agitada la condesa—. Yo no he escrito esa carta. Es un lazo que me tienden [8] . . .

—Señora, cálmese usted, yo siento mucho . . .

—Lo comprendo todo . . . Ese hombre infame . . . Ya sospecho cuál habrá sido su idea. Salga usted al instante . . . Pero ya es tarde; ya siento la voz de mi marido.

En efecto, una voz atronadora [9] se sintió en la habitación inmediata,[10] y al poco rato entró el conde, que fingió [11] sorpresa al ver al galán, y después, riendo con cierta afectación, le dijo:

—¡Oh! Rafael, usted por aquí . . . ¡Cuánto tiempo! . . . Venía usted a acompañar a Antonia . . . Con eso nos acompañará a tomar té.

La condesa y su esposo cambiaron una mirada siniestra. El joven, en su perplejidad, apenas pudo devolver al conde su saludo. Vi que entraron y salieron criados; vi que trajeron un servicio de té y desaparecieron después, dejando solos a los tres personajes. Iba a pasar algo terrible.

Sentáronse: la condesa parecía difunta,[12] el conde adoptaba una hilaridad aturdida [13] semejante a la embriaguez,[14] y el joven callaba, contestándole sólo con monosílabos. La condesa sirvió el té, y el conde le ofreció a Rafael una de las tazas, no una cualquiera, sino una determinada.[15] La condesa miró aquella taza con una expresión de espanto, pero guardó silencio. Bebieron, acompañando la poción [16] con muchas variedades de las sabrosas pastas,[17] y otras menudencias [18]

---

[6] cheek
[7] **buen porte**   distinguished bearing
[8] **lazo . . . tienden** a trap to catch
    me
[9] deafening
[10] adjoining
[11] pretended

[12] (**sin vida**)
[13] reckless
[14] drunkenness
[15] **una determinada**   a special one
[16] **la poción** (la bebida)
[17] **sabrosas pastas**   delicious pastries
[18] tidbits

propias de tal clase de cena. Después el conde volvió a reír con la rui-
dosa [19] expansión [20] que le era peculiar aquella noche, y dijo:

—¡Cómo nos aburrimos [21]! Usted, Rafael, no dice una palabra.
Antonia, toca algo. Hace tiempo que no te oímos. Mira . . . , aquella
5 pieza de Gorstchak [22] que se titula *Morte* [23] . . . Vamos, ponte al
piano.

La condesa quiso hablar; le era imposible articular palabra. El
conde la miró de tal modo, que la infeliz cedió ante la terrible expresión
de sus ojos, como la paloma fascinada por la boa. Se levantó dirigién-
10 dose al piano, y ya allí el marido debió de decirle algo que la aterró
más, poniéndola completamente bajo su infernal dominio. Sonó el
piano. Las manos de la dama despertaron los centenares [24] de sonidos
que dormían mudos en el fondo de la caja. Al principio era la música
una confusa reunión de sones que aturdía [25] en vez de agradar; pero
15 luego se serenó aquella tempestad, y un canto fúnebre y temeroso
como el *Dies irae* [26] surgió [27] del desorden. Yo creía escuchar el son
triste de un coro de cartujos,[28] acompañado con el bronco mugido [29]
de los fagots.[30] Sentíanse después ayes lastimeros como los que exhalan
las ánimas condenadas en el purgatorio a pedir incesantemente un
20 perdón que ha de llegar muy tarde.

Yo continuaba extasiado oyendo la música imponente y majestuosa;
no podía ver el semblante de la condesa, sentada de espaldas a mí [31];
pero me la figuraba en tal estado de aturdimiento [32] y pavor,[33] que
llegué a pensar que el piano se tocaba solo.
25 El joven estaba detrás de ella, el conde a su derecha, apoyado [34]
en el piano. De vez en cuando levantaba ella la vista para mirarle;
pero debía de encontrar una expresión muy horrenda en los ojos de
su consorte, porque tornaba a bajar los suyos y seguía tocando. De
repente [35] el piano cesó de sonar y la condesa dió un grito.

---

[19] boisterous
[20] expansiveness
[21] **cómo nos aburrimos** how we bore
each other
[22] Gottschalk, Louis (pianista y com-
positor; nació en los Estados
Unidos; en España (1852) sus
conciertos fueron recibidos con
gran entusiasmo)
[23] (muerte)
[24] hundreds
[25] bewildered
[26] **Dies irae** Day of Wrath (composi-
ciones musicales que forman una
parte de la misa de réquiem)
[27] emerged
[28] Carthusian monks
[29] **bronco mugido** hoarse lowing
[30] bassoons
[31] **de espaldas a mí** with her back to
me
[32] **aturdimiento** (aturdir)
[33] (terror)
[34] leaning
[35] **de repente** (de pronto)

En aquel instante sentí un fortísimo golpe en un hombro, me sacudí [36] violentamente y desperté.

En la agitación de mi sueño había cambiado de postura y me había dejado caer sobre la venerable inglesa que a mi lado iba.

V.

—¡Aaah usted! . . . *sleeping* . . . molestar . . . *me* —dijo con avinagrado mohín,[1] mientras rechazaba mi paquete de libros que había caído sobre sus rodillas.

—Señora . . . , es verdad, me dormí —contesté turbado al ver que todos los viajeros se reían de aquella escena.

—¡Oooh! . . . yo soy . . . *going* . . . *to* decir al *coachman* . . . usted molestar . . . mí . . . usted, caballero . . . *shocking* —añadió la inglesa en su jerga [2] ininteligible—. ¡Oooh, usted creer . . . *my body* es . . . su cama *for* usted . . . *to sleep. Oooh, sir, you are a stupid ass!*

Al decir esto, la hija de la Gran Bretaña, que era de sí bastante amoratada,[3] se puso como un tomate. Me miró con desaprobación, mostrando cuatro dientes puntiagudos [4] y muy blancos, como si me quisiera roer.[5] Le pedí mil perdones por mi sueño descortés, recogí mi paquete, y pasé revista a las nuevas caras que dentro del coche había. Figúrate,[6] ¡oh lector!, cuál sería mi sorpresa cuando vi frente a mí, ¿a quién creerás? al joven de la escena soñada, al mismo don Rafael en persona. Me restregué [7] los ojos para convencerme de que no dormía, y en efecto, despierto estaba y tan despierto como ahora.

Era él, él mismo, y conversaba con otro que a su lado iba. Puse atención y escuché con toda mi alma.

—¿Pero tú no sospechaste nada? —le decía el otro.

—Algo, sí; pero callé. Parecía difunta; tal era su terror. Su marido la mandó tocar el piano, ella no se atrevió a resistir. Tocó, como siempre, de una manera admirable, y oyéndola llegué a olvidarme de la peligrosa situación en que nos encontrábamos. A pesar de los esfuerzos que ella hacía para aparecer serena, llegó un momento en

---

[36] shook

---

[1] **avinagrado mohín**   sour expression
[2] jargon
[3] mulberry-colored
[4] sharp

[5] to gnaw
[6] (imagínate)
[7] rubbed hard

que le fué imposible fingir más. Sus brazos se aflojaron,[8] y resbalando [9] de las teclas [10] echó la cabeza atrás y dió un grito. Entonces su marido sacó un puñal,[11] y dando un paso hacia ella exclamó con furia: «Toca o te mato al instante.» Al ver esto hirvió [12] mi sangre
5 toda, quise echarme sobre aquel miserable; pero sentí en mi cuerpo una sensación que no puedo pintarte; creí que repentinamente se había encendido una hoguera [13] en mi estómago; fuego corría por mis venas; las sienes [14] me latieron,[15] y caí al suelo sin sentido.

—Y antes, ¿no conociste los síntomas del envenenamiento? —le
10 preguntó el otro.

—Sospeché vagamente, pero nada más. El veneno estaba bien preparado, porque hizo efecto tarde y no me mató, aunque sí me ha dejado una enfermedad para toda la vida.

—Y después que perdiste el sentido, ¿qué pasó?
15 Rafael iba a contestar y yo le escuchaba como si de sus palabras pendiera un secreto de vida y muerte, cuando el coche paró.

—¡Ah! Ya estamos en los Consejos; bajemos —dijo Rafael.

¡Qué contrariedad [16]! Se marchaban y yo no sabía el fin de la historia.
20 —Caballero, caballero, una palabra —dije al verlos salir.

El joven se detuvo y me miró.

—¿Y la condesa? ¿Qué fué de [17] esa señora? —le pregunté con mucho afán.[18]

Una carcajada [19] general fué la única respuesta. Los dos jóvenes,
25 riéndose también salieron sin contestarme palabra. El único ser vivo que conservó su serenidad en tan cómica escena fué la inglesa, que, indignada de mis extravagancias, se volvió a los demás viajeros diciendo:

—!Oooh¡ A lunatic.

PREGUNTAS

III

1. Según el caballero, ¿a quién ve entre los pasajeros?
2. ¿Qué lleva el hombre?

[8] became limp
[9] sliding
[10] keys
[11] dagger
[12] boiled
[13] fire
[14] temples
[15] throbbed
[16] **qué contrariedad** what a blow
[17] **ser de** to become of
[18] **con mucho afán** very earnestly
[19] burst of laughter

3. ¿Por qué está seguro el caballero de la identidad de aquel hombre?
4. ¿Por qué guardó su cartera el hombre?
5. ¿Qué hizo el hombre por fin?
6. ¿Qué aceptó el caballero ahora como indudable realidad?

IV

7. ¿Qué efecto le produce el movimiento del tranvía?
8. ¿Qué pasa por fin?
9. ¿De dónde viene el próximo episodio de la novela?
10. ¿Por qué dió la condesa un grito cuando apareció Rafael?
11. ¿Quién escribió la carta recibida por Rafael?
12. ¿Qué sospecha la condesa?
13. ¿Quién llega?
14. ¿Qué le dice a Rafael el conde?
15. ¿Qué trajeron los criados?
16. ¿Qué tono adoptó el conde con Rafael?
17. ¿Por qué miró la condesa con tanto horror la taza de Rafael?
18. ¿Qué acompañó el té?
19. ¿Cómo se llama la condesa?
20. ¿Qué manda el esposo?
21. ¿Cómo era la música al principio?
22. ¿En qué piensa el caballero mientras que escucha el piano?
23. ¿Qué le despierta?

V

24. ¿Habla bien el español la inglesa?
25. ¿Por qué se había puesto ella tan enojada?
26. Describa los dientes de la inglesa.
27. ¿Qué personaje de la novela entra en el tranvía?
28. ¿Piensa usted que este incidente de la novela es también soñado?
29. ¿Qué hizo el marido cuando la condesa dejó de tocar?
30. Mientras tanto, ¿qué sensación sentía Rafael?
31. ¿Cómo le había dejado a Rafael el veneno?
32. ¿Por qué no supo el caballero el fin de la historia?
33. ¿Qué ocurrió cuando el caballero le preguntó a «Rafael» qué había sido de la condesa?
34. ¿Qué reacción produce esta escena cómica en la dama inglesa?

EJERCICIOS

I. *Haga contrastes como se indica en el ejemplo:*

   a. el cochero y los pasajeros
   b. el criado y el _____
   c. los jóvenes y los _____
   d. de pies a _____
   e. aparecer y _____
   f. el silencio y _____

II. *Termine con palabras apropiadas:*

   a. La condesa _____ bien el piano.
   b. El hombre que no dice una palabra guarda _____.
   c. Dió a cada persona una _____ de té.
   d. El piano cesó de _____ y la condesa _____ un grito.
   e. La inglesa estaba sentada a mi _____.
   f. Yo traía un _____ de libros.
   g. Yo había _____ de postura.
   h. El veneno fué como fuego en mi _____.
   i. Hice preguntas pero no recibí _____.
   j. Los que van a pie en las calles se llaman _____.

III. *Dé el infinitivo de:*

alcé	anduvo	coja	continué	se desmaya
dió	produjo	seguía	se serenó	sirvió

IV. *Traduzca:*

   a. I closed my eyes.
   b. The Countess sat down at the piano.
   c. Finally the coach stopped moving.
   d. Rafael offered me one of the cups.
   e. He drank the tea with an expression of fear.
   f. The poor Countess could not (*pudo*) continue.
   g. She saw his repugnant face everywhere.
   h. Something terrible was going to happen.
   i. The noise of the wheels was monotonous.
   j. The Countess faints on seeing Mudarra enter.

VI. *La novela en el tranvía* (*concluída*)

El coche seguía y a mí me abrasaba [1] la curiosidad por saber qué había sido de la desdichada condesa. ¿La mató su marido? Yo me hacía cargo [2] de las intenciones de aquel malvado. Ansioso de gozarse en su venganza, como todas las almas crueles, quería que su mujer viese, sin dejar de tocar, la agonía de aquel joven llevado allí por 5 una vil celada [3] de Mudarra. «¡Trágica y espeluznante [4] escena!» —pensaba yo, más convencido cada vez de la realidad de aquel suceso.

Al pasar por delante de Palacio el coche se detuvo, y entró una mujer que traía un perrillo en sus brazos. Al instante reconocí al perro que había visto recostado [5] a los pies de la condesa; era el mismo, 10 la misma lana [6] blanca y fina, la misma mancha [7] negra en una de sus orejas. La suerte quiso [8] que aquella mujer se sentara a mi lado. No pudiendo yo resistir la curiosidad, le pregunté:

—¿Es de usted ese perro tan bonito?

—¿Pues de quién ha de ser [9]? ¿Le gusta a usted? 15

Cogí una de las orejas del inteligente animal para hacerle una caricia; pero él, insensible a mis demostraciones de cariño, ladró, dió un salto y puso sus patas sobre las rodillas de la inglesa, que me volvió a enseñar sus cuatro dientes como queriéndome roer, y exclamó:

—¡Ooooh! usted . . . *unbearable.* 20

—¿Y dónde ha adquirido usted ese perro? —pregunté sin hacer caso [10] de la nueva explosión colérica de la mujer británica—. ¿Se puede saber?

—Era de mi señorita.[11]

—¿Y qué fué de su señorita? —dije con la mayor ansiedad. 25

—¡Ah! ¿Usted la conocía? —repuso la mujer—. Era muy buena, ¿verdad?

—¡Oh!, excelente . . . Pero ¿podría yo saber en qué paró [12] todo aquello?

—De modo que usted está enterado,[13] usted tiene noticias . . . 30

—Sí, señora . . . He sabido todo lo que le ha pasado, hasta aquello del té . . . , pues. Y diga usted, ¿murió la señora?

---

[1] burned up
[2] **hacía cargo** was aware
[3] scheme
[4] hair-raising
[5] (**tendido**)
[6] wool, hair
[7] spot

[8] **la suerte quiso** luck would have it
[9] **de . . . ser** whose else could it be
[10] **hacer caso** to pay attention
[11] mistress
[12] **en qué paró** how it came out
[13] **está enterado** know about it

—¡Ah! Sí, señor: está en la gloria.

—¿Y cómo fué eso? ¿La asesinaron, o fué a consecuencia del susto?

—¡Qué asesinato . . . qué susto! —dijo con una expresión
5 burlona—. Usted no está enterado. Fué que aquella noche había comido no se qué, pues . . . , y le hizo daño . . . Le dió un desmayo que le duró hasta el amanecer.

«Bah —pensé yo—, ésta no sabe una palabra del incidente del piano y del veneno, o ne quiere darse por entendida.[14]»

10   Después dije en voz alta:

—¿Conque fué de indigestión?

—Sí, señor. Yo le había dicho aquella noche: «Señora, no coma usted esos mariscos[15]»; pero no me hizo caso.

—Conque mariscos, ¿eh? —dije con incredulidad.

15   —¿No lo cree usted?

—Sí . . . , sí —repuse fingiendo creerlo.

—¿Y el conde, su marido, el que sacó el puñal cuando tocaba el piano?

La mujer me miró un instante, después soltó la risa[16] en mis pro-
20 pias barbas.[17]

—¿Se ríe usted? . . . ¡Bah! ¿Piensa usted que yo no estoy perfectamente enterado? Ya comprendo; usted no quiere contar los hechos[18] como realmente son. Ya se ve: como habrá causa criminal . . .

25   —Es que ha hablado usted de un conde y de una condesa.

—¿No era el ama de ese perro la señora condesa, a quien el mayordomo Mudarra . . . ?

La mujer volvió a soltar la risa con tal estrépito[19] que dije para mí:
«Ésta debe de ser cómplice de Mudarra, y naturalmente, ocultará[20]
30 todo lo que pueda.»

—Usted está loco —añadió la desconocida.

—Un *lunatic* . . . *lunatic* —dijo la inglesa.

—Sí lo sé todo; vamos, no me lo oculte usted. Dígame de qué murió la señora condesa.

35   —¡Qué condesa, hombre de Dios![21] —exclamó la mujer, riendo con más fuerza.

---

[14] no . . . entendida   doesn't want to admit it
[15] seafood
[16] soltó la risa   burst out laughing
[17] en . . . barbas   right in my face

[18] (sucesos)
[19] (ruido)
[20] she will hide
[21] ¡hombre de Dios!   for heaven's sake!

—¡Cree usted que me engaña a mí con sus risitas! —contesté—. La condesa ha muerto envenenada o asesinada; no me queda la menor duda.

En esto llegó el coche al barrio de Pozas y yo al término de mi viaje. Salimos todos. La inglesa me echó una mirada que indicaba su re- 5 gocijo [22] por verse libre de mí, y cada cual [23] se dirigió a su destino. Yo seguí a la mujer del perro, haciéndole preguntas hasta que, riendo siempre, se metió en su casa.

Al verme solo en la calle recordé el objeto de mi viaje y me dirigí a la casa donde debía entregar aquellos libros. Devolvílos a la persona 10 que me los había prestado, y me puse a pasear frente al Buen Suceso, esperando a que saliese de nuevo el coche para regresar al extremo de Madrid.

No podía apartar de la imaginación a [24] la infortunada condesa, y cada vez pensaba más que la mujer del perro había querido engañarme, 15 ocultando la verdad de la misteriosa tragedia.

Esperé mucho tiempo, y al fin, anocheciendo ya, llegó el coche. Entré, y lo primero que mis ojos vieron fué a la señora inglesa sentada donde antes estaba. Cuando me vió subir y tomar sitio a su lado, la expresión de su rostro no es definible. 20

—¡Oooh! . . . usted . . . mi quejarse al *coachman* . . . usted es *in for it*.

Tan preocupado estaba yo con mis pensamientos, que sin hacerme cargo de lo que la inglesa me decía en su híbrido y trabajoso lenguaje, le contesté: 25

—Señora, no hay duda de que la condesa murió envenenada o asesinada. Usted no tiene idea de la ferocidad de aquel hombre.

Seguía el coche, y de vez en cuando deteníase para recoger viajeros. Cerca del Palacio Real entraron tres, tomando asiento enfrente de mí. Uno de ellos era un hombre alto, seco y huesudo, [25] con muy severos [30] ojos y un hablar campanudo. [26]

Uno de los hombres se volvió a los otros dos y dijo:

—¡Pobrecilla! ¡Cómo clamaba [27] en sus últimos instantes! La bala le entró por encima de la clavícula derecha y después bajó hasta el corazón. 35

—¿Cómo? —exclamé yo repentinamente. ¿Con que fué de un tiro? ¿No murió de una puñalada [28]?

---

[22] (alegría)
[23] cada cual (cada uno)
[24] apartar . . . a get my thoughts away from

[25] bony
[26] pompous
[27] cried out
[28] dagger thrust

Los tres se miraron con sorpresa.

—De un tiro, sí, señor —dijo con cierto desabrimiento [29] el alto, seco y huesudo.

—Y aquella mujer sostenía [30] que había muerto de una indigestión
5 —dije, interesándome más cada vez en aquel asunto—. Cuente usted, ¿y cómo fué?

—¿Y a usted qué le importa? —dijo el otro con muy avinagrado gesto.

—Tengo mucho interés por conocer el fin de esa horrorosa tragedia.
10 ¿No es verdad que parece cosa de novela?

—¿Qué novela? O usted está loco o quiere burlarse de nosotros.

—Caballerito, cuidado con las bromas —añadió el alto y seco.

—¿Creen ustedes que no estoy enterado? Lo sé todo, he presenciado [31] varias escenas de ese horrendo crimen. Pero dicen ustedes que
15 la condesa murió de un pistoletazo.

—¡Válgame Dios! [32] Nosotros no hemos hablado de condesa, sino de mi perra, a quien, cazando,[33] disparamos [34] inadvertidamente un tiro. Si usted quiere bromear puede buscarme en otro sitio, y ya le contestaré como merece.

20 —Ya, ya comprendo: tratan ustedes de ocultar la verdad, convirtiendo en perra a la desdichada señora.

Ya preparaba el hombre su contestación cuando la inglesa se llevó el dedo a la sien, como para indicarles que yo estaba loco. Calmáronse con esto y no dijeron una palabra más en todo el viaje, que
25 terminó para ellos en la Puerta del Sol.

Yo continuaba tan dominado por aquella idea, que en vano quería serenar mi espíritu; cada vez más eran mayores mis confusiones. La imagen de la pobre señora no se apartaba de mi pensamiento. Sentía yo una excitación cerebral espantosa, y sin duda, el estado interior
30 debía de pintarse en mi rostro, porque todos me miraban como se mira lo que no se ve todos los días.

VII.

Aún faltaba un incidente que había de turbar más mi cabeza en aquel viaje fatal. Al pasar por la calle de Alcalá, entró un caballero con su señora; él quedó junto a mí. Era un hombre que parecía

---

[29] coolness
[30] (insistía)
[31] witnessed

[32] ¡Válgame Dios!   Heaven help me!
[33] hunting
[34] we fired (a shot)

afectado [1] de fuerte y reciente impresión, y hasta creí que alguna vez
se llevó el pañuelo a los ojos para enjugar [2] las invisibles lágrimas
que, sin duda, corrían bajo el cristal verde de sus anteojos.

Al poco rato de estar allí, dijo en voz baja a la que parecía ser su
mujer: 5

—Pues hay sospechas de envenenamiento, no lo dudes. ¡Desdichada
mujer!

—¡Qué horror! Ya me lo he figurado también —contestó su consorte—; de tal gente ¿qué se podía esperar?

—Juro no dejar piedra sobre piedra [3] hasta averiguarlo. 10

Yo, que era todo oídos, dije también en voz baja:

—Sí, señor: hubo envenenamiento. Estoy seguro.

—¿Cómo, usted sabe? ¿Usted también la conocía? —dijo con
sorpresa el de los anteojos, volviéndose hacia mí.

—Sí, señor; yo no dudo que la muerte ha sido violenta, por más que 15
quieran hacernos creer que fué indigestión.

—Lo mismo afirmo yo. ¡Qué excelente mujer! ¿Pero cómo sabe
usted? . . .

—Lo sé, lo sé —repuse muy satisfecho de que aquél no me tuviera
por loco. 20

—Luego usted irá a informar al juzgado [4] porque ya se está for-
mando la sumaria.[5]

—Me alegro, para que castiguen a esos bribones.[6] Yo sé que fué
envenenada con una taza de té, lo mismo que el joven.

—Oye, Petronila —dijo a su esposa—, con una taza de té. 25

—Sí, estoy asombrada [7] —contestó la señora. ¡Esos malditos!

—Sí, señor; con una taza de té.

—La condesa tocaba el piano.

—¿Qué condesa? —preguntó aquel hombre, interrumpiéndome.

—La condesa, la envenenada. 30

—¡Bah, bah! Esto no se trata de ninguna condesa ni duquesa, sino
simplemente la lavandera de mi casa.

—¿Lavandera, eh? —dije en tono de picardía [8]—. ¡Si [9] también
me querrá usted hacer tragar que es lavandera!

El caballero y su esposa me miraron con expresión burlona, y 35
después se dijeron en voz baja algunas palabras. Por un gesto que vi

[1] under the effects of
[2] to wipe
[3] **piedra sobre piedra**   a stone unturned
[4] court
[5] indictment

[6] scoundrels
[7] amazed
[8] arch, jesting
[9] I wonder if; and so

hacer a la señora comprendí que había adquirido el profundo convencimiento de que estaba borracho.[10] Aunque lleno de indignación ante tal ofensa, yo callé, contentándome con despreciar en silencio tan irreverente suposición. Cada vez era mayor mi zozobra [11]; la condesa
5 no se apartaba ni un instante de mi pensamiento, y había llegado a interesarme tanto por su siniestro fin, como si todo ello no fuera elaboración enfermiza [12] de mi propia fantasía. En fin, para que se comprendiera a qué extremo llegó mi locura, voy a referir [13] mi último incidente de aquel viaje.

10   Entraba el coche por la calle de Serrano cuando por la ventanilla que frente a mi tenía, miré a la calle, débilmente iluminada por la escasa luz de los faroles,[14] y vi pasar a un hombre. Di un grito de sorpresa y exclamé:

—¡Ahí va; es él, el feroz Mudarra, el autor principal de tantas
15 infamias!

Mandé parar el coche y salí, mejor dicho, salté [15] a la puerta, tropezando con [16] los pies y las piernas de los viajeros; bajé a la calle y corrí tras aquel hombre gritando:

—¡A ése,[17] a ése, al asesino!

20   Júzguese [18] cuál sería el efecto producido por estas voces en el pacífico barrio.

Aquel hombre, el mismo exactamente que yo había visto en el coche por la tarde, fué detenido. Yo no cesaba de gritar:

—¡Es el que preparó el veneno para la condesa!

25   Hubo un momento de indescriptible confusión. Afirmó él que yo estaba loco; pero, a pesar de eso, los dos fuimos conducidos a la prevención.[19] Después perdí por completo la noción de lo que pasaba. No recuerdo lo que hice aquella noche en el sitio donde me encerraron. El recuerdo más vivo que conservo de tan curioso lance [20] fué el de
30 haber despertado del profundo letargo [21] en que caí, verdadera borrachera [22] moral, producida, no sé por qué, por uno de los pasajeros [23] fenómenos de enajenación [24] que la ciencia ahora estudia con tan gran cuidado.

Como es de suponer, el suceso no tuvo consecuencias, porque el

---

[10] drunk
[11] (ansiedad)
[12] sickly
[13] (contar, narrar)
[14] street lamps
[15] I jumped
[16] tropezando con   hitting against
[17] a ése   get him!

[18] judge for yourself
[19] police station
[20] (suceso)
[21] (torpeza, insensibilidad)
[22] binge
[23] passing, fleeting
[24] mental derangement

personaje que bauticé [25] con el nombre de Mudarra es un honrado comerciante de ultramarinos [26] que jamás había envenenado a condesa alguna.

Ha sido preciso que transcurran [27] meses para que todas esas sombras vuelvan al sitio de donde surgieron,[28] y torne [29] la realidad a 5 dominar en mi cabeza; porque mucho tiempo después solía, algunas veces, exclamar:

—¡Infortunada condesa! Nadie me persuadirá de que no acabaste tus días a mano de tu iracundo [30] esposo . . .

Me río siempre que recuerdo aquel viaje; y toda la consideración 10 que antes me inspiraba la soñada condesa la dedico ahora ¿a quién creeréis?, a mi compañera de viaje en aquella inolvidable expedición, a la dama inglesa, a quien disloqué un pie en mi precipitada salida del coche para perseguir al supuesto mayordomo.

PREGUNTAS

VI

1. ¿Qué traía una mujer que entró en el coche?
2. ¿Dónde había visto el caballero ese animal?
3. ¿Qué pasa cuando trata de hacerle una caricia?
4. ¿Por qué se puso enojada de nuevo la inglesa?
5. ¿De quién era el perro, según la mujer?
6. ¿Cómo había muerto la señora de esa mujer?
7. ¿Piensa el caballero que la mujer le dice la verdad?
8. ¿Qué piensa la mujer?
9. ¿Qué hace el caballero al bajar?
10. ¿Cómo responde la mujer a sus preguntas?
11. ¿A quién entregó los libros?
12. ¿Qué hace el caballero después?
13. ¿Cuándo llegó el coche?
14. ¿A quién reconoce entre los demás pasajeros?
15. ¿Se alegró ella de verle?
16. ¿Dónde tomó asiento el caballero?
17. ¿Cuántos pasajeros entraron cerca del Palacio Real?
18. ¿De qué hablaban?
19. ¿Cómo reciben sus deseos de participar en la conversación?

[25] baptized
[26] food imports
[27] (pasen)

[28] emerged
[29] (vuelva)
[30] irate

20. ¿Quién murió de un pistoletazo si no fué la condesa?
21. ¿Qué hizo la inglesa que les hizo dejar de hablar?
22. ¿Cómo se había puesto el caballero?
23. ¿Podían los demás pasajeros notar su estado?

VII

24. ¿Por qué encontró interesante al hombre que entró luego en el coche?
25. ¿Quién acompañaba a ese señor?
26. ¿De qué hablaban los dos?
27. ¿Qué jura el hombre?
28. ¿Cómo se mete en la conversación el caballero del cuento?
29. ¿Qué sugestión le hace el hombre desconocido?
30. ¿Qué piensan ellos del caballero?
31. ¿Hablaban ellos de una condesa?
32. ¿A quién vió pasar el caballero?
33. ¿Qué exclamó al verle?
34. ¿Qué mandó el caballero?
35. ¿Qué hizo después?
36. ¿Qué hicieron con «Mudarra»?
37. ¿Adónde los llevaron?
38. ¿Quién era el hombre que había bautizado con el nombre de Mudarra?
39. ¿A cuántas condesas había envenenado aquel comerciante?
40. ¿Cuánto tiempo transcurrió antes que se curara el caballero?
41. ¿Quién reemplaza a la condesa en los pensamientos del caballero?
42. ¿Qué había sufrido ella cuando el caballero saltó del coche?

EJERCICIOS

I. *¿Qué verbos corresponderán a los sustantivos que siguen?*

| burla | comida | engaño | expresión | pensamiento |
| pregunta | recuerdo | regreso | resistencia | tiro |

II. *Termine las frases con palabras apropiadas:*

a. Traía un perrillo en sus _____.
b. Sonrió la inglesa, enseñando sus cuatro _____.
c. Ella murió y está en la _____.
d. El que roba es _____.

e. La inglesa se llevó el _____ a la sien para indicarles que yo
   estaba _____.

f. Pueden enjugarse las lágrimas usando un _____.

g. Podía ver la calle por la _____ del coche.

h. Ellos pensaban que estaba yo loco o _____.

i. La calle fué _____ por los faroles.

j. Dicen que murió de una indigestión, pero yo sé que la condesa fué
   _____.

III. *Termine con un adjetivo:*

a. unos dientes _____

b. unos ojos _____

c. unas manchas _____

d. unos anteojos de cristal _____

e. —Es un secreto —dijo en voz _____.

IV. *Traduzca:*

a. The dog jumped (*dar un salto*) and began to bark.

b. Do you have news about the Countess?

c. I was afraid they were going to murder her.

d. They paid no attention to me.

e. They were trying to hide the truth.

f. The shadows (*sombras*) returned to their places and I thought less
   about the poor Countess.

EL PADRE COLOMA 1851-1915

COMO PARTE de su plan de dominar los estados europeos, Napoleón Bonaparte quería ver en el trono de España a su hermano, José. Armado de su propio atrevimiento, y aprovechándose de las disputas de la vanidosa familia real española, Napoleón en 1808, dió órdenes para que se trasladasen a Francia el rey Carlos IV y el príncipe Fernando, el hijo de éste. Por medio de una serie de intrigas, y mientras que un ejército francés invadía a España, Napoleón hizo que el trono español se entregase a José Bonaparte.

Ante tal afrenta no tardó en sublevarse el pueblo español contra «el rey intruso.» Así comenzó la Guerra de la Independencia, que había de durar seis años. Aunque recibieron los españoles el apoyo de tropas inglesas bajo el general Wellington, la victoria contra los invasores y la expulsión de José Bonaparte se debió mayormente a la valentía y patriotismo fanático de caudillos y jefes guerrilleros tales como Francisco Espoz y Mina, nuestro protagonista.

La acción de Las borlitas de Mina se desarrolla en el nordeste de España, en las montañas y aldeas de Navarra, contiguas a la frontera francesa. En la narración se sirve el padre Coloma de lugares y de personajes verdaderos de la Guerra de la Independencia, y a pesar de ciertos detalles ficticios, resalta como legítimo el retrato del tosco Mina y su valiente tropa.

El padre Coloma, un sacerdote de la compañía de Jesús, fué conocido especialmente por el ruidoso éxito de su novela Pequeñeces (1891). Pero también se destacó en el cuento y en la ficción corta de fondo histórico.

Las borlitas de Mina

En febrero de 1811 puso a precio el mariscal Suchet [1] las cabezas de Mina y sus dos lugartenientes. Seis mil duros ofrecía por la del jefe guerrillero, cuatro mil por la del segundo don Gregorio Cruchaga [2] y dos mil por la de Górriz [2] o cualquier otra de los jefes que le igualasen.   5

Ardía entonces en su mayor furor la tan bien llamada guerra de la Independencia, y Navarra, [3] como todo el resto de España, era teatro de sangrientas crueldades por parte de los invasores y de atroces represalias por parte de los agredidos.

El general Reylle, [4] gobernador intruso de Pamplona, procuraba 10 sobre todo exterminar la división navarra que mandaba Mina, como comandante general de las guerrillas, por nombramiento de la Regencia del Reino. [5]

No daba Reylle cuartel a ningún soldado navarro; aquellos pacíficos labriegos, transformados por la crueldad y perfidia de los 15 invasores en leones feroces, encontraron pendientes de los árboles los cadáveres de sus deudos [6] más amados.

En noviembre de 1811 apoderóse Reylle de una hermana y dos cuñados [7] de Mina, y le mandó al guerrillero que abandonase la lucha al punto; y si no, que daría a los tres la muerte.   20

A tan horrible propuesta, contestó Mina con su famoso edicto del 14 de diciembre, declarando guerra a muerte y sin cuartel a todo francés, sin distinción alguna, ni aun de su emperador mismo, y ordenando que cuantos franceses cayeran prisioneros fuesen ahorcados y colgados en los caminos públicos.   25

«Por cada oficial español que fusilen —decía el edicto—, fusilaré yo cuatro franceses, y por cada soldado, veinte.»

Y como lo dijo lo cumplió el feroz caudillo navarro, hermano, más bien que jefe de los valientes que capitaneaba. Para el Mina de 1811, como para tantos otros españoles de su época, no había otro criterio, 30 ni otro punto de partida, que el dicho de don Juan Solarno, consejero a Felipe V:

[1] Suchet, Luis Gabriel (general francés, 1770–1826)
[2] (héroes de la Guerra de la Independencia)
[3] Navarra (región montañosa en el nordeste de España, aproximadamente el tamaño del estado de Connecticut)
[4] Reylle (general francés, 1775–1860)
[5] (institución que tenía el poder de regir y gobernar siendo ausente o incapacitado el monarca)
[6] (parientes)
[7] brothers-in-law

—El mejor francés, francés es.

Distinguióse siempre Mina, en todas sus épocas, por la solicitud severa, al par amorosa, con que cuidaba [8] sus tropas, como si el soldado hiciese vibrar en su corazón de bronce la prudente severidad
5 de un padre, junto a la blanda ternura [9] de una madre. Duro [10] y hasta cruel para castigar la menor falta de valor o disciplina, era, por el contrario, indulgente y cariñoso para premiar los trabajos, prevenir [11] las necesidades y remediar las miserias de cuantos militaban a sus órdenes.
10 Por eso eran grandes sus temores, y su preocupación muy honda, al promediar [12] el mes de octubre de 1811. Horrible y pavoroso [13] se presentaba, en efecto, el invierno para los guerrilleros de Navarra. Los fríos arreciaban [14] antes de tiempo, adelantábanse las nieves, y temporales [15] tempranos y lluvias copiosísimas imposibilitaban las
15 marchas y contramarchas, y los ataques repentinos y falsas huídas, que constituyen la estrategia de las guerrillas; y tenían que luchar aquellos infelices, hambrientos muchas veces, sin ropa casi, sin abrigo siempre, y dejando con harta [16] frecuencia, entre las greñas [17] y asperezas [18] de las montañas, las abarcas [19] de cuero o las destrozadas
20 alpargatas de esparto,[20] que no podían reponerse.

En situación tan crítica y angustiosa, recibió aviso Mina de que el mariscal Massena [21] salía de Vitoria [21] por el camino de Irún,[21] conduciendo un convoy de ciento cincuenta carros cargados de aquellos pertrechos de guerra y vestuario que a los guerrilleros navarros falta-
25 ban. Escoltaban [22] el convoy mil doscientos franceses de a pie y otros doscientos de a caballo, y conducían además mil cuarenta y dos prisioneros españoles e ingleses que pensaban internar en Francia.

Se ha comparado, con acierto, la previsión [23] de los grandes generales, a la mirada del águila, que, remontándose [24] en pleno día a
30 inmensa altura, ve mil secretos escondidos a los vulgares ojos. Mas la

---

[8] solicitud . . . cuidaba   strict, and at the same time affectionate manner in which he cared for
[9] blanda ternura   soft tenderness
[10] hard
[11] foresee
[12] al promediar   around the middle of
[13] fearful
[14] los fríos arreciaban   cold weather struck
[15] storms
[16] (mucha)

[17] thickets
[18] difficult terrain
[19] (sandalias)
[20] alpargatas de esparto   slippers with cloth uppers, hemp soles
[21] Massena (mariscal francés); Vitoria, Irún, Estella (pueblos de la región)
[22] escoltar   to escort
[23] keen insight
[24] soaring

del guerrillero Mina podía mejor compararse al carnívoro pájaro nocturno que desde los tejados,[25] desde las cuevas, ruinas y bosques buscan la víctima descuidada y tranquila, para caer sobre ella.

Desde su agujero de Estella,[21] donde a la sazón se hallaba, Mina pensaba en aquella rica y oportuna presa,[26] y en silencio, sin manifestar 5 a nadie su plan ni despertar la menor sospecha, lanzóse sobre ella como se lanza la tempestad, que nadie sabe dónde va a caer, y no es vista ni oída hasta que el trueno [27] que espanta y el rayo que aniquila [28] revelan su presencia.

Llegó Mina, en marchas forzadas, hasta el monte Arlabán, y allí 10 se escondió a poca distancia de Vitoria.

El día 25, muy cerca de las ocho, apareció en el camino el primer trozo [29] de la vanguardia francesa, arrogante y desprevenida,[30] llena de aquella fatua confianza [31] que tan bien supieron explotar [32] los guerrilleros españoles de aquella época. 15

Dejó Mina pasar libremente la vanguardia, y dejó pasar también el centro, para no alarmar al resto de las fuerzas que guardaban el convoy. Mas cuando apareció éste, un fuego infernal y horroroso se rompió por derecha e izquierda del camino, con tan extremado acierto [33] y buena puntería,[34] que batida [35] la escolta por completo y 20 no dándose cuartel a nadie, quedaron libres los prisioneros, y en poder de los españoles todo el rico botín [36] que conducía Massena.

Retrocedió éste en vergonzosa fuga [37] hasta Vitoria, y retiróse Mina a Zalduendo, lugar distante seis leguas del sitio del ataque. El botín fué tan rico y tan abundantes los despojos,[38] que con ellos surtió 25 Mina a sus guerrilleros de cuantas prendas de vestuario [39] les faltaban, y aún pudo uniformar de pies a cabeza al antiguo batallón de Odoyle, que era su favorito.

Tenía Mina mucho de la orgullosa ternura de la madre que a costa de propios trabajos logra [40] vestir galanamente [41] a su hijo, y no poco 30 también de la vanidosa satisfacción del guerrillero campesino, sin

---

[25] rooftops
[26] prey
[27] thunder
[28] **aniquilar** to obliterate
[29] part
[30] careless
[31] **fatua confianza** foolish overconfidence
[32] exploit
[33] effectiveness

[34] aim
[35] having been beaten
[36] booty
[37] **vergonzosa fuga** shameful flight
[38] (**botín**)
[39] **prendas de vestuario** (ropa; prendas de vestir)
[40] manages
[41] handsomely

instrucción ni escuela militar, que consigue al cabo verse al frente, no de una partida [42] rota y harapienta,[43] sino de una tropa regular, decente, y equipada.

Desparramáronse [44] por todo el lugar los valientes mocetones [45] del
5 batallón navarro, ansiosos de lucir [46] sus uniformes. Consistía éste en un pantalón encarnado [47] y un casaquín [48] azul, que remataba [49] por detrás en un pico y en otros dos por delante. De cada una de estas tres puntas pendían [50] otras tantas borlitas [51] rojas, con muy poca gracia dispuestas.[52]
10 Aquellas inofensivas borlitas produjeron a poco un grave conflicto. Nadie supo dar la razón nunca, a menos que fuese [53] que aquellos toscos [54] montañeses encontraron afeminado el adorno; es lo cierto que las borlitas encarnadas desaparecieron como por encanto, y al caer de aquella misma tarde no había ya un solo casaquín con borlas,
15 porque cada uno de los soldados del batallón se había comisionado de cortar las suyas.

Extrañóse [55] Mina del caso, y como le parecía falta de disciplina mandó que no saliese al otro día de su alojamiento ningún soldado navarro sin llevar en su casaquín las tres borlitas encarnadas.
20 Obedecióse la orden por el pronto, mas no bien [56] hablaron entre sí los navarros e hicieron sus comentarios, tornaron a desaparecer de los casaquines con igual presteza y eficacia, las tres borlitas encarnadas.

Por dos veces repitió Mina la orden, con paciencia en él inusitada,[57] y por dos veces se cumplió, y por otras dos tornó a desobedecerse
25 hasta que, al cabo, fuera de sí [58] el jefe guerrillero, al ver que la falta de disciplina se trocaba en [59] rebelión abierta, intimó por tercera vez la orden bajo pena de muerte, y mandó que alguien le informara sobre aquel ridículo sainete,[60] que amenazaba terminar en drama sangriento.

Nada pudo, sin embargo, averiguar, sino lo que ya sabía muy bien:
30 que a los voluntarios navarros no les gustaban las borlitas ni querían tampoco llevarlas.

Todavía intentó Mina descubrir, por medios indirectos, el principal

---

[42] (grupo de gente armada)
[43] **rota y harapienta**   broken and ragged
[44] spilled out
[45] strapping youngsters
[46] to show off
[47] (rojo)
[48] jacket
[49] ended
[50] (colgaban; estaban suspendidas)
[51] tassels

[52] arranged
[53] **a . . . fuese**   unless it was
[54] rough
[55] wondered
[56] **no bien**   as soon as
[57] (poco común; rara)
[58] **fuera de sí**   completely baffled; beside himself
[59] **se trocaba en**   was changing to
[60] farce

promovedor [61] de aquella infantil rebeldía, deseoso de descargar [62] todo el peso de su ira sobre una sola cabeza.

Mas el espíritu de compañerismo selló [63] todos los labios, y ni ruegos, ni astucias,[64] ni amenazas pudieron arrancar, a aquellos niños sin barbas,[65] otra confesión ni otra respuesta que la de encogerse 5 bruscamente de hombros.[66]

Un cornetilla de quince años fué más explícito. A las preguntas les contestó con donaire:

—¿Las borlitas? . . . ¡Huy! . . . Hacen maricas.[67]

Perdida toda esperanza de encontrar una sola víctima, mandó Mina 10 diezmar [68] el batallón, y que fuesen pasados por las armas [69] los reos al amanecer del día siguiente.

Sucedía esto en Mendigorría,[70] adonde pasó Mina desde Zalduendo, después de la derrota de Massena. Habíase unido mientras tanto a la división de Reylle, por orden de Suchet, la de Caffarelli,[71] en Puente 15 la Reina, y ambas se aprestaban [72] a caer juntas sobre Mina, con el fin de aniquilarle por completo. Reylle se encaminaba ya a Tafalla, y determinó Mina apostar su gente en el Carrascal para salirle al encuentro.[73]

Mas primero, emprendida ya la marcha una hora antes del ama- 20 necer, mandó formar el cuadro [74] a la salida [75] del lugar, frente a la hermita [76] de Nuestra Señora de Andión, para que fuese allí cumplida la sentencia dada la víspera.[77]

Esperaba aún Mina alguna señal de debilidad, alguna muestra de arrepentimiento que le sirviera de pretexto decoroso [78] para otorgar 25 un perdón, que ansiaba conceder como hombre y como caudillo, deseoso de economizar, en momentos en que tanta [79] se derramaba,[80] aquella sangre valerosa que iba a desperdiciarse [81] inútilmente.

---

[61] ringleader
[62] unload
[63] sealed
[64] cunning
[65] **niños sin barbas** beardless boys
[66] **encogerse de hombros** to shrug the shoulders
[67] **hacen maricas** they make us look sissy
[68] to take one out of each ten (from)
[69] **pasados . . . armas** (matados; ejecutados)
[70] **Mendigorría, Zalduendo, Puente la Reina, Tafalla, etc.** (pueblos y lugares cerca de Vitoria y Pamplona)
[71] **Francisco Caffarelli** (general francés, 1758–1826)
[72] (se preparaban)
[73] **salir al encuentro** to take a stand against
[74] **mandó . . . cuadro** he ordered them to form
[75] exit
[76] **hermita** (ermita) shrine
[77] (el día antes)
[78] **pretexto decoroso** a plausible excuse
[79] (tanta sangre)
[80] **derramar** to shed
[81] to be squandered

Mas los reos, confesados ya, pálidos como el que va a morir, pero serenos como el que no teme la muerte, se adelantaron en silencio, sin gesto [82] ni ademán [83] alguno de temor, de arrepentimiento ni protesta.

5 Más azarado [84] que ellos, Mina revolvíase sin cesar en su caballo, entraba y salía en el cuadro [85] por diversos puntos, y miraba con angustia a todos, jefes, oficiales, soldados buscando, no ya una muestra de debilidad o una palabra de arrepentimiento en los reos, sino una frase de intercesión, una mirada de súplica en cualquiera que 10 fuese, a que pudiera contestar él con el perdón que le subía de las entrañas y pugnaba por salir de sus labios.

Mas la inmovilidad era tan completa como si helase [86] a todos el soplo [87] de la muerte; el silencio tan profundo, como si se sintiese ya en al aire su fúnebre aleteo.[88] Los sentenciados, pronto a morir, 15 callaban; y el diezmado batallón navarro presentaba armas a sus compañeros, como si les hiciesen los honores de la eternidad, en silencio cerrando los ojos para no ver; pero sin abatir [89] las erguidas [90] cabezas.

Entonces sintió Mina que su indignación se calmaba de repente, 20 que algo húmedo entraba en sus ojos, y toda la fiereza del jefe de guerrilleros se desplomó [91] en un segundo ante aquella rebeldía de niños, sostenida ante la muerte con heroico tesón [92] de hombre.

En su rústica oratoria les gritó agitando [93] el sable [94]:

—¡¡Brutos [95]!! Os perdono a todos . . . Pero desde hoy iréis siem-
25 pre . . . , ¡siempre . . . , a la vanguardia! . . .

Un inmenso clamoreo hendió [96] entonces los aires, destacándose,[97] más alto que los gritos de júbilo [98] y más fuerte que los alaridos [99] de entusiasmo, este otro grito del batallón diezmado, verdadera fermentación [100] de la sangre navarra:

30   —¡A la vanguardia, sí . . . ; pero borlitas, no! . . .

[82] (expresión)
[83] (actitud)
[84] (alarmado, preocupado)
[85] **en el cuadro**   in the formation
[86] **helar**   to freeze
[87] breath
[88] fluttering
[89] (hacer humillar; hacer bajar)
[90] erect
[91] **se desplomó**   collapsed

[92] (firmeza; constancia)
[93] (moviendo de un lado a otro)
[94] (espada)
[95] idiots; blockheads
[96] split
[97] standing out
[98] (alegría)
[99] (gritos)
[100] **verdadera fermentación**   a real concoction

PREGUNTAS

1. ¿Cómo sabemos que Mina y sus tropas estaban perjudicando la campaña de los franceses?
2. ¿Cómo se llama la guerra que ardía?
3. ¿Quién fué el general Reylle?
4. ¿De quiénes se apoderó Reylle en noviembre de 1811?
5. ¿Qué respondió Mina cuando Reylle ordenó que abandonase la lucha?
6. ¿Cómo cuidaba Mina a sus soldados?
7. ¿Por qué tenía Mina tantas preocupaciones en el mes de octubre de 1811?
8. ¿Qué aviso recibió Mina?
9. ¿Qué iba en el convoy aparte de los pertrechos de guerra?
10. ¿A qué se puede comparar la previsión de Mina?
11. ¿A quién confió Mina su plan?
12. ¿Qué hicieron los guerrilleros para llegar rápidamente a Vitoria?
13. ¿Qué éxito tuvo Mina en su ataque contra el convoy?
14. ¿Fué rico el botín tomado de los franceses?
15. ¿Cuál era el batallón que más estimaba Mina?
16. ¿Qué emociones experimentó Mina al ver bien vestidos a sus soldados?
17. ¿En qué consistía el uniforme francés?
18. ¿De qué parte del uniforme pendían las borlitas?
19. ¿Qué les parecieron a los guerrilleros las borlitas?
20. ¿Por qué no le gustaba a Mina que los soldados dejasen de llevar las borlitas?
21. ¿Qué hizo el jefe guerrillero al ver que sus navarros se negaron a obedecerle?
22. ¿Qué pudo descubrir Mina acerca de la rebelión?
23. ¿Qué respondió un cornetilla a las preguntas?
24. ¿Qué mandó Mina por fin?
25. ¿Dónde va a cumplirse la sentencia?
26. ¿Por qué quería Mina perdonar a los soldados?
27. ¿Qué aspecto tenían los hombres que iban a morir?
28. ¿Cómo honraba el diezmado batallón a sus compañeros?
29. ¿Qué gritó Mina al perdonar a los soldados?
30. ¿Qué respondieron los navarros?

EJERCICIOS

I. *Termine con palabras apropiadas:*

a. Un hombre de Navarra es _____.

b. Un hombre de Francia es _____.

c. Los soldados que luchan en pequeños grupos, frecuentemente sin uniforme y sin instrucción militar, se llaman _____.

d. En la guerra de la Independencia eran los franceses los _____.

e. El arma corva parecida a la espada es un _____.

f. Las borlitas rojas pendían de las tres _____ del _____.

g. Cuando un jefe militar manda que se haga una cosa, decimos que es una _____.

h. Mi hermana, mis tíos y mis sobrinos son parientes. Otra palabra que quiere decir *parientes* es _____.

i. Otra palabra que quiere decir *reo* es _____.

j. Los despojos que caen en manos de tropas victoriosas se llaman también el _____.

II. *Dé el presente de indicativo que corresponde a estas formas:*

dejó	encontró	era	escondió	extrañóse
fusilen	gritó	mandó	pendían	podías

III. *Diga rápidamente, cambiando al castellano las palabras entre paréntesis:*

a. las sandalias y _____ (*the shoes*)

b. las lluvias y _____ (*the snows*)

c. los caudillos y _____ (*the generals*)

d. la ropa y _____ (*the uniforms*)

e. los ruegos y _____ (*the threats*)

f. los brazos y _____ (*the shoulders*)

g. las millas y _____ (*the leagues*)

h. la derrota y _____ (*the flight*)

i. la sentencia y _____ (*the pardon*)

j. las batallas y _____ (*the blood*)

IV. *Para cada sustantivo, elija un adjetivo que mejor lo describa:*

a. inmovilidad	profundo
b. reos	toscos
c. rebelión	abierta

d. sainete   encarnadas
e. montañeses   confesados
f. borlitas   navarra
g. silencio   ridículo
h. sangre   completa

v. *Traduzca:*

a. The French gave quarter to no one.
b. Some prisoners were hanged, others shot.
c. The war was cruel and bloody.
d. When he asked them questions they shrugged their shoulders.
e. There were no indications of protest among the prisoners.
f. He was looking for a way (*la manera de*) to pardon them.
g. They were pale, but they were not going to ask him any favors.
h. The tassels were inoffensive enough, but no one (*a nadie*) wanted to wear (*llevar*) them.

LEOPOLDO ALAS (CLARÍN) 1852–1901

LEOPOLDO ALAS, conocido también por el seudónimo «Clarín», nació en Zamora, pero su nombre lo asociamos con las Asturias, y con la capital Oviedo, donde vivió desempeñando el cargo [1] de profesor en la Universidad, y cobrando [2] fama como literato en toda España. En el campo de la crítica han comparado a «Clarín» frecuentemente con Larra. La pluma de aquél, pronta a proteger y reconocer el talento verdadero, fué mordaz [3] e impaciente con lo superficial y lo falso. Los libros de Alas le ganaron constantes y entusiastas admiradores. Su magistral [4] novela La Regenta (1884–1885), que acusa la influencia del naturalismo francés, es por su minuciosa observación y documentación un monumento único en la literatura española. Los cuentos de Alas son admirables. ¡Adiós, cordera!,[5] Doña Berta, El gallo de Sócrates, y muchos otros, merecen alto lugar entre los mejores del siglo.

Dijo González-Blanco en su Historia de la novela en España [6] que «los libros de Clarín son mis libros de cabecera [7]; todos ellos los he leído una docena de veces . . . Lo que siento por aquella organización mental prodigiosa es, más que admiración, un culto idolátrico». Dotado de [8] un intelecto creador y al mismo tiempo disciplinado, Clarín aportó a la novela española una vasta erudición y una nueva apreciación de valores psicológicos.

En Un viejo verde, Alas pinta con ironía y humorismo [9] el alma egoísta y algo cruel de una mujer hermosa, de una mujer a quien podemos llamar con verdad «una diosa provincial».

[1] **desempeñando el cargo** performing the duties
[2] **cobrar** to collect
[3] biting
[4] **(que se hace con habilidad, arte, maestría)**
[5] lamb
[6] **(edición de 1909, p. 505)**
[7] **de cabecera** bedside
[8] **dotado de** endowed with
[9] **(humor)**

Un viejo verde

Oíd un cuento . . . ¿Que no le queréis naturalista? ¡Oh, no!, será *idealista,* imposible . . . , romántico.

Monasterio tendió [1] el brazo, brilló la batuta [2] en un rayo de luz verde, y al conjuro surgieron,[3] como convocadas,[4] de una lontananza [5] ideal, las hadas [6] invisibles de la armonía, las notas misteriosas, gnomos del aire, del bronce y de las cuerdas.[7] Era el alma de Beethoven, ruiseñor [8] inmortal, poesía enternamente insepulta,[9] como larva de un héroe muerto y olvidado en el campo de batalla; era el alma de Beethoven lo que vibraba, llenando los ámbitos [10] del Circo [11] y llenando los espíritus de la ideal melodía, edificante y seria, de su música única; como un contagio,[12] la poesía sin palabras, el ensueño [13] místico del arte, iba dominando [14] a los que oían, cual si un céfiro [15] musical, volando sobre la sala, subiendo de las butacas a los palcos y a las galerías, fuese, con su dulzura, con su perfume de sonidos, infundiendo en todos el suave adormecimiento [16] de la vaga contemplación extática de la belleza rítmica.

El sol de fiesta de Madrid [17] penetraba, disfrazado de mil colores,[18] por las altas vidrieras [19] rojas, azules, verdes, moradas [20] y amarillas; y como polvo [21] de las alas de las mariposas iban los corpúsculos iluminados de aquellos haces [22] alegres y mágicos a jugar con los matices [23] de los graciosos tocados de las damas, sacando [24] lustre azul, de pluma de gallo, al negro casco [25] de la hermosa cabeza desnuda de la morena de un palco, y más abajo, en la sala, dando reflejos de aurora boreal a las flores, a la paja,[26] a los tules [27] de los sombreros graciosos y pintorescos que anunciaban la primavera como las margaritas [28] de un prado.

[1] (extendió)
[2] baton
[3] came forth
[4] as if convoked
[5] distant place
[6] fairies
[7] **bronce . . . cuerdas**   brass and strings
[8] nightingale
[9] alive
[10] (límites; confines)
[11] **Circo** (la sala)
[12] **como un contagio**   spreading like an illness
[13] (ilusión; fantasía)
[14] (conquistando)
[15] zephyr
[16] languor; drowsiness
[17] **sol . . . Madrid**   the Madrid sun at festival time
[18] **disfrazado . . . colores**   disguised in a thousand colors
[19] glass windows
[20] purple
[21] powder
[22] surfaces; divisions
[23] shades; tints
[24] producing
[25] crown
[26] straw
[27] fine net; tulle
[28] daisies

Desde un palco del centro oía la música con más atención de la que suelen prestar las damas en casos tales, Elisa Rojas, especie de [29] Minerva con ojos de esmeralda,[30] frente purísima, solemne, inmaculada,[31] con la cabeza de armoniosas curvas, que, no se sabía por qué,
5 hablaban de inteligencia y de pasión, peinada [32] como por un escultor en ébano.[33] Elisa Rojas, la de los cien adoradores, estaba enamorada del modo de amar de algunos hombres.[34] Era coqueta como quien [35] es coleccionista. Amaba a los escogidos [36] entre sus amadores con la pasión de un bibliómano [37] por los ejemplares [38] raros y preciosos.
10 Amaba, sobre todo, sin que nadie lo sospechara, la constancia ajena [39]: para ella un adorador antiguo era un *incunable*.[40] A su lado tenía aquella tarde en otro palco, lleno de obscuridad, todo de hombres, su *Biblia de Gutenberg*,[41] es decir, el ejemplar más antiguo, el amador cuyos platónicos obsequios [42] se perdían para ella en la noche
15 de los tiempos.

Aquel señor, porque ya era un señor como de treinta y ocho a cuarenta años, la quería, sí, la quería, bien segura estaba, desde que Elisa recordaba tener malicia para pensar en tales cosas; antes de vestirse ella de largo [43] ya la admiraba él de lejos, y tenía presente
20 lo pálido que se había puesto la primera vez que la había visto arrastrando cola,[44] grave y modesta al lado de su madre. Y ya había llovido [45] desde entonces. Porque Elisa Rojas, sus amigas lo decían, ya no era niña, y si no empezaba a parecer desairada su prolongada soltería [46] era sólo porque constaba [47] al mundo entero que tenía los
25 pretendientes a patadas [48]; pues era cada día más bella y cada día más rica, gracias esto último a la prosperidad de ciertos buenos negocios de la familia.

Aquel señor tenía para Elisa, además, el mérito de que no podía pretenderla.[49] No sabía Elisa a punto fijo [50] por qué; con gran discre-

---

[29] **especie de** a kind of
[30] emerald green
[31] without blemishes
[32] and with her hair dressed
[33] ebony
[34] **del . . . hombres** with the way some men love
[35] **como quien** in the same way as one
[36] favorites
[37] **de un bibliómano** that one crazy about books might feel
[38] volumes; tomes
[39] **constancia ajena** faithfulness in others

[40] incunabulum A *book printed before 1500; hence, very rare.*
[41] **Biblia de Gutenberg** the Gutenberg Bible, finished in 1455
[42] attentions
[43] in long dresses
[44] **arrastrando cola** with her dress sweeping the ground
[45] **había llovido** (**había pasado mucho tiempo**)
[46] spinsterhood
[47] (**era evidente**)
[48] **a patadas** *figuratively* to burn
[49] court her
[50] **a punto fijo** (**exactamente**)

ción y cautela [51] había procurado indagar [52] el estado de aquel misterioso adorador, con quien no había hablado más que dos o tres veces en diez años y nunca más de algunas docenas de palabras, entre la multitud, acerca de cosas insignificantes, del momento. Unos decían que era casado y que su mujer se había vuelto loca y estaba en un 5 manicomio [53]; otros, que era soltero, mas que estaba ligado [54] a cierta dama por caso de conciencia y ciertos compromisos legales . . . ; ello era que a la de Rojas le constaba que *aquel señor* no podía pretender amores lícitos,[55] los únicos posibles con ella, y le constaba porque él mismo se lo había dicho en el único papel que se había 10 atrevido a enviarle en su vida.

Elisa tenía la costumbre, o el vicio, o lo que fuera, de alimentar el fuego de sus apasionados con miradas intensas, largas, profundas, de las que a cada amador le tocaba una cada mes, próximamente.[56] *Aquel señor,* que al principio no había sido de los más favorecidos, 15 llegó, a fuerza de constancia y de humildad, a merecer el privilegio de una o dos de aquellas miradas en cada ocasión en que se veían. Una noche, oyendo música también, Elisa, entregada a la gratitud amorosa y llena de recuerdos de la contemplación callada, dulce y discreta del hombre que se iba haciendo viejo adorándola, no pudo 20 resistir la tentación, mitad apasionada, mitad picaresca y maleante,[57] de clavar [58] los ojos en los del triste caballero y ensayar [59] en aquella mirada una diabólica experiencia [60] que parecía cosa de algún filósofo de la Academia de Ciencias del infierno: quería decir con la mirada, sólo con la mirada, todo esto que en aquel momento quiso ella pensar 25 y sentir con toda seriedad: «Toma mi alma; te beso el corazón con los ojos en premio a tu amor verdadero, compañía eterna de mi vanidad, esclavo [61] de mi capricho [62]; fíjate bien: este mirar es besarte, idealmente, como lo merece tu amor, que sé que es purísimo, noble y humilde. No seré tuya más que en este instante y de esta manera; pero 30 ahora toda tuya, entiéndeme por Dios, te lo dicen mis ojos y el acompañamiento de esa música, toda amores.» Y algo debió de comprender *aquel señor,* porque se puso muy pálido y, sin que lo notara nadie más que la de Rojas, se sintió desfallecer y tuvo que

---

[51] (precaución; cuidado)
[52] (saber; averiguar)
[53] (hospital para locos)
[54] bound; tied
[55] no . . . lícitos could not court her openly
[56] (aproximadamente)

[57] picaresca y maleante roguish and joking
[58] to fasten
[59] to try
[60] experiment
[61] slave
[62] [every] whim

apoyar [63] la cabeza en una columna que tenía al lado. En cuanto le volvieron las fuerzas, se marchó del teatro en que esto sucedía. Al día siguiente Elisa recibió, bajo un sobre, estas palabras: «¡Mi divino imposible!» Nada más; pero era él, estaba segura. Así supo que tal
5 amante no podía pretenderla, y si esto por una temporada la asustó y la obligó a esquivar [64] las miradas ansiosas de *aquel señor,* poco a poco volvió a la acariciada [65] costumbre y, con más intensidad y frecuencia que nunca, se dejó adorar [66] y pagó [67] con los ojos aquella firmeza del que no esperaba nada. Lo que no sabía Elisa era que *aquel*
10 *señor* no veía las cosas tan claras como ella y sólo a ratos, por ráfagas,[68] creía no estar en ridículo.[69] Lo que más le iba preocupando [70] cada mes, cada año que pasaba, era, naturalmente, la edad, que le iba pareciendo impropia para tales contemplaciones. Cada vez se retraía [71] más; llegó tiempo en que la de Rojas comprendió que *aquel señor*
15 ya no la buscaba; y sólo cuando se encontraban por casualidad aprovechaba la feliz coyuntura [72] para admirarla, siempre con discreto disimulo,[73] por no *poder otra cosa,* porque no tenía fuerza para no admirarla. Con esto crecía en Elisa la dulce lástima agradecida y apasionada,[74] y cada encuentro de aquéllos lo empleaba ella en acumu-
20 lar amor, locura de amor, en aquellos pobres ojos que tantos años había sentido acariciándola con adoración muda, seria, absoluta, eterna.

Mas era costumbre también en la de Rojas jugar con fuego, poner en peligro los afectos [75] que más la importaban, poner en caricatura,
25 sin pizca [76] de sinceridad, por alarde [77] de paradoja sentimental, lo que admiraba, lo que quería, lo que respetaba. Así, cuando veía al amador *incunable* animarse un poco, poner gesto de satisfacción, de esperanza loca, disparatada,[78] ella, que no tenía por tan absurdas como él mismo tales ilusiones,[79] se gozaba en torturarle, en *probarle,*
30 como el bronce de un cañón, para lo que le bastaba una singular sonrisa,[80] fría, semiburlesca.[81]

[63] (descansar)
[64] shun; avoid
[65] cherished
[66] **se dejó adorar**   she allowed herself to be adored
[67] she repaid
[68] in flashes
[69] **creía . . . ridículo**   did he not think his position ridiculous
[70] **le iba preocupando**   was worrying him most
[71] he withdrew
[72] (oportunidad)

[73] dissimulation
[74] **la . . . apasionada**   the thankful and intense pity
[75] the attachments; loves
[76] a speck
[77] **por alarde**   for the vanity
[78] (absurda)
[79] **que . . . ilusiones**   who did not consider such illusions as absurd as he himself did
[80] **para . . . sonrisa**   which she did with a special smile
[81] mocking

La tarde de mi cuento era solemne para *aquel señor;* por primera vez en su vida el azar [82] le había puesto en un palco, codo con codo, junto a Elisa. Respiraba por primera vez en la atmósfera de su perfume. Elisa estaba con su madre y otras señoras, que había saludado al entrar a alguno de los caballeros que acompañaban al *otro.* La de 5 Rojas se sentía a su pesar [83] exaltada [84]; la música y la presencia tan cercana de aquel hombre la tenían en tal estado, que necesitaba, o marcharse a llorar a solas *sin saber por qué,* o hablar mucho y destrozar [85] el alma con lo que dijera y atormentarse a sí misma diciendo cosas que no sentía, despreciando lo digno [86] de amor . . . , 10 en fin, como otras veces. Tenía una vaga conciencia,[87] que la humillaba, de que hablando formalmente [88] no podría decir nada digno de la *Elisa ideal que aquel hombre* tendría en la cabeza. Sabía que era él un artista, un soñador, un hombre de imaginación, de lectura, de reflexión . . . ; que ella, *a pesar de todo,* hablaba como *las demás,* 15 punto más punto menos.[89]

Un rayo de sol, atravesando [90] allá arriba, cerca del techo, un cristal verde, vino a caer sobre el grupo que formaban Elisa y su adorador, tan cerca uno de otro por la primera vez en la vida. A un tiempo sintieron y pensaron lo mismo: los dos se fijaron en aquel lazo de luz 20 que los unía tan idealmente, en pura ilusión óptica, como la paz que simboliza el arco iris.[91] El hombre no pensó más que en esto, en la luz; la mujer pensó, además, en seguida, en el color verde. Y se dijo: «Debo de parecer una muerta», y de un salto gracioso [92] salió de la brillante aureola [93] y se sentó en una silla cercana y en la sombra. 25 *Aquel señor* no se movió. Sus amigos se fijaron en el matiz uniforme, fúnebre que aquel rayo de luz echaba sobre él. Seguía Beethoven en el uso de la orquesta, y no era discreto hablar mucho ni en voz alta. A las bromas de sus compañeros, el enamorado caballero no contestó más que sonriendo. Pero las damas que acompañaban a Elisa 30 notaron también la extraña apariencia que la luz verde daba al caballero aquel.

La de Rojas sintió una tentación invencible, que después reputó [94] criminal, de decir, en voz bastante alta para que su adorador pudiera

[82] chance
[83] in spite of herself
[84] excited
[85] (destruir)
[86] the worthiness
[87] notion; feeling
[88] seriously; forthrightly

[89] **punto . . . menos** little better or worse
[90] shining through
[91] **arco iris** rainbow
[92] **salto gracioso** graceful spring
[93] halo
[94] she considered, judged

oírla, *un chiste,*[95] un retruécano,[96] o lo que fuese, que se le había ocurrido, y que para ella y para él tenía más alcance [97] que para los demás.

5 Miró con franqueza, con la sonrisa diabólica en los labios, al infeliz caballero que se moría por ella . . . , y dijo, como para los de su palco sólo, pero segura de ser oída por él:

—Ahí tenéis lo que se llama . . . *un viejo verde.*[98]

Las amigas celebraron el chiste con risitas [99] y miradas de inteligencia.[100]

10 El *viejo verde,* que se había oído bautizar,[101] no salió del palco hasta que calló Beethoven. Salió del rayo de luz y entró en la obscuridad para no salir de ella en su vida.

Elisa Rojas no volvió a verle.

Pasaron años y años; la de Rojas se casó con cualquiera, con la 15 mejor *proporción* [102] de las muchas que se le ofrecieron. Pero antes y después del matrimonio, sus ensueños, sus melancolías y aun sus remordimientos [103] fueron en busca del amor más antiguo, del *imposible.* Tardó mucho en olvidarle, nunca le olvidó del todo; al principio sintió su ausencia más que un rey destronado la corona perdida, como 20 un ídolo pudiera sentir la desaparición de su culto. Se vió Elisa como un *dios en el destierro.* En los días de crisis para su alma, cuando se sentía humillada,[104] despreciada,[105] lloraba la ausencia de aquellos ojos siempre fieles, como si fueran los de un amante verdadero, los ojos amados. «*¡Aquel señor* sí que [106] me quería, aquél sí que me 25 adoraba!»

Una noche de luna, en primavera, Elisa Rojas, con unas amigas inglesas, visitaba el cementerio civil, que también sirve para los protestantes, en cierta ciudad marítima del Mediodía [107] de España. Está aquel jardín, que yo llamaré santo, como le llamaría religioso el 30 derecho romano, en el declive [108] de una loma [109] que muere en el mar. La luz de la luna besaba el mármol de las tumbas, todas pulcras,[110] las más [111] con inscripciones de letra gótica, en inglés o en alemán.

---

[95] witticism; jest
[96] pun
[97] significance; application
[98] green; "fresh"; naughty; smutty
[99] giggles
[100] **miradas de inteligencia** knowing looks
[101] **que . . . bautizar** who had heard himself christened
[102] opportunity; "catch"

[103] remorse; sense of guilt
[104] depressed; downcast
[105] scorned
[106] **sí que** really
[107] **del Mediodía** in the south
[108] slope
[109] hill
[110] neat; well cared for
[111] **las más** most of them

En un modesto, pero elegante sarcófago, detrás del cristal de una urna,[112] Elisa leyó, sin más luz que aquella de la noche clara, al rayo de la luna llena, sobre el mármol negro del nicho, una breve y extraña inscripción, en relieve, con letras de serpentina.[113] Estaba en español y decía: *Un viejo verde.* 5

De repente sintió la seguridad [114] absoluta de que *aquel viejo verde* era el suyo. Sintió esta seguridad porque al mismo tiempo que el de su remordimiento [115] le estalló [116] en la cabeza el recuerdo de que una de las poquísimas veces que *aquel señor* la había oído hablar había sido en ocasión en que ella describía aquel *cementerio protestante* 10 que ya había visto otra vez, siendo niña, y que la había impresionado mucho.

«¡Por mí —pensó— se enterró como un pagano! Como lo que era,[117] pues yo fuí su diosa.»

Sin que nadie la viera, mientras sus amigas inglesas admiraban los 15 efectos de luna en aquella soledad de los muertos, se quitó un pendiente, y con el brillante [118] que lo adornaba, sobre el cristal de aquella urna, detrás del que se leía [119] «Un viejo verde», escribió a tientas [120] y temblando: «Mis amores.» [121]

Me parece que el cuento no puede ser más romántico, más *impo-* 20 *sible* . . .

PREGUNTAS

1. ¿Cómo se llama el director de la orquesta?
2. ¿Qué música tocaban?
3. ¿Qué es «la poesía sin palabras»?
4. ¿Cómo estaba cambiada la luz del sol al penetrar en la sala?
5. ¿Por qué era excepcional esa luz?
6. ¿Qué señas de la primavera podían verse en la sala?
7. ¿Dónde estaba sentada Elisa Rojas?
8. ¿Qué puede decirse sobre el carácter de Elisa?
9. ¿Cuántos adoradores tenía?
10. ¿Quién era el ejemplar más antiguo de la colección?

[112] **detrás . . . urna** back of a crystal urn
[113] **serpentina** twisting
[114] certainty
[115] **que . . . remordimiento** that she experienced remorse
[116] suddenly dawned
[117] **como . . . era** as indeed he was
[118] diamond
[119] **detrás . . . leía** behind which was read
[120] **a tientas** groping
[121] **mis amores** all my love

11. ¿Hacía mucho tiempo que «aquel señor» la quería?

12. ¿Le faltaban a Elisa admiradores cuando ya no era tan joven?

13. ¿Por qué no podía pretenderla «aquel señor»?

14. ¿Cómo alimentaba Elisa el fuego de sus adoradores?

15. ¿Cómo sabía Elisa que «aquel señor» había comprendido bien esa mirada diabólica?

16. Al correr los años ese señor no la buscaba. ¿Por qué?

17. ¿Qué le gustaba a Elisa hacer al ver que su víctima se animaba un poco?

18. ¿Dónde se encontró «aquel señor» una tarde?

19. ¿Con quién estaba Elisa?

20. ¿Por qué estaba excitada Elisa?

21. ¿Por qué le era a Elisa difícil hablar aquella tarde?

22. ¿Qué hizo Elisa al encontrarse en el círculo de la luz verde?

23. ¿Qué quería hacer ella al ver a su caballero tan alterado?

24. ¿Quería ella que el chiste fuese oído por su viejo admirador?

25. ¿Cuántas veces más le vió Elisa?

26. ¿Con quién se casó ella, por fin?

27. ¿Se acordaba Elisa algunas veces del admirador?

28. ¿Dónde estaba enterrado aquel caballero?

29. ¿Por qué estaba segura Elisa que el sarcófago era suyo?

30. ¿Cómo y con qué escribió Elisa su mensaje?

31. ¿Cuáles son las palabras que Elisa dejó escritas allí?

EJERCICIOS

I. *Complete usted cada frase:*

a. Fué un programa de _____ clásica.

b. La música tenía ritmo y _____.

c. Se dice que la música es poesía sin _____.

d. La luz entró por las altas _____.

e. Se dice que la mujer que no se casa es una _____.

f. El que ama apasionadamente los libros es un _____.

g. Se puede celebrar un _____ con risitas.

h. Ella sabía que el señor, ya casado, no podía _____.

II. *Termine:*

a. un sombrero de _____ (*straw*)

b. las alas de las _____ (*butterflies*)

c. unos ojos de ＿＿＿＿＿ (*emerald*)
d. con la cabeza ＿＿＿＿＿ (*bare*)
e. ＿＿＿＿＿ de palabras (*dozens*)
f. el ＿＿＿＿＿ de su mirada (*fire*)
g. una noche llena de ＿＿＿＿＿ (*memories*)
h. con más frecuencia que ＿＿＿＿＿ (*ever*)
i. un amor ＿＿＿＿＿ (*eternal*)
j. lo dijo en voz ＿＿＿＿＿ (*aloud*)

III. *Dé un antónimo de:*

aparecer   feliz   indigno   olvidar   oscuridad

IV. *Traduzca usted:*

a. She could no resist the temptation.
b. His love was pure, eternal.
c. That man was now old, without illusions.
d. She enjoyed torturing him, in the presence of her friends.
e. She wanted to say something worthy of that admirer.
f. A ray of green light fell on the group.
g. She left the theater after hearing the music.
h. He was a dreamer and an artist.
i. That man turned pale on seeing her in the street.
j. From her box she could hear and see everything.

RAMÓN DEL VALLE-INCLÁN
1866-1936

DON RAMÓN DEL VALLE-INCLÁN nació en Pontevedra, Galicia, y murió en Santiago de Compostela. *Hizo varios viajes al nuevo mundo, y a Francia; trabajó algunos años en Roma.* Sin embargo, Valle-Inclán pudo subordinar las condiciones exteriores de su vida a la disciplina de su arte, y las raíces más profundas de su facultad creadora estaban en la región donde nació. *Según Azorín, Valle-Inclán se hizo parte del Madrid literario en 1897 después de «unos años misteriosos en que no se sabe cómo, ni de qué, ni con qué ha vivido . . .» Sus aires de aristócrata, su espíritu independiente y su altivez ofendieron algunos.* Conforme a Baroja, ejercía Valle-Inclán una vez un modesto empleo en Madrid que apenas le dejaba vivir.

Poeta, cuentista, novelista, dramaturgo, Valle-Inclán originó el esperpento, género de novela dialogada, de tema picaresco y de tono satírico. *Sus cuatro Sonatas, novelas cortas, son clásicas por la perfección de su estilo y por su sugestión poética. Aunque el lugar y la trama varían en las novelas, cada sonata tiene como personaje principal al antipático y donjuanesco Marqués de Bradomín.* Son las cuatro Sonatas: Sonata de otoño (1902), Sonata de estío (1903), Sonata de primavera (1904), y Sonata de invierno (1905). *Entre sus otras novelas se destacan* Flor de santidad (1904), *«Poética evocación de la vida en los campos gallegos»,* y Jardín umbrío (1903), *en que el autor recuerda las impresiones y sensaciones de su niñez. Entre sus colecciones de versos se distinguen* Aromas de leyenda (1907) y La pipa de Kif (1919).

Predominan el arte y el afán de la perfección en las obras de Valle-Inclán. Como ningún otro de su generación se preocupó del elemento del estilo. Pintó magistralmente las nieblas, brumas, leyendas y supersticiones de Galicia, no como realidad sino como representaciones refinadas por la magia de su arte y por la estampa de su personalidad. Su poder de crear todo un mundo imaginario se combina con la exquisita sensibilidad de poeta. Aprovechando los elementos folklóricos de su región y el paisaje galaico, Valle-Inclán se forja un arte único, personal, y en su esencia, aristocrático.

1. *Jardín umbrío*

MI HERMANA ANTONIA

I

Santiago de Galicia [1] ha sido uno de los santuarios del mundo, y las almas todavía guardan allí los ojos atentos para [2] el milagro! ...

II

Una tarde, mi hermana Antonia me tomó de la mano para llevarme a la Catedral. Antonia tenía muchos años más que yo. Era alta y pálida, con los ojos negros y la sonrisa un poco triste. Murió siendo 5 yo niño. ¡Pero cómo recuerdo su voz y su sonrisa y el hielo [3] de su mano cuando me llevaba por las tardes a la Catedral! ... Sobre todo, recuerdo sus ojos y la llama luminosa y trágica con que miraban a un estudiante que paseaba en el atrio,[4] embozado [5] en una capa azul. Aquel estudiante a mí me daba miedo. Era alto y cenceño,[6] con cara 10 de muerto y ojos de tigre, unos ojos terribles bajo el entrecejo [7] fino y duro. Para que fuese mayor su semejanza [8] con los muertos, al andar le crujían [9] los huesos de la rodilla. Mi madre le odiaba, y por no verle tenía cerradas las ventanas de nuestra casa, que daban al Atrio de las Platerías.[10] Aquella tarde recuerdo que paseaba, como 15 todas las tardes, embozado en su capa azul. Nos alcanzó en la puerta de la Catedral, y sacando por debajo del embozo su mano de esqueleto, tomó agua bendita y se la ofreció a mi hermana, que temblaba. Antonia le dirigió una mirada de súplica, y él murmuró con una sonrisa:
—¡Estoy desesperado! 20

III

Entramos en una capilla, donde algunas viejas rezaban las Cruces.[11] Es una capilla grande y oscura, con su tarima [12] llena de ruidos bajo la bóveda románica.[13] Cuando yo era niño, aquella capilla tenía para

[1] **Santiago de Galicia** *See* **Santiago** *in the end vocabulary.*
[2] **atentos para** (esperando)
[3] (frío, frialdad)
[4] atrium
[5] his face muffled
[6] (delgado)
[7] the brow
[8] resemblance
[9] creaked
[10] **Atrio de las Platerías** *Also called* **Plazuela de las Platerías** (silversmiths)
[11] **rezar las Cruces** to make (pray) the stations of the Cross
[12] entablature
[13] **bóveda románica** the Roman arches of the ceiling

mí una sensación de paz campesina. Me daba un goce de sombra como la copa de un viejo castaño, como las parras delante de algunas puertas, como una cueva de ermitaño [14] en el monte. Por las tardes siempre había corro [15] de viejas rezando las Cruces. Las voces,
5 fundidas [16] en un murmullo de fervor, abríanse [17] bajo las bóvedas y parecían iluminar las rosas de la vidriera [18] como el sol poniente. Sentíase un velo de oraciones glorioso y gangoso,[19] y un sordo [20] arrastrarse sobre la tarima, y una campanilla de plata agitada por el niño acólito, mientras levanta su vela encendida, sobre el hombro del
10 capellán, que deletrea [21] en su breviario la Pasión. ¡Oh Capilla de la Corticela,[22] cuándo esta alma mía, tan vieja y tan cansada, volverá a sumergirse en tu sombra balsámica!

IV

Lloviznaba, anochecido, cuando atravesábamos [23] el atrio de la Catedral para volver a casa. En el zaguán,[24] como era grande y
15 oscuro, mi hermana debió tener miedo, porque corría al subir las escaleras, sin soltarme la mano. Al entrar vimos a nuestra madre que cruzaba la antesala y se desvanecía [25] por una puerta. Yo, sin saber por qué, lleno de curiosidad y de temor, levanté los ojos mirando a mi hermana, y ella, sin decir nada, se inclinó y me besó. En medio de
20 una gran ignorancia de la vida, adiviné [26] el secreto de mi hermana Antonia. Lo sentí pesar sobre mí como pecado mortal, al cruzar aquella antesala donde ahumaba un quinqué de petróleo [27] que tenía el tubo roto. La llama hacía dos cuernos,[28] y me recordaba al Diablo. Por la noche, acostado y a oscuras, esta semejanza se agrandó [29]
25 dentro de mí sin dejarme dormir, y volvió a turbarme [30] otras muchas noches.

V

Siguieron algunas tardes de lluvia. El estudiante paseaba en el atrio de la Catedral durante los escampos,[31] pero mi hermana no salía para

[14] hermit
[15] (grupo)
[16] merging
[17] opened up
[18] windows
[19] twangy
[20] muffled
[21] is intoning, deciphering
[22] (Santa María de la Corticela, capilla favorita de peregrinos extranjeros)
[23] we passed through

[24] (vestíbulo)
[25] (se desaparecía)
[26] adivinar   to guess
[27] ahumaba . . . petróleo   an oil lamp was smoking
[28] horns
[29] increased
[30] to bother me
[31] durante los escampos   between showers

rezar las Cruces. Yo, algunas veces, mientras estudiaba mi lección en la sala llena con el aroma de las rosas marchitas, entornaba [32] una ventana para verle. Paseaba solo, con una sonrisa crispada,[33] y al anochecer su aspecto de muerto era tal, que daba miedo. Yo me retiraba temblando de la ventana, pero seguía viéndole, sin poder aprenderme la lección. En la sala grande, cerrada y sonora, sentía su andar [34] con crujir de canillas y choquezuelas [35] . . . Maullaba [36] el gato tras de la puerta, y me parecía conformaba su maullido sobre el nombre del estudiante: 5

¡Máximo Bretal! 10

VI

Bretal es un caserío [37] en las montañas, cerca de Santiago. Los viejos llevan allí montera picuda [38] y sayo de estameña,[39] las viejas hilan [40] en los establos por ser más abrigados que las casas, y el sacristán pone escuela [41] en el atrio de la iglesia. Bajo su palmeta [42] los niños aprenden la letra procesal [43] de alcaldes y escribanos, salmo-15 diando [44] las escrituras forales [45] de una casa de mayorazgos ya deshecha.[46] Máximo Bretal era de aquella casa. Vino a Santiago para estudiar Teología, y los primeros tiempos, una vieja que vendía miel traíale de su aldea el pan de borona [47] para la semana y el tocino. Vivía con otros estudiantes de clérigo en una posada donde sólo paga-20 ban la cama. Son éstos los seminaristas [48] pobres a quienes llaman códeos. Máximo Bretal ya tenía Órdenes Menores cuando entró en nuestra casa para ser mi pasante [49] de Gramática Latina. A mi madre se lo había recomendado como una obra de caridad el Cura de Bretal. Vino una vieja con cofia [50] a darle las gracias, y trajo de regalo un 25 azafate [51] de manzanas reinetas.[52] En una de aquellas manzanas dijeron después que debía estar el hechizo [53] que hechizó a mi hermana Antonia.

---

[32] left ajar
[33] nervous, strained
[34] pacing
[35] **canillas y choquezuelas** shins and kneecaps
[36] **maullar** to meow
[37] (**aldea; grupo de casas**)
[38] **montera picuda** cap with visor
[39] **sayo de estameña** serge coat
[40] **hilar** to spin
[41] **pone escuela** teaches school
[42] **ferule**

[43] **letra procesal** legal vocabulary
[44] saying in chorus
[45] **escrituras forales** statutory writings
[46] **casa . . . deshecha** a firm dealing in estates, now out of existence
[47] **pan de borona** corn bread
[48] theological students
[49] (**el que explica la lección a otro**)
[50] cowl
[51] reed basket
[52] golden delicious *Do not translate.*
[53] bewitchment

VII

Nuestra madre era muy piadosa y no creía en agüeros [54] ni brujerías,[55] pero alguna vez lo aparentaba [56] por disculpar la pasión que
consumía a su hija. Antonia, por entonces, ya comenzaba a tener un
aire del otro mundo, como el estudiante de Bretal. La recuerdo
5 bordando [57] en el fondo de la sala, desvanecida [58] como si la viese en
el fondo de un espejo, toda desvanecida, con sus movimientos lentos
que parecían responder al ritmo de otra vida, y la voz apagada,[59] y
la sonrisa lejana de nosotros. Toda blanca y triste, flotante en un
misterio crepuscular,[60] y tan pálida que parecía tener cerco [61] como
10 la luna . . . ¡Y mi madre, que levanta la cortina de una puerta, y la
mira, y otra vez se aleja sin ruido!

VIII

Volvían las tardes de sol con sus tenues [62] oros y mi hermana, igual
que antes, me llevaba a rezar con las viejas en la Capilla de la Corticela. Yo temblaba de que otra vez se apareciese el estudiante y
15 alargase [63] a nuestro paso su mano de fantasma, goteando [64] agua
bendita. Con el susto miraba a mi hermana, y veía temblar su boca.
Máximo Bretal, que estaba todas las tardes en el atrio, al acercarnos
nosotros desaparecía,[65] y luego, al cruzar las naves de la Catedral, le
veíamos surgir en la sombra de los arcos. Entrábamos en la capilla,
20 y él se arrodillaba en las gradas [66] de la puerta besando las losas [67]
donde acababa de pisar mi hermana Antonia. Quedaba allí arrodillado
como el bulto de un sepulcro, con la capa sobre los hombros y las
manos juntas. Una tarde, cuando salíamos, vi su brazo de sombra
alargarse por delante de mí, y enclavijar [68] entre los dedos un pico [69]
25 de la falda de Antonia:

—¡Estoy desesperado! . . . Tienes que oírme, tienes que saber
cuánto sufro . . . ¿Ya no quieres mirarme? . . .

Antonia murmuró, blanca como una flor:

—¡Déjeme usted, don Máximo!

[54] prognostications
[55] witchcraft
[56] aparentar   to pretend, feign
[57] bordar   to embroider
[58] wan, withdrawn
[59] (extinguida; sin vida)
[60] twilight
[61] (halo)
[62] (delicados)

[63] (alargar; extender)
[64] dripping
[65] al . . . desaparecía   was disappear-
ing as we drew near
[66] steps
[67] stones
[68] to pin, hook
[69] a bit

—No te dejo. Tú eres mía, tu alma es mía . . . El cuerpo no lo quiero, ya vendrá por él la muerte. Mírame, que tus ojos se confiesen [70] con los míos. ¡Mírame! Y la mano de cera tiraba [71] tanto de la falda de mi hermana, que la desgarró.[72] Pero los ojos inocentes se confesaron con aquellos ojos [5] claros y terribles. Yo, recordándolo, lloré aquella noche en la oscuridad, como si mi hermana se hubiera escapado de nuestra casa.

IX

Yo seguía estudiando mi lección de latín an aquella sala llena con el aroma de las rosas marchitas. Algunas tardes, mi madre entraba como una sombra y se desvanecía en el estrado.[73] Yo la sentía suspirar [10] hundida en un rincón del gran sofá de damasco carmesí,[74] y percibía el rumor de su rosario. Mi madre era muy bella, blanca y rubia, siempre vestida de seda, con guante negro en una mano, por la falta de dos dedos, y la otra, que era como una camelia, toda cubierta de sortijas.[75] Ésta fué siempre la que besamos nosotros y la mano con que [15] ella nos acariciaba.[76] La otra, la del guante negro, solía disimularla [77] entre el pañolito de encaje,[78] y sólo al santiguarse la mostraba entera, tan triste y tan sombría como la albura [79] de su frente, sobre la rosa de su boca, sobre su seno de Madona Litta.[80] Mi madre rezaba sumida en el sofá del estrado, y yo, para aprovechar la raya de luz [20] que entraba por los balcones entornados, estudiaba mi latín en el otro extremo, abierta la Gramática sobre uno de esos antiguos veladores con tablero de damas.[81] Apenas se veía en aquella sala de respeto,[82] grande, cerrada y sonora. Alguna vez, mi madre, saliendo de sus rezos,[83] me decía que abriese más el balcón. Yo obedecía en silencio, [25] y aprovechaba el permiso para mirar al atrio, donde seguía paseando el estudiante, entre la bruma del crepúsculo. De pronto, aquella tarde, estando mirándolo, desapareció. Volví a salmodiar mi latín, y llamaron en la puerta de la sala. Era un fraile franciscano, hacía poco llegado de Tierra Santa. [30]

---

[70] **confesarse**   to confess, make confession
[71] **tirar**   to pull
[72] **desgarrar**   to tear
[73] drawing room
[74] bright red
[75] finger rings
[76] caressed
[77] (esconderla)
[78] lace

[79] (**blancura perfecta**)
[80] **Litta**   *Perhaps the author refers to a painting. For want of a better translation one might say* "over her bosom like the Madonna Litta."
[81] **veladores . . . damas**   small tables with tops made for checkers
[82] **sala de respeto**   reception room; salon
[83] (**devociones; oraciones**)

PREGUNTAS

1. ¿Qué es, y qué ha sido Santiago de Galicia?
2. ¿Cómo era la hermana, Antonia?
3. ¿A quién dirigía Antonia sus miradas en el atrio?
4. ¿Por qué le daba miedo al niño aquel estudiante?
5. ¿Cuáles son las ventanas que siempre tenía cerradas la madre? ¿Por qué?
6. ¿Qué hizo el estudiante lo cual le permitió tocar a Antonia?
7. ¿Cómo es la capilla donde entran?
8. Describa la sensación que tenía la capilla para el niño.
9. ¿Cuándo venía a la capilla a rezar el corro de viejas?
10. ¿Quién lleva la campanilla? ¿El breviario?
11. ¿Cómo se llama la capilla?
12. ¿Dónde está la madre al entrar ellos?
13. ¿Qué pesa sobre el corazón del niño?
14. ¿Por qué no duerme el niño después de acostarse?
15. ¿Qué tiempo hacía algunas tardes que no quería salir la hermana?
16. ¿Qué hacía el estudiante durante los escampos?
17. ¿Cuándo estudiaba el niño?
18. ¿Qué tiene de extraordinario el maullido del gato?
19. ¿Dónde se halla el lugar de Bretal?
20. ¿A qué había venido Máximo a Santiago?
21. ¿Dónde vivía?
22. ¿Quién le traía al estudiante cosas de comer?
23. ¿Cómo llegó a ser hechizada la hermana?
24. ¿Qué aspecto empezaba a tener Antonia?
25. ¿A dónde iban los hermanos cuando hacía otra vez buen tiempo?
26. ¿Volvían a ver al estudiante?
27. ¿Qué hizo Bretal una tarde cuando pasaba Antonia?
28. ¿Por qué lloró aquella noche el niño?
29. ¿Cómo son las manos de la madre?
30. ¿Sería difícil estudiar en la sala de respeto? ¿Por qué?
31. Aquella tarde alguien llamó a la puerta de la sala. ¿Quién fué?

EJERCICIOS

I. *Dé el infinitivo de:*

abríanse	adiviné	se apareciese	confiesen	murmuró
ofreció	recuerdo	solía	tiraba	vendrá

II. *Dé un antónimo de:*

se acerca	aparecerse	cuerpo	culpar	entrar
querer	rápidos	rumor	tras de	vacío

III. *De las tres expresiones, elija la más apropiada para cada frase:*

a. Un acto superior al orden natural es un _____.
1. choque
2. milagro
3. error

b. En la puerta de la catedral hay agua _____.
1. fría
2. bendita
3. caliente

c. La madre odiaba _____.
1. la catedral
2. la ciudad
3. al estudiante

d. Los estudiantes comían donde podían; y en la posada pagaban sólo la _____.
1. comida
2. cena
3. cama

e. Las cosas extraordinarias que hacen las brujas se llaman _____.
1. brujerías
2. brujos
3. brisas

f. En el piso de la catedral hay _____.
1. losas
2. atrios
3. dedos

g. La madre llevó el guante negro por la falta de dos _____.
1. dedos
2. manos
3. encajes

h. Otra palabra que quiere decir «olor» es _____.
1. aspecto
2. seno
3. aroma

i. Donde hay maullido hay un _____.
1. viejo
2. gato
3. tocino

j. Besó las losas donde acababa de _____ mi hermana.
1. pisar
2. llegar
3. salir

IV. *Ponga un adjetivo apropiado con cada substantivo:*

a. flores   ( )
b. guantes   ( )

1. negros
2. crispados

c. dedos	( )	3. diabólica	
d. voz	( )	4. antigua	
e. catedral	( )	5. marchitas	
f. mirada	( )	6. baja	

v. *Elija una palabra de la columna a la derecha según el ejemplo:*

a. aroma	(6)	1. huesos	
b. llama	( )	2. sepulcro	
c. esqueleto	( )	3. quinqué	
d. fruta	( )	4. fuego	
e. tumba	( )	5. manzana	
f. velador	( )	6. perfume	

VI. *Traduzca:*

a. Although he did not want to (*gustar poco*), he had to study all afternoon.

b. His mother was very devout (*piadosa*) and it seemed to him that she prayed a great deal.

c. I could guess (*adivinar*) something of what was happening to my sister.

d. Antonia was already pale and she trembled (*temblar*) on seeing the student there.

e. My mother did not like the poor student and was afraid of him.

f. A Franciscan priest who had just arrived from the Holy Land was knocking at the door.

II. *Jardín umbrío* (continuado)

MI HERMANA ANTONIA

X

El Padre Bernardo en otro tiempo había sido confesor de mi madre, y al volver de su peregrinación no olvidó traerle un rosario hecho con huesos de olivas del Monte Oliveto.[1] Era viejo, pequeño, con la cabeza grande y calva [2]; recordaba los santos románticos del Pórtico
5 de la Catedral. Aquella tarde era la segunda vez que visitaba nuestra casa, desde que estaba devuelto a su convento [3] de Santiago. Yo, al

---

[1] **Monte Oliveto** The Mount of Olives   [3] **convento** (comunidad de religiosos o
[2] (sin cabello)   religiosas)

verle entrar, dejé mi Gramática y corrí a besarle la mano. Quedé arrodillado mirándole y esperando su bendición, y me pareció que hacía los cuernos. ¡Ay, cerré los ojos, espantado de aquella burla del Demonio! Con un escalofrío comprendí que era asechanza [4] suya, y como aquellas que traían las historias de santos que yo comenzaba a 5 leer en voz alta delante de mi madre y de Antonia. Era una asechanza para hacerme pecar, parecida a otra que se cuenta en la vida de San Antonio de Padua.[5] El Padre Bernardo, que mi abuela diría [6] un santo sobre la tierra, se distrajo saludando a la oveja de otro tiempo, y olvidó formular su bendición sobre mi cabeza trasquilada [7] y triste, 10 con las orejas muy separadas, como para volar. Cabeza de niño sobre quien pesan las lúgubres cadenas de la infancia: el latín de día, y el miedo a los muertos, de noche. El fraile habló en voz baja con mi madre, y mi madre levantó su mano del guante:

—¡Sal de aquí, niño! 15

XI

Basilisa la Galinda, una vieja que había sido nodriza de mi madre, se agachaba [8] tras de la puerta. La vi y me retuvo del vestido, poniéndome en la boca su palma arrugada [9]:

—No grites, picarito.

Yo la miré fijamente porque le hallaba un extraño parecido con 20 las gárgolas de la Catedral. Ella, después de un momento, me empujó con blandura:

—¡Vete, neno!

Sacudí los hombros para desprenderme de su mano, que tenía las arrugas negras como tiznes,[10] y quedé a su lado. Oíase la voz del fran- 25 ciscano:

—Se trata de salvar un alma . . .

Basilisa volvió a empujarme [11]:

—Vete, que tú no puedes oír . . .

Y toda encorvada metía los ojos por la rendija [12] de la puerta. Me 30 agaché cerca de ella. Ya sólo me dijo estas palabras:

—¡No recuerdes más lo que oigas, picarito!

Yo me puse a reír. Era verdad que me parecía una gárgola. No podía saber si perro, si gato, si lobo. Pero tenía un extraño parecido

---

[4] (engaño)
[5] (santo franciscano que murió en 1231)
[6] (llamaría)
[7] cropped; sheared

[8] se agachaba   crouched
[9] wrinkled
[10] soot
[11] empujar   to push
[12] crack

con aquellas figuras de piedra, asomadas [13] o tendidas [14] sobre el atrio, en la cornisa de la Catedral.

XII

Se oía conversar en la sala. Un tiempo largo la voz del franciscano. —Esta mañana fué a nuestro convento un joven tentado por el 5 Diablo. Me contó que había tenido la desgracia de enamorarse, y que, desesperado, quiso tener la ciencia infernal . . . Siendo la medianoche había impetrado [15] el poder del Demonio. El ángel malo se le apareció en un vasto arenal de ceniza, lleno con gran rumor de viento, que lo causaban sus alas de murciélago al agitarse bajo las 10 estrellas.

Se oyó un suspiro de mi madre:

—¡Ay Dios!

Proseguía el fraile:

—Satanás le dijo que le firmase un pacto y que le haría feliz en 15 sus amores. Dudó el joven, porque tiene el agua del bautismo que hace a los cristianos, y le alejó con la cruz. Esta mañana, amaneciendo, llegó a nuestro convento, y en el secreto del confesonario me hizo su confesión. Le dije que renunciase a sus prácticas diabólicas, y se negó. Mis consejos no bastaron a persuadirle. ¡Es un alma que se 20 condenará! . . .

Otra vez gimió [16] mi madre:

—¡Preferiría muerta a mi hija!

Y la voz del fraile, en un misterio de terror, proseguía:

—Muerta ella, acaso él triunfase del Infierno. Viva, quizá se pierdan 25 los dos . . . No basta el poder de una pobre mujer como tú para luchar contra la ciencia infernal . . .

Sollozó [17] mi madre:

—¡Y la gracia de Dios!

Hubo un largo silencio. El fraile debía estar en oración meditando 30 su respuesta. Basilisa la Galinda me tenía apretado contra su pecho. Se oyeron las sandalias del fraile, y la vieja me aflojó un poco los brazos para incorporarse y huir. Pero quedó inmóvil, retenida por aquella voz que luego sonó:

—La Gracia no está siempre con nosotros, hija mía. Mana [18] como 35 una fuente y se seca como ella. Hay almas que sólo piensan en su

---

[13] projecting
[14] (suspendidas)
[15] called upon; induced

[16] moaned
[17] sobbed
[18] (sale abundantemente)

salvación, y nunca sintieron amor por las otras criaturas. Son las
fuentes secas. Dime: ¿Qué cuidado sintió tu corazón al anuncio de
estar en riesgo de perderse un cristiano? ¿Qué haces tú por evitar
ese negro concierto con los poderes infernales? ¡Negarle tu hija para
que la tenga de manos de Satanás! 5
Gritó mi madre:
—¡Más puede el Divino Jesús!
Y el fraile replicó con una voz de venganza:
—El amor debe ser por igual para todas las criaturas. Amar al
padre, al hijo o al marido, es amar figuras de lodo. Sin saberlo, con 10
tu mano negra también azotas [19] la cruz como el estudiante de Bretal.
Debía tener los brazos extendidos hacia mi madre. Después se oyó
un rumor como si se alejase. Basilisa escapó conmigo, y vimos pasar
a nuestro lado un gato negro. Al Padre Bernardo nadie le vió salir.
Basilisa fué aquella tarde al convento, y vino contando que estaba en 15
una misión, a muchas leguas.

XIII

¡Cómo la lluvia azotaba los cristales y cómo era triste la luz de la
tarde en todas las estancias [20]! . . .
Antonia borda cerca del balcón, y nuestra madre, recostada en el
canapé,[21] la mira fijamente, con esa mirada fascinante de las imágenes 20
que tienen los ojos de cristal.[22] Era un gran silencio en torno de
nuestras almas, y sólo se oía el péndulo del reloj. Antonia quedó una
vez soñando con la aguja en alto. Alta en el estrado [23] suspiró nuestra
madre, y mi hermana agitó los párpados como si despertase. Tocaban
entonces todas las campanas de muchas iglesias. Basilisa entró con 25
luces, miró detrás de las puertas y puso los tranqueros [24] en las
ventanas. Antonia volvió a soñar inclinada sobre el bordado. Mi madre
me llamó con la mano, y me retuvo. Basilisa trajo su rueca,[25] y
sentóse en el suelo, cerca del canapé. Yo sentía que los dientes de mi
madre hacían el ruido de una castañeta. Basilisa se puso de rodillas 30
mirándola, y mi madre gimió:
—Echa el gato, que araña [26] bajo el canapé.
Basilisa se inclinó:

---

[19] azotar   to whip
[20] (aposentos; habitaciones)
[21] (sofá)
[22] glass
[23] alta . . . estrado   from the high
    couch
[24] window bars
[25] distaff (for spinning)
[26] arañar   to scratch

—¿Dónde está el gato? Yo no lo veo.

—¿Y tampoco lo sientes [27]?

Replicó la vieja, golpeando con la rueca:

—¡Tampoco lo siento!

5   Gritó mi madre:

—¡Antonia! ¡Antonia!

—¡Ay, diga, señora!

—¿En qué piensas?

—¡En nada, señora!

10   —¿Tú oyes cómo araña el gato?

Antonia escuchó un momento:

—¡Ya no araña!

Mi madre se estremeció toda:

—Araña delante de mis pies, pero tampoco lo veo.

15   Crispaba los dedos sobre mis hombros.[28] Basilisa quiso acercar una luz, y se le apagó en la mano bajo una ráfaga [29] que hizo batir todas las puertas. Entonces, mientras nuestra madre gritaba, sujetando a mi hermana por los cabellos, la vieja, provista de una rama de olivo, se puso a rociar [30] agua bendita por los rincones.

XIV

20   Mi madre se retiró a su alcoba, sonó la campanilla y acudió corriendo Basilisa. Después, Antonia abrió el balcón y miró a la plaza con ojos de sonámbula. Se retiró andando hacia atrás, y luego escapó. Yo quedé solo, con la frente pegada a los cristales del balcón, donde moría la luz de la tarde. Me pareció oír gritos en el interior de
25 la casa, y no osé moverme, con la vaga impresión de que eran aquellos gritos algo que yo debía ignorar por ser niño. Y no me movía del hueco [31] del balcón, devanando un razonar medroso [32] y pueril, todo confuso con aquel nebuloso recordar de represiones bruscas y de encierros en una sala oscura. Era como envoltura [33] de
30 mi alma, esa memoria dolorosa de los niños precoces, que con los ojos agrandados oyen las conversaciones de las viejas y dejan los juegos por oírlas. Poco a poco cesaron los gritos, y cuando la casa quedó en silencio escapé de la sala. Saliendo por una puerta, encontré a la Galinda:

---

[27] **sentir** (oír)
[28] **crispaba . . . hombros** her fingers were contracting convulsively on my shoulders
[29] (**movimiento violento de aire**)
[30] sprinkle
[31] void; emptiness
[32] **devanando . . . pueril** giving out a fretful and childish whimpering
[33] sheath; wrapping

—¡No barulles, picarito! [34]

Me detuve sobre la punta de los pies ante la alcoba de mi madre. Tenía la puerta entornada, y llegaba de dentro un murmullo apenado y un gran olor de vinagre. Entré por el entorno de la puerta, sin moverla y sin ruido. Mi madre estaba acostada, con muchos pañuelos a la cabeza. Sobre la blancura de la sábana destacaba el perfil de su mano en el guante negro. Tenía los ojos abiertos, y al entrar yo los giró hacia la puerta, sin remover la cabeza:

—¡Hijo mío, espántame ese gato que tengo a los pies!

Me acerqué, y saltó al suelo un gato negro, que salió corriendo. Basilisa la Galinda, que estaba en la puerta, también lo vió, y dijo que yo había podido espantarlo porque era un inocente.

XV

Y recuerdo a mi madre un día muy largo, en la luz triste de una habitación sin sol, que tiene las ventanas entornadas. Está inmóvil en su sillón, con las manos en cruz, con muchos pañuelos a la cabeza y la cara blanca. No habla, y vuelve los ojos cuando otros hablan, y mira fija, imponiendo silencio. Es aquél un día sin horas, todo en penumbra de media tarde. Y este día se acaba de repente, porque entran con luces en la alcoba. Mi madre está dando gritos:

—¡Ese gato! . . . ¡Ese gato! . . . ¡Arrancármelo,[35] que se me cuelga a la espalda!

Basilisa la Galinda vino a mí, y con mucho misterio me empujó hacia mi madre. Se agachó y me habló al oído, con la barbita temblona,[36] rozándome [37] la cara con sus lunares de pelo.[38]

—¡Cruza las manos!

Yo crucé las manos; y Basilisa me las impuso sobre la espalda de mi madre. Me acosó después [39] en voz baja:

—¿Qué sientes, neno?

Respondí asustado, en el mismo tono que la vieja:

—¡Nada! . . . No siento nada, Basilisa.

—¿No sientes como lumbre [40]?

—No siento nada, Basilisa.

—¿Ni los pelos del gato?

—¡Nada!

---

[34] **¡No barulles, picarito!** (embarullar) Don't get out of line, scamp!

[35] pull it off of me

[36] **barbita temblona** quivering chin

[37] brushing (my)

[38] **lunares de pelo** hairy moles

[39] **me acosó después** she then spoke to me insistently

[40] **como lumbre** something hot

Y rompí a llorar, asustado por los gritos de mi madre. Basilisa me tomó en brazos y me sacó al corredor:

—¡Ay, picarito, tú has cometido algún pecado; por eso no pudiste espantar al enemigo malo!

5 Se volvió a la alcoba. Quedé en el corredor, lleno de miedo y de angustia, pensando en mis pecados de niño. Seguían los gritos en la alcoba, iban con luces por toda la casa.

XVI

Después de aquel día tan largo, es una noche también muy larga, con luces encendidas delante de las imágenes y conversaciones en voz 10 baja, sostenidas en el hueco de las puertas que rechinan [41] al abrirse. Yo me senté en el corredor, cerca de una mesa donde había un candelero con dos velas, y me puse a pensar en la historia del Gigante Goliat. Antonia, que pasó con el pañuelo sobre los ojos, me dijo con una voz de sombra:

15 —¿Qué haces ahí?

—Nada.

—¿Por qué no estudias?

La miré asombrado de que me preguntase por qué no estudiaba, estando enferma nuestra madre. Antonia se alejó por el corredor, y 20 volví a pensar en la historia de aquel gigante pagano que pudo morir de un tiro de piedra. Por aquel tiempo, nada admiraba tanto como la destreza con que manejó la honda [42] el niño David. Hacía propósito de ejercitarme en ella cuando saliese de paseo por la orilla del río. Tenía como un vago y novelesco presentimiento de poner mis tiros en 25 la frente pálida del estudiante de Bretal. Y volvió a pasar Antonia con un braserillo [43] donde se quemaba espliego [44]:

—¿Por qué no te acuestas, niño?

Y otra vez se fué corriendo por el corredor. No me acosté, pero me dormí con la cabeza apoyada en la mesa.

PREGUNTAS

1. ¿Para quién fué el regalo que trajo el padre Bernardo?
2. ¿Qué aspecto tiene el religioso?
3. ¿Por qué se quedó arrodillado el niño?

---

[41] rechinar (crujir)
[42] sling

[43] a small brazier
[44] lavender

4. ¿Recibió el niño la bendición por fin?
5. ¿Cómo era la cabeza del niño?
6. ¿Por qué quería la madre que saliera el niño?
7. ¿Por qué mira a la vieja nodriza tan atentamente el niño?
8. ¿Pudieron oír lo que decía el padre Bernardo?
9. Según el franciscano, ¿quién había llegado al convento?
10. ¿Qué quería Satanás que hiciera el joven?
11. ¿Conviene el joven en renunciar sus prácticas diabólicas?
12. Según el fraile ¿cómo puede ser salvado el joven del Infierno?
13. ¿Qué dice el fraile sobre la Gracia divina?
14. ¿Es devota y piadosa la madre, según el fraile?
15. ¿Qué tiene de extraordinario la salida del franciscano?
16. ¿Dónde estaba la madre aquella tarde de lluvia?
17. ¿Qué hace Antonia?
18. ¿Qué siente la madre?
19. ¿Qué usa Basilisa para espantar al gato escondido?
20. ¿Oye Antonia también al gato?
21. ¿Qué hizo una ráfaga?
22. ¿Cómo usó la vieja una rama de olivo?
23. ¿Qué parece oír el niño una tarde?
24. ¿Qué olor nota el niño en la alcoba de su madre?
25. ¿Qué pudo hacer el niño por su madre? ¿Por qué?
26. ¿Por qué—según Basilisa—no pudo el niño espantar al gato más tarde?
27. ¿En qué personaje bíblico piensa el niño?
28. ¿Qué le pregunta Antonia?
29. ¿Por qué no estudiaba?
30. ¿Cómo durmió?

EJERCICIOS

I.

a. Los viajes a las tierras santas se llaman _____.

1. difíciles
2. imposibles
3. peregrinaciones

b. Una comunidad de religiosos o religiosas se llama un _____.

c. Algunos animales los tienen, y también los tiene el Demonio; se refiere a los _____.

1. pies
2. cuernos
3. guantes

d. Para volar, los pájaros agitan las _____.

e. Las losas del piso son realmente pedazos de   1. piedra
_____.   2. cera
   3. techo

f. El animal que asociamos con muchas supersticiones es el _____ negro.

g. El animal que asociamos con la inocencia y la
humildad es la _____.

h. El enemigo natural de la oveja es el _____.   1. lobo
   2. toro
   3. perro

II. *Dé un antónimo de:*

cesar	de día	hallar	lejos de	el mediodía
nada	preguntar	quedar	los vivos	en voz alta

III. *Dé el infinitivo de:*

me acerqué	me acosté	se apareciese	me duermo	gimió
proseguía	me puse	recuerdo	respondí	me senté

IV. *Diga rápidamente, cambiando al castellano las palabras entre paréntesis:*

a. las monjas y _____ (*the priests*)

b. los ojos y _____ (*the ears*)

c. los muertos y _____ (*the living*)

d. las iglesias y _____ (*the convents*)

e. las imágenes y _____ (*the saints*)

f. los zapatos y _____ (*the sandals*)

g. los sonidos y _____ (*the voices*)

h. las sombras y _____ (*the lights*)

i. los perfumes y _____ (*the odors*)

j. las puertas y _____ (*the balconies*)

V. *Traduzca:*

a. On returning from his pilgrimage (*peregrinación*) he brought my
mother a rosary.

b. I had two major difficulties (*dificultades mayores*) and they were:
Latin by day, and the fear of (*el miedo a*) everything at night.

c. She always wore (*llevar*) a black glove on her right hand.

d. I didn't dare (*osar*) to move.

e. A black cat leaped (*saltar*) to the floor.

f. I began to (*ponerse a*) think about the story of Goliath.

g. I fell asleep (*dormirse*) listening to their voices.

h. Do such things happen in Galicia?

III. *Jardín umbrío* (*concluído*)

MI HERMANA ANTONIA

XVII

No sé si fué una noche, si fueron muchas, porque la casa estaba siempre oscura y las luces encendidas ante las imágenes.[1] Recuerdo que entre sueños oía los gritos de mi madre, las conversaciones misteriosas de los criados, el rechinar de las puertas y una campanilla que pasaba por la calle. Basilisa la Galinda venía por el candelero, [5] se lo llevaba un momento y lo traía con dos velas nuevas, que apenas alumbraban. Una de estas veces, al levantar la sien [2] de encima de la mesa, vi a un hombre en mangas de camisa que estaba cosiendo, sentado al otro lado. Era muy pequeño, con la frente calva y un chaleco [3] encarnado. Me saludó sonriendo: [10]

—¿Se dormía, estudioso puer [4]?

Basilisa espabiló [5] las velas:

—¿No te recuerdas de mi hermano, picarito?

Entre las nieblas del sueño, recordé al señor Juan de Alberte. Le había visto algunas tardes que me llevó la vieja a las torres de la [15] Catedral. El hermano de Basilisa cosía bajo una bóveda, remendando sotanas.[6] Suspiró la Galinda:

—Está aquí para avisar los óleos en la Corticela.[7]

Yo empecé a llorar, y los dos viejos me dijeron que no hiciese ruido. Se oía la voz de mi madre: [20]

—¡Espantarme ese gato! ¡Espantar ese gato!

Basilisa la Galinda entra en aquella alcoba, que estaba al pie de la escalera del fayado,[8] y sale con una cruz de madera negra. Murmura unas palabras oscuras y me santigua por el pecho, por la espalda y

---

[1] (imágenes de santos)
[2] the temple
[3] waistcoat; vest
[4] (muchacho)
[5] snuffed out

[6] cassocks; the vestments of the clergy
[7] para . . . **Corticela** to inform them in the Corticela when to administer extreme unction (**los óleos**)
[8] attic

por los costados. Después, me entrega la cruz, y ella toma las tijeras de su hermano, esas tijeras de sastre, grandes y mohosas,[9] que tienen un son de hierro al abrirse:

—Habemos de libertarla, como pide . . .

5 Me condujo por la mano a la alcoba de mi madre, que seguía gritando:

—¡Espantarme ese gato! ¡Espantarme ese gato!

Sobre el umbral me aconsejó en voz baja:

—Llega muy paso [10] y pon la cruz sobre la almohada . . . Yo 10 quedo aquí, en la puerta.

Entré en la alcoba. Mi madre estaba incorporada, con el pelo revuelto, las manos tendidas y los dedos abiertos como garfios.[11] Una mano era negra y otra blanca. Antonia la miraba, pálida y suplicante. Yo pasé rodeando, y vi de frente los ojos de mi hermana, negros, 15 profundos y sin lágrimas. Me subí a la cama sin ruido, y puse la cruz sobre las almohadas. Allá en la puerta, toda encogida sobre el umbral, estaba Basilisa la Galinda. Sólo la vi un momento, mientras trepé [12] a la cama, porque apenas puse la cruz en las almohadas, mi madre empezó a retorcerse, y un gato negro escapó de entre las ropas hacia 20 la puerta. Cerré los ojos, y con ellos cerrados, oí sonar las tijeras de Basilisa. Después la vieja llegóse a la cama donde mi madre se retorcía, y me sacó en brazos de la alcoba. En el corredor, cerca de la mesa que tenía detrás la sombra enana [13] del sastre, a la luz de las velas, enseñaba dos recortes negros que le manchaban las manos de 25 sangre, y decía que eran las orejas del gato. Y el viejo se ponía la capa, para avisar los santos óleos.

XVIII

Llenóse la casa de olor de cera y murmullo de gente que reza en confuso son . . . Entró un clérigo revestido, andando de prisa, con una mano de perfil sobre la boca. Se metía por las puertas guiado por 30 Juan de Alberte. El sastre, con la cabeza vuelta, corretea tieso y enano,[14] arrastra la capa y mece [15] en dos dedos, muy gentil, la gorra por la visera, como hacen los menestrales [16] en las procesiones. Detrás seguía un grupo oscuro y lento, rezando en voz baja. Iba por el centro de las estancias, de una puerta a otra puerta, sin extenderse.

---

[9] rusty
[10] softly
[11] hooks
[12] I climbed
[13] dwarfed

[14] corretea . . . enano   is going along
     stiff and tiny
[15] he swings
[16] workmen; mechanics

En el corredor se arrodillaron algunos bultos, y comenzaron a desgranarse [17] las cabezas. Se hizo una fila que llegó hasta las puertas abiertas de la alcoba de mi madre. Dentro, con mantillas y una vela en la mano, estaban arrodilladas Antonia y la Galinda. Me fueron empujando hacia adelante algunas manos que salían de los manteos oscuros,[18] y volvían prestamente a juntarse sobre las cruces de los rosarios. Eran las manos sarmentosas [19] de las viejas que rezaban en el corredor, alineadas a lo largo de la pared, con el perfil de la sombra pegado al cuerpo. En la alcoba de mi madre, una señora llorosa que tenía un pañuelo perfumado, y me pareció toda morada [20] como una dalia con el hábito nazareno, me tomó de la mano y se arrodilló conmigo, ayudándome a tener una vela. El clérigo anduvo en torno de la cama, con un murmullo latino, leyendo en su libro . . .

Después alzaron las coberturas y descubrieron los pies de mi madre rígidos y amarillentos.[21] Yo comprendí que estaba muerta, y quedé aterrado y silencioso entre los brazos tibios de aquella señora tan hermosa, toda blanca y morada. Sentía un terror de gritar, una prudencia helada, una aridez sutil, un recato perverso de moverme entre los brazos y el seno de aquella dama toda blanca y morada, que inclinaba el perfil del rostro al par de mi mejilla y me ayudaba a sostener la vela funeraria.

XIX

La Galinda vino a retirarme de los brazos de aquella señora, y me condujo al borde de la cama donde mi madre estaba yerta y amarilla, con las manos arrebujadas [22] entre los pliegues de la sábana. Basilisa me alzó del suelo para que viese bien aquel rostro de cera:

—Dile adiós, neno. Dile: Adiós, madre mía; más no te veré.

Me puso en el suelo la vieja, porque se cansaba, y después de respirar, volvió a levantarme metiendo bajo mis brazos sus manos sarmentosas:

—¡Mírala bien! Guarda el recuerdo para cuando seas mayor . . . Bésala, neno.

Y me dobló sobre el rostro de la muerta. Casi rozando aquellos párpados inmóviles, empecé a gritar, revolviéndome entre los brazos de la Galinda. De pronto, con el pelo suelto, al otro lado de la cama aparecióse Antonia. Me arrebató a [23] la vieja criada y me apretó

---

[17] shake; thrash about
[18] **manteos oscuros**   dark cloaks
[19] gnarled; vinelike
[20] purplish red

[21] yellowish
[22] **con . . . arrebujadas**   with her hands lumped together indistinctly
[23] **me arrebató a**   took me from

contra el pecho sollozando y ahogándose. Bajo los besos acongo-
jados [24] de mi hermana, bajo la mirada de sus ojos enrojecidos, sentí
un gran desconsuelo . . . Antonia estaba yerta,[25] y llevaba en la cara
una expresión de dolor extraño y obstinado. Ya en otra estancia,
5 sentada en una silla baja, me tiene sobre su falda, me acaricia, vuelve
a besarme sollozando, y luego, retorciéndome una mano, ríe, ríe,
ríe . . . Una señora le da aire con su pañolito; otra, con los ojos
asustados, destapa un pomo [26]; otra entra por una puerta con un vaso
de agua, tembloroso en la bandeja de metal.

XX

10   Yo estaba en un rincón, sumido en una pena confusa, que me hacía
doler las sienes como la angustia del mareo.[27] Lloraba a ratos y a
ratos me distraía oyendo otros lloros. Debía ser cerca de medianoche
cuando abrieron de par en par una puerta, y temblaron en el fondo
las luces de cuatro velas. Mi madre estaba amortajada en su caja
15 negra. Yo entré en la alcoba, sin ruido, y me senté en el hueco de la
ventana. Alrededor de la caja velaban tres mujeres y el hermano de
Basilisa. De tiempo en tiempo el sastre se levantaba y escupía [28] en
los dedos para espabilar [29] las velas. Aquel sastre enano y garboso,[30]
del chaleco encarnado, tenía no sé qué destreza bufonesca al arrancar
20 el pabilo [31] e inflar los carrillos [32] soplándose los dedos.
    Oyendo los cuentos de las mujeres, poco a poco fuí dejando de
llorar. Eran relatos de aparecidos [33] y de personas enterradas vivas.

XXI

    Rayando el día entró en la alcoba una señora muy alta, con los
ojos negros y el cabello blanco. Aquella señora besó a mi madre en
25 los ojos mal cerrados, sin miedo al frío de la muerte y casi sin llorar.
Después se arrodilló entre dos cirios, y mojaba en agua bendita una
rama de olivo y la sacudía sobre el cuerpo de la muerta. Entró Basilisa buscándome con la mirada, y alzó la mano llamándome:
    —¡Mira la abuela, picarito!
30   ¡Era la abuela! Había venido en una mula desde su casa de la
montaña, que estaba a siete leguas de Santiago. Yo sentía en aquel

---

[24] grieving; mournful
[25] (tiesa; inflexible)
[26] (botella pequeña)
[27] nausea; migraine
[28] escupir   to spit

[29] to snuff (candles)
[30] natty; elegant
[31] candlewick
[32] cheeks
[33] (espectros)

momento un golpe de herraduras sobre las losas del zaguán donde la
mula había quedado atada. Era un golpe que parecía resonar en el
vacío de la casa llena de lloros. Y me llamó desde la puerta mi
hermana Antonia:

—¡Niño! ¡Niño! 5

Salí muy despacio, bajo la recomendación de la vieja criada. Antonia me tomó de la mano y me llevó a un rincón:

—¡Esa señora es la abuela! En adelante viviremos con ella.

Yo suspiré:

—¿Y por qué no me besa? 10

Antonia quedó un momento pensativa, mientras se enjugaba los
ojos:

—¡Eres tonto! Primero tiene que rezar por mamá.

Rezó mucho tiempo. Al fin se levantó preguntando por nosotros,
y Antonia me arrastró de la mano. La abuela ya llevaba un pañuelo 15
de luto sobre el crespo [34] cabello, todo de plata, que parecía realzar [35]
el negro fuego de los ojos. Sus dedos rozaron levemente mi mejilla, y
todavía recuerdo la impresión que me produjo aquella mano de
aldeana, áspera y sin ternura. Nos habló en dialecto:

—Murió la vuestra madre, y ahora la madre lo seré yo . . . Otro 20
amparo no tenéis en el mundo . . . Os llevo conmigo porque esta
casa se cierra. Mañana, después de las misas, nos pondremos al
camino.

XXII

Al día siguiente mi abuela cerró la casa, y nos pusimos en camino
para San Clemente de Brandeso. Ya estaba yo en la calle montado 25
en la mula de un montañés que me llevaba delante en el arzón,[36] y
oía en la casa batir las puertas, y gritar buscando a mi hermana Antonia. No la encontraban, y con los rostros demudados [37] salían a
los balcones, y tornaban a entrarse y a correr las estancias vacías,
donde andaba el viento a batir las puertas, y las voces gritando por 30
mi hermana. Desde la puerta de la Catedral una beata la descubrió
desmayada en el tejado.[38] La llamamos y abrió los ojos bajo el sol
matinal, asustada como si despertase de un mal sueño. Para bajarla
del tejado, un sacristán con sotana y en mangas de camisa saca una
larga escalera. Y cuando partíamos, se apareció en el atrio, con la 35

---

[34] curly   [37] changed; altered
[35] to intensify   [38] roof
[36] saddletree

capa revuelta por el viento, el estudiante de Bretal. Llevaba a la cara una venda negra, y bajo ella creí ver el recorte [39] sangriento de las orejas rebanadas a cercén. [40]

XXIII

En Santiago de Galicia, como ha sido uno de los santuarios del 5 mundo, las almas todavía conservan los ojos abiertos para el milagro.

PREGUNTAS

1. ¿Qué oía el niño entre sueños?
2. ¿Cómo estaba vestido el hermano de Basilisa?
3. ¿Dónde le había visto antes el niño?
4. ¿Cuál es el oficio del hermano?
5. ¿A qué había llegado allí Juan de Alberte?
6. ¿De quién son las tijeras?
7. ¿A quién han de libertar?
8. ¿Dónde puso el joven la cruz?
9. ¿Qué ocurrió al dejar él allí la cruz?
10. ¿Qué había hecho Basilisa con las tijeras?
11. ¿Qué le enseñó Basilisa al niño en el corredor?
12. ¿A dónde fué la vieja?
13. ¿A quién encuentra el niño en la alcoba de la madre?
14. ¿Por qué tuvo miedo el niño en la alcoba?
15. ¿Quién le tomó de los brazos de la Galinda?
16. ¿Quiénes velaban en la alcoba de la madre?
17. ¿Quién cuidaba las velas?
18. ¿Cómo había llegado la abuela? ¿De dónde?
19. ¿Quién le presenta a él a la abuela?
20. ¿Cómo son los ojos de la abuela? ¿El cabello? ¿Su mano?
21. ¿Dónde vivirán en adelante el niño y su hermana?
22. ¿Cuándo iban a ponerse en camino?
23. ¿Qué hacen en la casa mientras que esperan en la calle?
24. ¿Quién saca a Antonia del tejado? ¿Cómo?
25. ¿A quién se vió en el atrio?
26. ¿Cómo era distinto el estudiante?
27. ¿Qué cosa extraordinaria se nota en el aspecto del estudiante?

---

[39] outline   [40] **rebanadas a cercén**   sliced off completely

EJERCICIOS

I. *Termine las frases:*

a. El que ha perdido el pelo de la cabeza es 1. desafortunado
_____. 2. calvo
  3. perdido
b. El artesano frecuentemente trabaja en mangas de
_____.

c. Otra palabra que quiere decir alcoba es _____.
d. El hombre que cose vestidos es un _____.
e. Otra palabra que quiere decir suelo es _____. 1. grupo
  2. piso
  3. solo
f. Para subir al tejado necesitamos una _____.
g. Cuando la puerta está completamente abierta, decimos que está
abierta de par en _____.
h. Ese ángulo donde se juntan dos paredes se llama un _____.
i. El símbolo de la religión cristiana es la _____.
j. Una persona acostada apoya la cabeza sobre una _____.

II. *Haga substantivos de estos infinitivos:*

besar	conversar	expresar
gritar	mirar	recordar
saludar	sonar	soñar

III. *Cambie al presente:*

| alcé | apretó | besaré | creí | descubrió |
| empecé | oyeron | parecían | rió | supe |

IV. *Haga contrastes:*

a. los negros y los _____
b. los ricos y los _____
c. las almas y los _____
d. de día y de _____
e. por la mañana y por la _____
f. las llegadas y _____
g. lleno, _____
h. los santos y _____
i. los lobos y las _____
j. hielo y _____

V. *Traduzca al castellano:*

a. The sacristan entered, guided by the tailor.
b. The windows of the balcony were wide open.

c. "Goodbye," I was saying to myself, "I shall not see (*volver a ver*) these things again!"

d. Many people came out (*salir a*) on the balcony and someone was shouting the name (*nombre*) of my sister.

e. I could hear the mule entering (*entrar*) the yard.

f. Galinda came after some moments and took (*sacar*) me from the arms of that lady.

g. Someone brought me a glass of water on a metal tray (*bandeja*).

PÍO BAROJA 1872-1956

ENTRE los grandes de la novela hispana figura el nombre de Pío Baroja Nessi, el voluntarioso [1] y excéntrico vasco. [2] De muchacho vive en Madrid, donde cursa el bachillerato y emprende [3] la carrera de medicina. Graduado de médico, ejerce la profesión con poco entusiasmo en un pueblo de la región vasca, abandonando la carrera al cabo de corto tiempo para volver a Madrid. Ahí junto con su hermano Ricardo intenta el manejo [4] de una panadería. [5] Falla [6] el negocio en 1902, a partir de esa época se dedica definitivamente al periodismo y a la literatura.

Es tan voluminosa la obra de Baroja, tan numerosos y variados sus temas, opiniones y prejuicios [7] que solamente se pueden mencionar algunas de sus más de cien obras y de sus ideas más sobresalientes.

Entre sus novelas más leídas en el presente tiempo se destacan la trilogía La lucha por la vida y las novelas El árbol de la ciencia, Camino de perfección y Zalacaín el aventurero. Casi sin excepción, Baroja hace representar su filosofía, pensamiento y personalidad por boca de sus personajes. [8]

En El árbol de la ciencia, Andrés el estudiante de medicina, indeciso, incapaz de vivir más entre la crueldad y sordidez del mundo, se suicida de joven. En cambio, el enérgico y pintoresco Zalacaín de Zalacaín el aventurero está lleno de vida y quiere vivir, mas su vida de frenética [9] acción se acaba a la edad de 24 años cuando lo asesinan a traición. [10]

En El mundo es ansí dice el personaje central, Sacha la rusa, resumiendo el pesimismo del autor:

—La vida es esto: crueldad, inconsciencia, [11] desdén de la fuerza por la debilidad, y así son los hombres y las mujeres, y así somos todos.

Ve Baroja al hombre como un ser tímido e indeciso atrapado [12] en un mundo cruel e irracional que se repite eternamente, siendo la única escapatoria de su fastidio [13] y abulia [14] una vida de acción sin contemplaciones.

Fueron de Nietzsche y Schopenhauer las corrientes filosóficas que más influyeron en su obra.

Los valores literarios barojianos no se hallan ni en el argumento ni en el estilo sino en una completa sinceridad, en su calidad de observador

---

[1] willful; headstrong
[2] Basque
[3] takes up; undertakes
[4] management
[5] bakery
[6] fallar   to fail
[7] prejudices

[8] fictional characters
[9] frenetic; frantic
[10] a traición   treacherously
[11] hardness; insensibility
[12] trapped
[13] boredom
[14] atrophy of the will

penetrante [15] sin poses ni hipocresías; es enemigo de lo meramente artístico, de lo fingido,[16] lo teatral y lo imitado. Aunque en su trabajo se encuentran páginas de verdadera balleza lírica, su tono habitual es de pesimismo e ironía. La insistencia con que presenta Baroja sus opiniones y sus ideas tiende a reducir el interés del lector y rebajar [17] el valor de su obra novelesca.

Aunque Baroja negaba [18] la existencia de la llamada generación del 98, no es menos verdad que la crítica, incluso Azorín, ha continuado a identificarle con las tendencias y aspiraciones de ese grupo.

Con motivo de la guerra civil se refugió Baroja en Francia en el verano de 1936, volviendo a España en 1940. Escribió seis tomos de Memorias entre 1944 y 1949, habiendo sido tomadas las páginas que siguen de la parte intitulada Desde la última vuelta [19] de camino, donde se hallan discutidos con asombroso candor muchos de los autores europeos de su época, sin escaparse de igual trato sus amistades y contertulios [20] de Madrid.

---

[15] calidad . . . penetrante capacity for keen observation
[16] dissimulations
[17] (reducir)
[18] denied
[19] bend; turn
[20] (compañeros)

Desde la última vuelta del camino

MEMORIAS

El caso de Valle-Inclán no fué completamente igual al mío. Al principio su aspecto y sus melenas [1] produjeron un tanto la irritación de la gente.[2] Pero, sin duda, sus teorías y sus primeros escritos gustaban al público. Literariamente a mí se me reprochaban muchas cosas, y a él se le alababa incondicionalmente. Hasta por su físico [3] tuvo sus 5 alabanzas.

«La noble, ascética y peregrina [4] figura de Valle-Inclán», dice César Barja [5] en su obra *Libros y escritores contemporáneos*. Yo no le noté que tuviera tipo noble ni ascético; ahora, peregrino, no sé, porque es palabra de muy poca precisión. 10

Juan Sarrailh [6] describe a Valle-Inclán y le llama personaje de leyenda, y dice que no se sabe con exactitud en qué circunstancia perdió el brazo. Todos los escritores del tiempo saben que tuvo una disputa con Manuel Bueno [7] en el Café de La Montaña, que éste le dió un golpe con un bastón [8] en la muñeca,[9] que se le clavó [10] el 15 gemelo [11] en el hueso, que no se cuidó bien y que se le infectó y que le tuvieron que cortar el brazo.

Pedro González Blanco [12] habló del bello rostro nazareno de Valle-Inclán. Es curioso este espejismo.[13]

Valle-Inclán no era hombre de cara bonita, ni mucho menos; sin 20 embargo, para muchos era algo como un gigante y hasta como un Apolo.

Para la gente, era el tipo del escritor de las calles de Madrid, el hombre a quien se escuchaba en un café, y quizá hacía esto que le perdonaran como a un tipo pintoresco. 25

Valle-Inclán tenía una aspiración a la gloria como ninguno de sus

---

[1] (cabello largo, que cae sobre la cara; se dice que el león tiene melena)
[2] produjeron . . . gente caused people to be somewhat irritated
[3] physique
[4] (singular, rara, hermosa, excelente, etc.)
[5] César Barja (hábil escritor y crítico literario español, ?–1951)
[6] Juan Sarrailh (Jean Sarrailh, erudito francés contemporáneo, ha hecho valiosos estudios sobre la literatura española)

[7] Manuel Bueno (escritor de artículos de crítica, y de costumbres, 1874–1936)
[8] walking stick
[9] wrist
[10] se le clavó was driven (nailed)
[11] cuff link
[12] González Blanco, Pedro (periodista y crítico español del período contemporáneo)
[13] (ilusión)

compañeros. Tenía una voluntad tensa y firme que contrastaba con la de los demás, floja [14] y desmayada.[15]

Según sus compañeros de estudios en Santiago de Galicia, se llamaba Ramón Valle y Peña, y se convirtió en Ramón María del 5 Valle-Inclán y Montenegro. Estuvo empleado durante casi toda la vida; según la gente no había tenido ningún destino ni empleo jamás.

Se decía que tenía un magnífico palacio en su pueblo, que creo que era Villanueva de Arosa. Algunos escritores que habían estado 10 por allí daban noticias contradictorias, pero un corredor de libros [16] que era del mismo pueblo me aseguró que, efectivamente, había allí las ruinas de un palacio, pero que era del marqués de Bolaños y tenía el escudo [17] de esta familia.

Tiempo después le dieron un banquete a Valle-Inclán, y los co-15 mensales [18] pidieron al Gobierno que devolvieran el palacio de sus ascendientes [19] al escritor.

De esto se hablaba por uno de los asistentes al banquete delante de Ortega y Gasset [20] y de mí.

—Pero, ¿hay un palacio o no hay un palacio? —pregunté yo a 20 Ortega, y como éste se sonreía, le dije—: ¿Usted no ha estado por allí?

—Sí.

—¿Y ha visto el palacio?

—Sí; hay un palacio en la ría de Arosa.

25   —¿Y es hermoso?

—Magnífico. Pero es un antiguo palacio del conde de Lemos, que ahora es de mi tío Rafael Gasset, y que se ha convertido en fábrica de salazón.[21]

Yo no tengo para qué confesar que la teoría y la técnica literaria 30 de Valle-Inclán no me producían ningún entusiasmo.

Lo único que encontraba extraordinario en este escritor era el anhelo [22] que tenía de perfección en su obra. Esto me parecía bien. En otro lado he escrito que Sorolla [23] me decía una vez que él se había hecho rico y famoso con la clase de pintura que hacía y que si 35 supiera que con otra forma de arte podía producir otra obra de más

---

[14] (que no tiene vigor)
[15] (que no tiene fuerza, espíritu)
[16] **corredor de libros**   book dealer
[17] coat of arms
[18] dinner guests
[19] **sus ascendientes**   his ancestors
[20] **Ortega y Gasset** (gran **escritor**, crí-

tico, pensador español; autor del famoso *Rebelión de las masas*)
[21] **fábrica de salazón**   meat-salting factory
[22] (deseo)
[23] **Joaquín Sorolla** (1863–1923, célebre pintor valenciano)

categoría,[24] no la intentaría y seguiría fiel a la que había hecho ya y que le había dado el éxito y la fortuna.

Esto Valle-Inclán no lo hubiera hecho. Si hubiese vislumbrado un sistema literario, una forma nueva, aunque no la hubiesen estimado más que diez o doce personas, hubiera abandonado sus viejas recetas 5 y hubiese ido a lo nuevo, aun a riesgo de quedar en la miseria.

Yo, por mi parte, no creo que sería capaz de hacer lo mismo; ir hasta el dolor y a la enfermedad para producir una obra de arte, de eso creo que no sería capaz.

Yo reconozco que tenía un fondo de antipatía física y moral por 10 Valle-Inclán. Uno de los primeros motivos de esa antipatía fué un perro. Yo he sentido siempre una cierta compasión por los animales. En esa cuestión, como en muchas otras, me siento más próximo al budismo que al semitismo. Un animal me parece una desgracia viva, y si me dieran a elegir entre ser perro, gato, o un arroyo o una piedra, 15 preferiría ser arroyo o piedra que animal.

Yo no soy de esas personas que tienen necesidad de vivir con animales caseros,[25] pero si los hay, no me gusta hacerles daño.

Por los perros tengo, más que nada, compasión. Ese entusiasmo que tienen por un animal tan dañino [26] como el hombre me da la 20 impresión de poca inteligencia y de poco instinto.

Yo tenía un perro del que ha hablado Azorín [27] en un artículo. Se llamaba *Yock*.[28] Era demasiado sentimental [29] y se creía interesante. Un día, hace más de cuarenta años, Valle-Inclán vino a mi casa, a la calle de la Misericordia, para hablarme de no sé qué. Estábamos en 25 el despacho.[30] Cuando hablábamos se acercó el perro y se puso de pie [31] a hacer sus gracias.[32]

—Bueno, vete —le dije yo.

El perro se retiró como avergonzado [33] y se echó en el suelo.

Poco después no sé qué discusión hubo entre Valle-Inclán y yo, 30 y yo me subí a una silla coja,[34] la única que tenía a mano, para alcanzar un libro en un armario [35] alto. No lo encontraba. En esto volví la cabeza y vi que el perro se ponía de nuevo de pie, delante de Valle-Inclán, y que éste le daba un golpe con la punta del zapato en

el hocico,[36] y que el perro se alejaba gimiendo.[37] Me pareció una cosa tan estúpida, que estuve a punto de insultar a Valle-Inclán, pero el equilibrio que tenía yo sobre la silla coja era tan difícil, que no permitía frases, y bajé y contuve mi desagrado,[38] y dije que tenía que ir
5 a trabajar.

Además de la antipatía física, había entre nosotros una antipatía intelectual.

Pero existía una diferencia, y era que él, con razón o sin ella, temía que el mejor día,[39] o en la mejor ocasión,[40] yo hiciera algo que
10 estuviera bien, y yo, con motivo o sin él, no tenía ese temor. ¿Por qué? Principalmente, porque yo creía que su idea de la novela y del estilo era radicalmente falsa, y que no podía llevar más que a obras amaneradas[41] y sin valor. Cualquiera, al oírnos hablar, hubiera pensado: «Valle-Inclán es el que se cree seguro y Baroja el vacilante[42]», y no
15 había tal.[43] Así resultaba, que él leía mis libros cuando aparecían, y yo no leía los suyos, porque, dadas sus premisas, yo estaba seguro de que no me podían gustar.

Una buena idea de sí mismo es la base de muchas superioridades del mundo: de las sociales, de las artísticas y de las literarias. Lo
20 primero que hay que tener es confianza en uno y en sus condiciones, tanto en las verdaderas como en las falsas. Valen tanto las unas como las otras.

PREGUNTAS

1. ¿Qué dice Baroja de los primeros escritos de Valle-Inclán?
2. ¿Recibió el público tan entusiásticamente las obras de Pío Baroja?
3. ¿Qué dijo Baroja de la figura de Valle-Inclán?
4. ¿Qué dice Baroja de la cara de Valle-Inclán?
5. ¿Quién consideró pintoresco a Valle-Inclán?
6. ¿Qué pidieron algunos al gobierno cuando se dió un banquete a Valle-Inclán?
7. ¿Qué dijo Ortega del palacio?
8. ¿Qué encontraba extraordinario Baroja en Valle-Inclán?
9. Según Baroja, ¿escribía Valle-Inclán para dar gusto al público?
10. ¿Qué le hubiera causado a Valle-Inclán dejar sus viejas recetas?

---

[36] snout
[37] gemir   to whine
[38] (disgusto; descontento)
[39] el mejor día   some fine day
[40] la mejor ocasión   somehow

[41] affected; having mannerisms
[42] (que no tiene confianza; que tiene dudas)   unstable
[43] no había tal (no era así; no era cierto)

11. ¿Qué clase de antipatía tenía Baroja por Valle-Inclán?
12. ¿Piensa Baroja que los animales están contentos?
13. ¿Cómo se llama el perro del autor?
14. ¿En qué calle vivía Baroja?
15. ¿Quién vino a hablarle?
16. ¿Por qué subió Baroja a una silla?
17. ¿Qué vió Baroja al volver la cabeza?
18. Según Baroja, ¿qué temía Valle-Inclán?
19. ¿Por qué no leía Baroja los libros de Valle-Inclán?

EJERCICIOS

I. *Dé el infinitivo de:*

convirtió	gimiendo	hubiese	produjeron	se puso
reconozco	sé	supiera	vete	vi

II. *Haga pares de palabras relacionadas:*

nariz	( )	1.	brazo
melenas	( )	2.	cara
muñeca	( )	3.	oficina
rostro	( )	4.	hocico
despacho	( )	5.	cabellos

III. *Haga sustantivos de estos infinitivos:*

(*a*) llegar, llegada   (*b*) alabar   (*c*) emplear
(*d*) dañar   (*e*) obrar   (*f*) golpear

IV. *Termine estas frases:*

a. una obra de _____ (*art*)
b. sus novelas gustaban al _____ (*public*)
c. el perro es un animal _____ (*unfortunate*)
d. el animal se _____ de pie (*stood upright*)
e. volví la _____ para verle mejor (*head*)
f. el perro se _____ (*went off*) gimiendo
g. no cuidó bien la herida y se le _____ (*infected*)
h. era difícil mantener el _____ sobre aquella silla _____
   (*equilibrium; wobbly*)
i. La antipatía era física y _____ (*moral*).
j. Creía que sus obras eran sin _____ (*value*).

v. *Traduzca al español:*

   a. For many he was somewhat like a giant.

   b. They liked to listen to him in cafés.

   c. The old palace had been converted into a factory.

   d. He read my novels, but I did not read his.

   e. Some called him a legendary character.

JOSÉ MARTÍNEZ RUIZ (AZORÍN)
1874–

JOSÉ MARTÍNEZ RUIZ, mejor conocido con el seudónimo «Azorín»,es uno de los grandes autores españoles de la época contemporánea. Nació en un pueblo de Alicante,[1] estudió derecho en la Universidad de Valencia y se trasladó a Madrid en 1896.

Azorín ha sido activo en el periodismo madrileño, y sus artículos han aparecido en los principales diarios y revistas de la capital. Ha publicado cuentos, novelas, artículos y ensayos, aunque tal vez su influencia ha sido más fuerte en el ensayo y en la crítica.

Productos de una mentalidad y un arte muy originales, las novelas de Azorín contienen pocos incidentes novelescos, poco movimiento, nada de violencia. Azorín huye de lo melodramático y de lo humorístico. Carecen de argumento sus novelas. La voluntad (1902), Don Juan (1922), y Doña Inés (1925) son características de su producción novelesca.

Azorín es venerado como crítico literario. Dos célebres tomos suyos son Clásicos y modernos (1913), en que figura el renombrado ensayo «La generación de 98», y Al margen de los clásicos (1915), donde explora los valores y bellezas de obras maestras de la literatura española.

Sólo por su habilidad de representar y describir el paisaje español merecería Azorín un sitio permanente en la literatura española. En el ensayo que sigue, podemos ver pintado· por mano hábil el sobrio y monótono paisaje de aquella región que dió sustento a los sueños e ilusiones de don Quijote de la Mancha.

[1] (puerto en el mar Mediterráneo al
   sur de Valencia)

La Mancha

Yo creo que le debo contar al lector, punto por punto, sin omisiones, sin efectos, sin lirismos, todo cuanto [1] hago y cuanto veo. A las seis, esta mañana allá en Argamasilla,[2] ha llegado a la puerta de mi posada Miguel con su carrillo. Era ésta una hora en que la insigne ciudad
5 manchega aún estaba medio dormida; pero yo amo esta hora, fuerte, clara, fresca, fecunda, en que el cielo está transparente, en que el aire es diáfano, en que parece que hay en la atmósfera una alegría, una voluptuosidad, una fortaleza que no existe en las restantes horas diurnas.[3]
10 —Miguel —le he dicho yo—, ¿vamos a marchar?

—Vamos a marchar cuando usted quiera —me ha dicho Miguel.

Y yo he subido en el diminuto y destartalado [4] carro; la jaca [5]— una jaquita microscópica—ha comenzado a trotar vivaracha [6] y nerviosa. Y, ya fuera del pueblo, la llanura ancha, la llanura inmensa, la
15 llanura infinita, la llanura desesperante, se ha extendido ante nuestra vista. En el fondo, allá en la línea remota del horizonte, aparecía una pincelada [7] larga, azul, de un azul claro, tenue, suave; acá y allá, refulgiendo [8] al sol, destacaban las paredes blancas, nítidas,[9] de las casas diseminadas en la campiña; el camino, estrecho, amarillento,
20 se perdía ante nosotros, y de una banda [10] y de otra, a derecha e izquierda, partían centenares y centenares de surcos,[11] rectos, interminables, simétricos.

—Miguel —he dicho yo—, ¿qué montes son esos que se ven en el fondo?
25 —Esos montes —me contesta Miguel— son los montes de Villarrubia.

La jaca corre desesperada, impetuosa; las anchurosas piezas [12] se suceden iguales, monótonas; todo el campo es un llano uniforme, gris, sin un altozano,[13] sin la más suave ondulación. Ya han quedado atrás,
30 durante un momento, las hazas [14] sembradas, en que el trigo temprano o el alcacel [15] comienzan a verdear [16] sobre los surcos; ahora todo el

---

[1] **todo cuanto**   all that
[2] **Argamasilla** (lugar de la Mancha unas millas al este de **Ciudad Real**)
[3] (del día)
[4] (desproporcionado y sin orden)
[5] pony
[6] (con vida, espíritu)
[7] brush stroke
[8] (resplandeciente)

[9] (limpias)
[10] (lado)
[11] furrows
[12] (distancias)
[13] (pequeña elevación o eminencia)
[14] (campos)
[15] green barley
[16] get green

campo que abarca [17] nuestra vista es una extensión gris, negruzca, desolada.

—Esto —me dice Miguel— es *liego* [18]; un año se hace la barbechera [19] y otro se siembra.

Liego vale tanto como eriazo [20]; un año las tierras son sembradas; 5 otro año se dejan sin labrar; otro año se labran—y es lo que lleva el nombre de barbecho—, otro año se vuelven a sembrar. Así una tercera parte de la tierra, en esta extensión inmensa de la Mancha, es sólo utilizada. Yo extiendo la vista por esta llanura monótona; no hay ni un árbol en toda ella; no hay en toda ella ni una sombra; a trechos,[21] 10 cercanos unas veces, distantes otras, aparecen en medio de los anchurosos bancales sembradizos [22] diminutos pináculos [23] de piedra; son los *majanos* [24]; de lejos, cuando la vista los columbra [25] allá en la línea remota del horizonte, el ánimo desesperanzado, hastiado,[26] exasperado, cree divisar [27] un pueblo. Mas el tiempo va pasando; unos 15 bancales se suceden a otros; y lo que juzgábamos poblado se va cambiando, cambiando en estos pináculos de cantos grises,[28] desde los cuales, inmóvil, misterioso, irónico, tal vez un cuclillo [29]—uno de estos innumerables cuclillos de la Mancha—nos mira con sus anchos y gualdos [30] ojos . . .   20

Ya llevamos caminando cuatro horas; son las once; hemos salido a las siete de la mañana. Atrás, casi invisible, ha quedado el pueblo de Argamasilla; sólo nuestros ojos, al ras de [31] la llanura, columbran el ramaje [32] negro, fino, sutil, aéreo de la arboleda [33] que exorna [34] el río; delante destaca siempre, inevitable, en lo hondo, el azul, ya más 25 intenso, ya más sombrío, de la cordillera lejana. Por este camino, a través de estos llanos, a estas horas precisamente, caminaba una mañana ardorosa de julio el gran Caballero de la Triste Figura [35]; sólo recorriendo estas llanuras, empapándose de [36] este silencio, gozando de la austeridad de este paisaje, es como se acaba de amar del todo, 30

[17] takes in; encompasses
[18] liego   fallow land (**tierra laborable que no se usa por mucho tiempo**)
[19] series of plowings
[20] land never cultivated
[21] (intervalos)
[22] bancales sembradizos   oblong plots
[23] piles
[24] mounds of stones used for landmarks
[25] columbrar (percibir, con dificultad; ver una cosa desde lejos)
[26] (disgustado; cansado; aburrido)
[27] (columbrar)
[28] pináculos . . . grises   heaps of grey stones
[29] cuckoo
[30] (color de amarillo, oro)
[31] al ras de (paralelo, en el mismo plano como . . .)
[32] (follaje; ramas)
[33] (sitio con árboles)
[34] (adorna)
[35] Caballero . . . Figura (Don Quijote de la Mancha)
[36] empaparse de (absorber; embeber; saturarse de)

íntimamente, profundamente, esta figura dolorosa. ¿En qué pensaba
don Alonso Quijano el Bueno cuando iba por estos campos a horcajadas [37] en Rocinante, dejadas las riendas de la mano, caída la noble,
la pensativa, la ensoñadora [38] cabeza sobre el pecho? ¿Qué planes, qué
5 ideales imaginaba? ¿Qué inmortales y generosas empresas iba fra-
guando [39]?

Mas ya, mientras nuestra fantasía—como la del hidalgo manchego—
ha ido corriendo, el paisaje ha sufrido una mutación considerable. No
os esperancéis [40]; no hagáis que vuestro ánimo se regocije [41]: la llanura
10 es la misma; el horizonte es idéntico; el cielo es el propio cielo radiante;
el horizonte es el horizonte de siempre, con su montaña zarca [42]; pero
en el llano han aparecido unas carrascas [43] bajas, achaparradas,[44]
negruzcas, que ponen intensas manchas rotundas sobre la tierra
hosca.[45] Son las doce de la mañana; el campo es pedregoso [46]; flota en
15 el ambiente cálido de la primavera naciente un grato olor de romero,
de tomillo y de salvia [47]; un camino cruza hacia Manzanares.[48] ¿No
sería acaso en este paraje, junto a este camino, donde don Quijote
encontró a Juan Haldudo,[49] el vecino de [50] Quintanar? ¿No fué ésta
una de las más altas empresas del caballero? ¿No fué atado Andresillo
20 a una de estas carrascas y azotado bárbaramente por su amo? Ya
don Quijote había sido armado caballero; ya podía meter [51] el brazo
hasta el codo en las aventuras; estaba contento; estaba satisfecho; se
sentía fuerte; se sentía animoso.[52] Y entonces, de vuelta a Argamasilla, fué cuando deshizo este estupendo entuerto.[53] «He hecho al fin
25 —pensaba él— una gran obra.» Y en tanto Juan Haldudo amarraba [54]
otra vez al mozuelo a la encina y proseguía en el despiadado vapuleo.[55] Esta ironía honda y desconsoladora tienen todas las cosas de
la vida . . .

---

[37] (a caballo, con cada pierna por su
lado; Alonso Quijano era el señor
que se hizo caballero andante dándose el nombre de Don Quijote)
[38] musing; dreaming
[39] scheming; planning
[40] esperanzar (dar esperanza)
[41] regocijarse (alegrarse; recibir alegría)
[42] (de color azul claro)
[43] pin oaks (encinas)
[44] (encinas con muchas ramas, poca
altura)
[45] (de color bruno oscuro; triste)
[46] (lleno de piedras)
[47] romero . . . salvia   rosemary, thyme,
and sage

[48] Manzanares (10 millas al norte de
Argamasilla)
[49] Juan Haldudo, «el rico». (Se lee
esta aventura en el Capítulo IV,
Primera parte del *Quijote.*)
[50] vecino de (habitante de; residente
de)
[51] ya . . . aventuras   now he could
have all the adventures he wanted
[52] (valiente)
[53] (agravio; injuria; daño)
[54] bound
[55] despiadado vapuleo (azotes sin compasión; castigo inhumano)

Pero, lector, prosigamos nuestro viaje; no nos entristezcamos.[56] Las quiebras [57] de la montaña lejana ya se ven más distintas; el color de las faldas [58] y de las cumbres,[59] de azul claro ha pasado a azul gris. Una avutarda [60] cruza lentamente, pausadamente, sobre nosotros; una bandada de grajos, [61] posada en un bancal, levanta el vuelo y se aleja graznando [62]; la transparencia del aire, extraordinaria, maravillosa, nos deja ver las casitas blancas remotas; el llano continúa monótono, yermo.[63] Y nosotros, tras horas y horas de caminata [64] por este campo, nos sentimos abrumados,[65] anonadados,[66] por la llanura inmutable, por el cielo infinito, transparente, por la lejanía inaccesible. Y ahora es cuando comprendemos cómo Alonso Quijano [67] había de nacer en estas tierras, y cómo su espíritu, sin trabas,[68] libre, había de volar frenético por las regiones del ensueño y de la quimera.[69] ¿De qué manera no sentirnos aquí desligados [70] de todo? ¿De qué manera no sentir que un algo misterioso, que un anhelo [71] que no podemos explicar, que una ansia indefinida, inefable, surge de nuestro espíritu? Esta ansiedad, este anhelo es la llanura gualda, bermeja,[72] sin una altura, que se extiende bajo un cielo sin nubes hasta tocar, en la inmensidad remota, con el telón[73] azul de la montaña. Y esta ansia y este anhelo es el silencio profundo, solemne, del campo desierto,[20] solitario. Y es la avutarda que ha cruzado sobre nosotros con aleteos pausados.[74] Y son los montecillos de piedra, perdidos en la estepa,[75] y desde los cuales, irónicos, misteriosos, nos miran los cuclillos . . .

Pero el tiempo ha ido transcurriendo; son las dos de la tarde; ya hemos atravesado rápidamente el pueblecillo de Villarta; es un pueblo blanco, de un blanco intenso, de un blanco mate, con las puertas azules. El llano pierde su uniformidad desesperante; comienza a levantarse el terreno en suaves ondulaciones; la tierra es de un rojo sombrío; la montaña aparece cercana; en sus laderas [76] se asientan cenicientos [77] olivos. Ya casi estamos en el famoso Puerto Lápiche.

[56] entristecerse (ponerse triste)
[57] fissures; breaks
[58] slopes
[59] summits
[60] bustard
[61] jackdaws; rooks
[62] cawing
[63] (desierto)
[64] moving along
[65] (fatigados; entristecidos; agotados)
[66] (desanimados; desalentados)
[67] See footnote 37.
[68] fetters; bonds

[69] ensueño . . . quimera (sueños y de la fantasía)
[70] desligados   free of all bonds
[71] (un deseo vehemente, fuerte)
[72] reddish
[73] curtain
[74] aleteos pausados   leisurely, unhurried flapping of wings
[75] (llanura extensa; erial llano y extenso)
[76] slopes
[77] ash-gray

El puerto es un anchuroso paso que forma una depresión de la montaña; nuestro carro sube corriendo por el suave declive; muere la tarde; las casas blancas del lugar aparecen de pronto. Entramos en él; son las cinco de la tarde; mañana hemos de ir a la venta famosa
5 donde don Quijote fué armado caballero.[78]

Ahora, aquí en la posada del buen Higinio Mascaraque, yo he entrado en un cuartito pequeño, sin ventanas, y me he puesto a escribir, a la luz de una bujía,[79] estas cuartillas.[80]

PREGUNTAS

1. Según Azorín, ¿cuánto le debe contar al lector?
2. ¿A qué hora llegó Miguel?
3. ¿Cómo indica el autor que la hora es temprana?
4. ¿Por qué le gusta al autor esa hora en Argamasilla?
5. ¿Por qué es la presencia de Miguel tan necesaria para el viaje?
6. ¿Qué tira el carrillo?
7. ¿Qué genio tiene el animal?
8. ¿Cuáles son los adjetivos que emplea el autor para describir la llanura?
9. ¿Qué dice el autor del camino?
10. ¿Qué montes podían ver desde el camino?
11. Al principio había campos sembrados. ¿Cómo se describe el campo que ven después?
12. ¿Qué parte de la tierra de la Mancha es utilizada? ¿Por qué?
13. ¿Tiene árboles aquel paisaje?
14. ¿Cómo se llaman los pináculos de piedra?
15. ¿Podían ver, después de algunas horas de viaje, el pueblo de Argamasilla?
16. ¿En quién piensa el autor, alguien que había viajado antes el mismo camino?
17. ¿De qué manera cambia el paisaje?
18. ¿En qué estación del año fué la excursión?
19. ¿Quién fué Juan Haldudo?
20. ¿A quién azotaba Haldudo cuando llegó don Quijote?
21. ¿Qué hizo Haldudo cuando se fué el caballero?
22. ¿Es pesimista Azorín cuando habla de aquella famosa aventura?

[78] (La referencia es a *Don Quijote*, Primera parte, Capítulo II. Azorín ha viajado algunas treinta millas.)
[79] (vela)
[80] (páginas)

23. ¿Cómo se siente uno después de horas y horas de viajar por aquel campo?
24. ¿De qué color es la llanura?
25. ¿Qué clase de pueblecillo es Villarta?
26. ¿Cómo se llama el lugar donde termina el viaje?
27. ¿Dónde duerme Azorín?

EJERCICIOS

I. *Haga los contrastes indicados:*

a. las horas _____ o las horas nocturnas
b. las montañas o las _____
c. la ciudad o el _____
d. entrar o _____
e. trotar o _____
f. microscopia o _____
g. fuerte o _____
h. rápido o _____
i. ancho o _____
j. radiante u _____

II. *Llene los espacios con las partes del cuerpo que corresponden:*

a. con las riendas en la _____
b. con la cabeza sobre el _____
c. meter el brazo hasta el _____
d. con una sonrisa en el _____
e. los _____ se cansan de tanto resplandor
f. no abrió la _____ para beber ni comer
g. los dedos de la _____
h. las uñas de los _____

III. *Dé un sinónimo que termine en* ar:

aborrecer	concluir	irse
ocurrir	permitir	querer

IV. *Haga adjetivos según se indica:*

a. la ciudad _____ (*de la Mancha*)
b. las montañas _____ (*en la distancia*)

c. una cosa _____ (*como una maravilla*)

d. surcos _____ (*que no terminan*)

e. esa figura _____ (*llena de dolor*)

f. un aire _____ (*lleno de misterio*)

v. *Traduzca:*

a. I was still half asleep.

b. Outside the village I could see the immense plain.

c. The fields are beginning to turn green.

d. They sowed the fields last year and they will do it again (*volver*) next year.

e. Don Quijote had traveled these same roads looking for adventures.

f. The scent (*aroma*) of rosemary floats in the air.

g. A lively little pony was pulling the cart.

h. The earth beside the road was rocky.

i. The landscape was monotonous.

j. The sky was blue and seemed very remote.

CAMILO JOSÉ CELA 1916-

A PARTIR de la guerra civil de 1936 queda abatido el campo de las letras en España, sufriendo la novela tal vez más que los demás géneros. No obstante han surgido [1] talentos positivos [2] entre los cuales se destacan Francisco Ayala, Juan Antonio Zunzunegui, Carmen Laforet y Camilo José Cela.

De este grupo el que ha reclamado para sí el primer lugar en la novela desde la generación de 1898 es el mismo Cela, nacido en Iria Flavia, Galicia, de padre gallego y madre de ascendencia inglesa.

Además de su producción novelesca, Cela se ha distinguido como periodista y poeta. Igualmente, inspirado en los grandes del 98 [3]—Azorín, Unamuno [4] y Machado [5]—ha escrito libros de viajes por España. Ha continuado Cela el género picaresco con Nuevas andanzas [6] y desventuras de Lazarillo de Tormes (1946). Entre sus cuentos cortos y largos que llevan todos la estampa distintiva y personalísima de Cela, descuellan [7] Esas nubes que pasan (1945), El bonito crimen del carabinero [8] (1942) y El molino de viento (1956).

Sin duda sus novelas más leídas son La familia de Pascual Duarte (1942) y La colmena [9] (1951). En ésta, una novela llena de brutalidad, de fuerza y de ironía, el autor explora, no sin compasión, las almas desoladas, las vidas inútiles y abismales de un grupo de personas que se reunían en cierto café madrileño en el año 1942.

El primer y mayor éxito de Cela hasta la fecha ha sido La familia de Pascual Duarte. Pascual, el tosco [10] y amoral asesino de su rival, el Estirao, después de servir su período en la prisión vuelve a su pueblo natal a reanudar [11] los hilos [12] de su vida. Pero Pascual es incapaz de forjar [13] una nueva vida y sus odios y sus dudas acaban por llevarle a cometer otro crimen de increíble magnitud. Tal vez al haberse leído los capítulos que siguen, los últimos de La familia de Pascual Duarte, las teorías de Cela sobre el arte de novelar nos resultarán más claras. Ha dicho Cela:

[1] surgir   to emerge
[2] (verdaderos; auténticos)
[3] (Dijo Azorín: «La generación de 1898 ama los viejos pueblos y el paisaje . . .»)
[4] Miguel de Unamuno (1864–1934: gran autor, profesor, pensador, filósofo, ensayista. Unamuno es identificado con la generación de 1898.)
[5] Antonio Machado (1875–1939:

poeta, autor de Campos de Castilla [1912])
[6] fortunes; acts
[7] stand out; excel
[8] carbineer; rifleman
[9] beehive
[10] rough; simple
[11] to join up; to take up
[12] threads
[13] to forge; create

«Novelar es morirse poco a poco sobre el polvoriento [14] camino que no lleva a ningún lugar. Y sonreír . . . al recibir las estocadas [15] . . . Novelar es desarraigarse,[16] salir andando con las raíces [17] al aire . . .»

---

[14] dusty
[15] the death stabs
[16] to uproot one's self

[17] salir . . . raíces   to go about with the roots

I. La familia de Pascual Duarte

Tres años me tuvieron encerrado, tres años lentos, largos como la amargura, que si al principio creí que nunca pasarían, después pensé que habían sido un sueño; tres años trabajando, día a día, en el taller [1] de zapatero del Penal [2]; tomando en los recreos, el sol en el patio, ese sol que tanto agradecía; viendo pasar las horas con el alma 5 anhelante [3]; las horas cuya cuenta—para mi mal—suspendió [4] antes de tiempo mi buen comportamiento . . .

Da pena pensar que las pocas veces que en esta vida se me ocurrió no portarme demasiado mal, esa fatalidad, esa mala estrella que, como ya más atrás le dije, parece como complacerse en acompañarme, 10 torció y dispuso las cosas de forma tal que la bondad no acabó para servir a mi alma para maldita la cosa. Peor aún: no sólo para nada sirvió, sino que a fuerza de desviarse y de degenerar siempre a algún mal peor me hubo de conducir. Si me hubiera portado mal, hubiera estado en Chinchilla [5] los veintiocho años que me salieron; me hubiera 15 podrido [6] vivo como los presos, me hubiera aburrido hasta enloquecer, [7] hubiera desesperado, hubiera maldecido de todo lo divino, me hubiera acabado por envenenar del todo, [8] pero allí estaría, purgando lo cometido, libre de nuevos delitos de sangre, preso y cautivo—bien es verdad—, pero con la cabeza tan segura sobre mis hombros como al 20 nacer, libre de toda culpa, si no es [9] el pecado original; si me hubiera portado ni fu ni fa, como todos sobre poco más o menos, los veintiocho años [10] se hubieran convertido en catorce [11] o dieciséis, mi madre se hubiera muerto de muerte natural para cuando yo consiguiese la libertad, mi hermana Rosario habría perdido ya su juventud, con su 25 juventud su belleza, y con su belleza su peligro, y yo—este pobre yo, desgraciado derrotado que tan poca compasión en usted y en la sociedad es capaz de provocar—hubiera salido manso [12] como una oveja, suave como una manta, [13] y alejado [14] probablemente del peligro de una nueva caída. A estas horas estaría quién sabe si viviendo, 30

[1] (edificio o lugar en que se hace trabajo manual)
[2] (prisión; penitenciaría)
[3] eager
[4] (mi buen comportamiento suspendió, etc.)
[5] (Chinchilla de Monte-Aragón, pueblo de la Mancha; el sitio de la prisión central hasta el año 1928)
[6] rotted
[7] (volverme loco)
[8] por . . . todo by becoming completely embittered
[9] si no es except perhaps for
[10] los veintiocho años (los veintiocho años que me salieron)
[11] en catorce (sirvió Pascual solamente tres años)
[12] (benigno; suave; sumiso)
[13] blanket
[14] removed

tranquilo, en cualquier lugar, dedicado a algún trabajo que me diera para comer, tratando de olvidar lo pasado para no mirar más que para lo por venir [15]; a lo mejor lo habría conseguido ya . . . Pero me porté lo mejor que pude, puse buena cara al mal tiempo, cumplí
5 excediéndome lo que se me ordenaba, logré enternecer [16] a la justicia, conseguí los buenos informes del Director . . . y me soltaron; me abrieron las puertas, me dejaron indefenso ante todo lo malo; me dijeron:

—Has cumplido, Pascual; vuelve a la lucha, vuelve a la vida, vuelve
10 a aguantar [17] a todos, a hablar con todos, a rozarte [18] otra vez con todos . . .

Y creyendo que me hacían un favor me hundieron [19] para siempre.

Cuando salí encontré el campo [20] más triste, mucho más triste, de lo que me había figurado. En los pensamientos que me daban [21] cuando
15 estaba preso, me lo imaginaba—vaya usted a saber por qué [22]—verde y lozano [23] como las praderas, fértil y hermoso como los campos de trigo, con los campesinos dedicados afanosamente a su labor, trabajando alegres de sol a sol, cantando, con la bota de vino a la vera [24] y la cabeza vacía de malas ocurrencias, para encontrarlo a la salida
20 yermo [25] y agostado [26] como los cementerios, deshabitado y solo como una ermita lugareña al siguiente día de la Patrona [27] . . . Chinchilla es un pueblo ruin, como todos los manchegos,[28] agobiado como por una honda pena, gris y macilento como todos los poblados donde la gente no asoma los hocicos al tiempo,[29] y en ella no estuve sino el
25 tiempo justo que necesité para tomar el tren que me había de devolver al pueblo, a mi casa, a mi familia; al pueblo que volvería a encontrar otra vez en el mismo sitio, a mi casa que resplandecía al sol como una joya, a mi familia que me esperaría para más lejos, que no se imaginaría que pronto habría de estar con ellos, a mi madre que en
30 tres años a lo mejor Dios había querido suavizar, a mi hermana, a mi querida hermana, a mi santa hermana, que saltaría de gozo al verme . . .

---

[15] lo por venir (porvenir; tiempo futuro)
[16] (mover a la compasión)
[17] tolerate; put up with
[18] to hobnob
[19] they buried
[20] countryside
[21] dar   to strike, hit
[22] vaya . . . por qué   you figure it out
[23] inviting
[24] a la vera (cerca)

[25] (solitario; estéril)
[26] (sin vida)
[27] al . . . Patrona   the day after its saint's day
[28] (pueblos manchegos; se refiere a la Mancha, la región seca y estéril famosa por haber sido también el suelo nativo de don Quijote)
[29] no . . . tiempo   thumb their noses at time; don't give a hoot about keeping up

El tren tardó en llegar, tardó muchas horas. Extrañado estoy de que un hombre que tenía en el cuerpo tantas horas de espera notase con impaciencia tal un retraso de hora más, hora menos, pero lo cierto es que así ocurría, que me impacientaba, que me descomponía el aguardar como si algún importante negocio me comiese los tiempos. 5 Anduve por la estación, fuí a la cantina, paseé por un campo que había contiguo . . . Nada; el tren no llegaba, el tren no asomaba todavía, lejano como aún andaba por el retraso. Me acordaba del Penal, que se veía allá lejos, por detrás del edificio de la estación; parecía desierto, pero estaba lleno hasta los bordes, guardador de un 10 montón de desgraciados con cuyas vidas se podían llenar tantos cientos de páginas como ellos eran. Me acordaba del Director, de la última vez que le vi; era un viejecito calvo,[30] con un bigote cano, y unos ojos azules como el cielo; se llamaba don Conrado. Yo le quería como a un padre, le estaba agradecido de las muchas palabras de 15 consuelo que—en tantas ocasiones—para mí tuviera. La última vez que le vi fué en su despacho, adonde me mandó llamar.

—¿Da su permiso, don Conrado?

—Pasa, hijo.

Su voz estaba ya cascada [31] por los años y por los achaques,[32] y 20 cuando nos llamaba hijos parecía como si se le enterneciera más todavía, como si le temblara al pasar por los labios. Me mandó sentar al otro lado de la mesa; me alargó la tabaquera, grande, de piel de cabra; sacó un librito de papel de fumar que me ofreció también . . .

—¿Un pitillo [33]? 25

—Gracias, don Conrado.

Don Conrado se rió.

—Para hablar contigo lo mejor es mucho humo . . . ¡Así se te ve menos esa cara tan fea que tienes!

Soltó la carcajada, una carcajada que al final se mezcló con un 30 golpe de tos,[34] con un golpe de tos que le duró hasta sofocarlo, hasta dejarlo abotagado [35] y rojo como un tomate. Echó mano de [36] un cajón y sacó dos copas y una botella de coñac. Yo me sobresalté; siempre me había tratado bien—cierto es—pero nunca como aquel día. 35

—¿Qué pasa, don Conrado?

—Nada, hijo, nada . . . ¡Anda, bebe . . . por tu libertad!

---

[30] (que ha perdido el pelo de la cabeza)
[31] (débil; gastada)
[32] (enfermedades)

[33] (cigarrillo)
[34] **golpe de tos** an attack of coughing
[35] swollen; bloated
[36] **echó mano de** reached into

Volvió a acometerle la tos. Yo iba a preguntar:

—¿Por mi libertad?

Pero él me hacía señas con la mano para que no dijese nada. Esta vez pasó al revés; fué en risa en lo que acabó la tos.

5 —Sí. ¡Todos los pillos [37] tenéis suerte! Y se reía, gozoso de poder darme la noticia, contento de poder ponerme de patas en la calle. ¡Pobre don Conrado, qué bueno era! ¡Si él supiera que lo mejor que podría pasarme era no salir de allí! . . . Cuando volví [38] a Chinchilla, a aquella casa,[39] me lo confesó con 10 lágrimas en los ojos, en aquellos ojos que eran sólo un poco más azules que las lágrimas.

—¡Bueno, ahora en serio! Lee . . .

Me puso ante la vista la orden de libertad. Yo no creía lo que estaba viendo.

15 —¿Lo has leído?

—Sí, señor.

Abrió una carpeta y sacó dos papeles iguales, el licenciamiento.

—Toma, para ti; con eso puedes andar por donde quieras . . . Firma aquí; sin echar borrones [40] . . .

20 Doblé el papel, lo metí en la cartera . . . ¡Estaba libre! Lo que pasó por mí en aquel momento ni lo sabría explicar . . . Don Conrado se puso grave; me soltó [41] un sermón sobre la honradez y las buenas costumbres, me dió cuatro consejos sobre los impulsos que si hubiera tenido presentes [42] me hubieran ahorrado más de un disgusto 25 gordo, y cuando terminó, y como fin de fiesta, me entregó veinticinco pesetas en nombre de la «Junta de Damas Regeneradoras [43] de los Presos», institución benéfica que estaba formada en Madrid para acudir en nuestro auxilio.

Tocó un timbre y vino un oficial de prisiones. Don Conrado me 30 alargó la mano.

—Adiós, hijo. ¡Que Dios te guarde!

Yo no cabía en mí de gozo. Se volvió hacia el oficial.

—Muñoz, acompañe a este señor hasta la puerta. Llévelo antes a Administración; va socorrido con [44] ocho días.

35 A Muñoz no lo volví a ver en los días de mi vida. A don Conrado, sí; tres años y medio más tarde.

---

[37] rascals
[38] (cuando volví a Chinchilla más tarde)
[39] (el penal)
[40] blots
[41] me soltó   he let go at me with

[42] tener presentes   to keep in mind
[43] Junta . . . Regeneradoras   Committee of Dames for the Rehabilitation, etc.
[44] va socorrido con   he is due, has coming to him

El tren acabó por llegar; tarde o temprano todo llega en esta vida, menos el perdón de los ofendidos, que a veces parece como que disfruta en [45] alejarse. Monté en mi departamento y después de andar dando tumbos de un lado para otro durante día y medio, di alcance [46] a la estación del pueblo, que tan conocida me era, y en cuya vista había estado pensando durante todo el viaje. Nadie, absolutamente nadie, si no es Dios que está en las Alturas, sabía que yo llegaba, y sin embargo—no sé por qué rara manía de las ideas—momento llegó a haber [47] en que imaginaba el andén lleno de gentes jubilosas que me recibían con los brazos al aire, agitando pañuelos, voceando mi nombre a los cuatro vientos . . .

Cuando llegué, un frío agudo como una daga se me clavó en el corazón. En la estación no había nadie . . . Era de noche; el jefe,[48] el señor Gregorio, con su farol de mecha [49] que tenía un lado verde y el otro rojo, y su banderola enfundada en su caperuza de lata,[50] acababa de dar salida al tren . . .

Ahora se volvería hacia mí, me reconocería, me felicitaría . . .

—¡Caramba, Pascual! ¡Y tú por aquí!

—Sí, señor Gregorio. ¡Libre!

—¡Vaya, vaya!

Y se dió media vuelta sin hacerme más caso. Se metió en su caseta. Yo quise gritarle:

—¡Libre, señor Gregorio! ¡Estoy libre!

Porque pensé que no se había dado cuenta. Pero me quedé un momento parado y desistí de hacerlo . . . La sangre se me agolpó a los oídos y las lágrimas estuvieron a pique [51] de aparecerme en ambos ojos. Al señor Gregorio no le importaba nada mi libertad.

PREGUNTAS

1. ¿Cuántos años le tuvieron encerrado a Pascual?
2. ¿Dónde trabajó Pascual en el Penal?
3. ¿Le pareció a Pascual que pasaron rápidamente esos años?
4. ¿Se portó Pascual bien o mal en el Penal?
5. ¿A cuántos años le habían condenado?

[45] disfruta en (goza de)
[46] di alcance (llegué)
[47] momento . . . haber (había un momento)
[48] el jefe   the station chief
[49] wick; kerosene lantern
[50] banderola . . . lata   signal flag wrapped in its tin covering
[51] a pique (cerca)

6. ¿Cómo se llamaba el pueblo en que estaba el Penal?
7. ¿Quién es Rosario?
8. ¿Cómo habría salido Pascual al fin, si hubiera estado en Chinchilla catorce años?
9. ¿Cómo se hubiera muerto su madre?
10. ¿Cómo encontró Pascual el campo?
11. ¿Cómo lo había imaginado en el Penal?
12. ¿Qué impresiones tenía Pascual sobre Chinchilla?
13. ¿Qué hizo Pascual mientras que esperaba el tren?
14. ¿Tardó mucho el tren?
15. ¿Cómo se llamaba el Director del Penal?
16. ¿Cómo le quería Pascual?
17. ¿Qué sacó don Conrado del cajón?
18. ¿Qué iban a celebrar con copas de coñac?
19. ¿Se entiende que Pascual regresó a la prisión más tarde?
20. ¿En cuyo nombre recibió Pascual veinticinco pesetas?
21. ¿Cuánto tiempo duró el viaje a su pueblo?
22. ¿Llegó Pascual a su pueblo de día o de noche?
23. ¿Había llegado mucha gente a la estación a saludarle?
24. ¿Por qué estaba Pascual a punto de llorar?

EJERCICIOS

I. *Cambie los verbos al pretérito según los ejemplos:*

servías; serviste   tuerce; torció   nos aburriríamos   conseguíais   lograré
suelta   encuentran   volverías   llenaban   saco

II. *Termine las frases cambiando al español las porciones en inglés:*

a. Rosario no había perdido su _____ (*youth nor her beauty*).

b. Chinchilla es un _____ (*wretched village*).

c. El tren _____ (*was very late*) en llegar.

d. Esperaba _____ (*impatiently*).

e. I went _____ (*to the lunchroom*).

f. (*He took out*) _____ una botella.

g. Don Conrado _____ (*stretched out to me*) la mano.

h. Me dijo que yo _____ (*sign*) dos papeles.

i. La tos no le dejaba _____ (*laugh*) ni _____ (*converse*).

j. Yo le quería _____ (*like a father*).

III. *Termine las frases con palabras apropiadas:*

a. Don Conrado usó papel de fumar para hacer _____.

b. Tenía unos ojos tan azules como _____.

c. Abrió una carpeta y sacó _____.

d. Don Conrado guardó el coñac en un _____.

e. Don Conrado me ofreció una _____ de coñac.

f. Se puede esperar el tren en la estación o en el _____.

g. Pascual estaba libre. Iba a volver _____.

h. Don Conrado se sentó a un lado de la mesa y yo al _____.

i. Pascual trabajó tres años en _____.

j. La gente que cultiva la tierra y los campos se llama _____.

IV. *Traduzca al español:*

a. Don Conrado used to call all of us son.

b. It was not the last time that I was (*haber de*) to see don Conrado.

c. He became serious (*grave*) and gave me some advice (*consejos*) about (*sobre*) good habits.

d. The village train station was (*era*) old and sad.

e. Although the years had been long and difficult, at last (*por fin*) I was free.

f. I found out (*supe*) that my liberty meant nothing (*importar*) to anyone.

g. He wondered (*se preguntó*) how many people would be there waving handkerchiefs.

h. Yes, I saw him again—three years later.

i. I wished that I had not conducted myself (*portarse*) so well in prison.

j. My sister Rosario, so good and so full of life, was probably waiting for me on the platform (*andén*).

II. *La familia de Pascual Duarte* (*continuada*)

Salí de la estación con el fardo del equipaje al hombro, torcí por una senda que desde ella llevaba [1] hasta la carretera donde estaba mi casa, sin necesidad de pasar por el pueblo, y empecé a caminar. Iba triste, muy triste; toda mi alegría la matara el señor Gregorio con sus tristes palabras, y un torrente de funestas ideas, de presagios desgra- 5

_____

[1] led

ciados, que en vano yo trataba de ahuyentar,[2] me atosigaban[3] la memoria. La noche estaba clara, sin una nube, y la luna, como una hostia, allí cstaba clavada, en el medio del cielo. No quería pensar en el frío que me invadía . . .

5 Un poco más adelante, a la derecha del sendero, hacia la mitad del camino, estaba el cementerio, en el mismo sitio donde lo dejé, con la misma tapia de adobes negruzcos, con su alto ciprés que en nada había mudado, con su lechuza silbadora entre las ramas . . . El cementerio donde descansaba mi padre de su furia; Mario,[4] de su inocencia; mi
10 mujer, su abandono,[5] y El Estirao,[6] su mucha chulería[7] . . . El cementerio donde se pudrían los restos de mis dos hijos, del abortado y de Pascualillo, que en los once meses de vida que alcanzó fuera talmente un sol[8] . . . ¡Me daba resquemor[9] llegar al pueblo, así, solo, de noche, y pasar lo primero por junto al camposanto[10]! ¡Pa-
15 recía como si la Providencia se complaciera en ponérmelo delante, en hacerlo de propósito para forzarme a caer en la meditación de lo poco que somos! La sombra de mi cuerpo iba siempre delante, larga, muy larga, tan larga como un fantasma, muy pegada al suelo, siguiendo el terreno, ora tirando recta por el camino, ora[11] subiéndose a la tapia
20 del cementerio, como queriendo asomarse.[12] Corrí un poco; la sombra corrió también. Me paré; la sombra también paró. Miré para el firma-mento; no había una sola nube en todo su redor.[13] La sombra había de acompañarme, paso a paso, hasta llegar . . . Cogí[14] miedo, un miedo inexplicable; me imaginé a los muertos saliendo en esqueleto
25 a mirarme pasar. No me atrevía a levantar la cabeza; apreté[15] el paso; el cuerpo parecía que no me pesaba; el cajón[16] tampoco . . . En aquel momento parecía como si tuviera más fuerza que nunca . . . Llegó el instante en que llegué a estar al galope como un perro huído; corría, corría como un loco, como desbocado,[17] como un poseído.[18]

---

[2] drive away
[3] atosigar (envenenar)
[4] (hermanito de Pascual que murió de niño)
[5] neglect
[6] El Estirao (seductor de Rosario, la hermana de Pascual, y también de su mujer, Lola; Pascual, por haberle matado, estuvo tres años en Chinchilla)
[7] roguishness; winsome ways
[8] fuera . . . sol had been like a ray of sunshine

[9] (resentimiento; disgusto)
[10] primero . . . camposanto the very first thing to the cemetery
[11] ora . . . ora (algunas veces . . . otras veces)
[12] to look over
[13] redor (rededor) expanse; extent
[14] (tuve)
[15] (apresuré; aceleré)
[16] (la maleta o caja en que tiene ropa)
[17] a runaway (horse)
[18] un poseído one possessed

Cuando llegué a mi casa estaba rendido; no hubiera podido dar un paso más . . .

Puse el bulto [19] en el suelo y me senté sobre él. No se oía ningún ruido; Rosario y mi madre estarían, a buen seguro, durmiendo, ajenas del todo a que ya había llegado, a que yo estaba libre, a pocos pasos 5 de ellas. ¡Quién sabe si mi hermana no habría rezado una Salve [20]—la oración que más le gustaba—en el momento de meterse en la cama, porque a mí me soltasen! ¡Quién sabe si a aquellas horas no estaría soñando, entristecida, con mi desgracia, imaginándome tumbado sobre las tablas de la celda, con la memoria puesta en ella que fué el único 10 afecto sincero que en mi vida tuve! Estaría a lo mejor sobresaltada, presa de una pesadilla . . . Y yo estaba allí, estaba ya allí, libre, sano como una manzana, listo para volver a empezar, para consolarla, para mimarla, para recibir su sonrisa . . .

No sabía lo que hacer; pensé llamar . . . Se asustarían; nadie 15 llama a estas horas. A lo mejor ni se atrevían a abrir . . . Pero tampoco podía seguir allí, tampoco era posible esperar al día sobre el cajón . . .

Por la carretera venían dos hombres conversando en voz alta; iban distraídos, como contentos; venían de Almendralejo,[21] quién sabe si 20 de ver a las novias. Pronto los reconocí: eran León, el hermano de Martinete, y el señorito Sebastián. Yo me escondí; no sé por qué, pero su vista me apresuraba.

Pasaron muy cerca de la casa, muy cerca de mí; su conversación era bien clara.

                                                                    25
—Ya ves lo que a Pascual le pasó.

—Y no hizo más que lo que hubiéramos hecho cualquiera.

—Defender a la mujer.

—Claro.

—Y está en Chinchilla, a más de un día de tren, ya va para tres 30 años . . .

Sentía una profunda alegría; me pasó como un rayo por la imaginación la idea de salir, de presentarme ante ellos, de darles un abrazo . . . Pero preferí no hacerlo; en la cárcel me hicieron más calmoso, me quitaron impulsos . . .
                                                                    35
Esperé a que se alejaran. Cuando calculé verlos ya suficientemente

---

[19] (cajón)
[20] (oración en latín con que se saluda y ruega a la Virgen María)

[21] (Almendralejo, con unos 12,000 habitantes queda a dos leguas del pueblo de Pascual)

lejos, salí de la cuneta²² y fuí a la puerta. Allí estaba el cajón; no
lo habían visto. Si lo hubieran visto se hubieran acercado, y yo hubiera
tenido que salir a explicarles, y se hubieran creído que me ocultaba,
que los huía . . .

5   No quise pensarlo más; me acerqué hasta la puerta y di dos golpes
sobre ella. Nadie me respondió; esperé unos minutos. Nada. Volví a
golpearla, esta vez con más fuerza. En el interior se encendió un
candil.²³

        —¡Quién!
10   —¡Soy yo!
        —¿Quién?
        Era la voz de mi madre. Sentí alegría al oírla, para qué mentir.
        —Yo, Pascual.
        —¿Pascual?
15   —Sí, madre. ¡Pascual!
        Abrió la puerta; a la luz del candil parecía una bruja.
        —¿Qué quieres?
        —¿Que qué quiero?²⁴
        —Sí.
20   —Entrar. ¿Qué voy a querer?
        Estaba extraña. ¿Por qué me trataría así?
        —¿Qué le pasa a usted, madre?
        —Nada, ¿por qué?
        —No, ¡como la veía como parada²⁵!
25   Estoy por asegurar que mi madre hubiera preferido no verme. Los
odios de otros tiempos parecían como querer volver a hacer presa en
mí. Yo trataba de ahuyentarlos, de echarlos a un lado.
        —¿Y la Rosario?
        —Se fué.
30   —¿Se fué?
        —Sí.
        —¿Adónde?
        —A Almendralejo.
        —¿Otra vez?
35   —Otra vez.
        —¿Liada²⁶?
        —Sí.

---

²² ditch
²³ oil lamp
²⁴ ¿Que qué quiero? You're asking me
     what I want?

²⁵ como parada (tan indiferente)
²⁶ (con un amigo)

—¿Con quién?

—¿A ti qué más te da? [27]

Parecía como si el mundo quisiera caerme sobre la cabeza. No veía claro; pensé si no estaría soñando. Estuvimos los dos un corto rato callados.

—¿Y por qué se fué?

—¡Ya ves [28]!

—¿No quería esperarme?

—No sabía que habías de venir. Estaba siempre hablando de ti . . .

¡Pobre Rosario, qué vida de desgracia llevaba con lo buena que era!

—¿Os faltó de comer?

—A veces.

—¿Y se marchó por eso?

—¡Quién sabe!

Volvimos a callar.

—¿La ves?

—Sí; viene con frecuencia . . . ¡Como él está también aquí!

—¿Él?

—Sí.

—¿Quién es?

—El señorito Sebastián.

Creí morir . . . Hubiera dado dinero por haberme visto todavía en el Penal . . .

La Rosario fué a verme en cuanto se enteró de mi vuelta.

—Ayer supe que habías vuelto. ¡No sabes lo que me alegré!

¡Cómo me gustaba oír sus palabras! . . .

—Sí lo sé, Rosario; me lo figuro. ¡Yo también estaba deseando volverte a ver!

Parecía como si estuviéramos de cumplido,[29] como si nos hubiéramos conocido diez minutos atrás. Los dos hacíamos esfuerzos para que la cosa saliera natural. Yo pregunté, por preguntar algo, al cabo de un rato:

—¿Cómo fué de marcharte [30] otra vez?

—Ya ves.

—¿Tan apurada andabas?

—Bastante.

---

[27] ¿A . . . da? What's it to you at this point?

[28] ya ves you can imagine; it's not hard to figure out

[29] de cumplido watching our p's and q's

[30] ¿Cómo . . . marcharte Why was it you went away?

—¿Y no pudiste esperar?

—No quise . . .

Puso bronca [31] la voz.

—No me dió la gana de pasar más calamidades . . .

5 Me lo explicaba; la pobre bastante había pasado ya . . .

—No hablemos de eso, Pascual.

La Rosario se sonreía con su sonrisa de siempre, esa sonrisa triste y como abatida que tienen todos los desgraciados de buen fondo.[32]

—Pasemos a otra cosa . . . ¿Sabes que te tengo buscada una novia?

10 —¿A mí?

—Sí.

—¿Una novia?

—Sí, hombre. ¿Por qué? ¿Te extraña? [33]

—No . . . Me parece raro. ¿Quién me ha de querer a mí?

15 —Pues cualquiera. ¿O es que no te quiero yo?

La confesión de cariño de mi hermana, aunque ya la sabía, me agradaba; su preocupación por buscarme novia, también. ¡Mire usted que es ocurrencia!

—¿Y quién es?

20 —La sobrina de la señora Engracia.

—¿La Esperanza?

—Sí.

—¡Guapa moza!

—Que te quiere desde antes de que te casases.

25 —¡Bien callado se lo tenía!

—Qué quieres . . . ¡Cada una es como es!

—¿Y tú qué le has dicho?

—Nada; que alguna vez habrías de volver.

—Y he vuelto . . .

30 —¡Gracias a Dios!

La novia que la Rosario me tenía preparada, en verdad que era una hermosa mujer. Andaría por entonces por los treinta o treinta y dos años, que poco o nada se la notaban de [34] joven y conservada como aparecía. Era muy religiosa y como dada a la mística, cosa rara por 35 aquellas tierras, y se dejaba llevar de la vida, como los gitanos, sólo con el pensamiento puesto en aquello que siempre decía:

---

[31] hoarse
[32] de buen fondo   with warm hearts; hearts of gold
[33] ¿Te extraña?   (¿no te gusta?)
[34] que . . . de   but she was little or none the worse for it, as etc.

—¿Para qué variar [35]? ¡Está escrito [36]!

Vivía en el cerro [37] con su tía, la señora Engracia, hermanastra [38] de su difunto [39] padre, por haber quedado huérfana de ambas partes [40] aún muy tierna,[41] y como era de natural consentidor y algo tímida, jamás nadie pudiera decir que con nadie la hubiera visto u oído 5 discutir,[42] y mucho menos con su tía, a la que tenía un gran respeto. Era aseada como pocas, tenía la misma color [43] de las manzanas y cuando, al poco tiempo de entonces, llegó a ser mi mujer—mi segunda mujer—, tal orden hubo de implantar en mi casa que en multitud de detalles nadie la hubiera reconocido.   10

La primera vez, entonces, que me la eché a la cara,[44] la cosa no dejó de ser violenta para los dos; los dos sabíamos lo que nos íbamos a decir, los dos nos mirábamos a hurtadillas como para espiar los movimientos del otro . . . Estábamos solos, pero era igual; solos llevábamos una hora [45] y cada instante que pasaba parecía como si 15 fuera a costar más trabajo el empezar a hablar. Fué ella quien rompió el fuego [46]:

—Vienes más gordo.

—Puede . . .

—Y de semblante más claro.[47]   20

—Eso dicen . . .

Yo hacía esfuerzos en mi interior por mostrarme amable y decidor,[48] pero no lo conseguía; estaba como entontecido,[49] como aplastado [50] por un peso que me ahogaba, pero del que guardo recuerdo como de una de las impresiones más agradables de mi vida, como de una de las 25 impresiones que más pena me causó el perder.

—¿Cómo es aquel terreno [51]?

—Malo.

Ella estaba como pensativa . . . ¡Quién sabe lo que pensaría!

—¿Te acordaste mucho de la Lola?   30

---

[35] fret; change; struggle
[36] está escrito (en el cielo; en las estrellas)
[37] (tierra no tan elevada como una montaña)
[38] stepsister
[39] (muerto)
[40] de ambas partes (de madre y de padre)
[41] (joven)
[42] to quarrel

[43] coloring
[44] me . . . cara   I had to face her
[45] solos . . . hora   we were having an hour alone
[46] romper el fuego   to open fire
[47] semblante más claro   a little fairer
[48] amable y decidor   goodnatured and talkative
[49] (hecho un tonto)
[50] smashed
[51] (de Chinchilla)

—A veces. ¿Por qué mentir? Como estaba todo el día pensando, me acordaba de todos . . . ¡Hasta del *Estirao,* ya ves!

La Esperanza estaba levemente pálida.

—Me alegro mucho de que hayas vuelto.

5 —Sí, Esperanza, yo también me alegro de que me hayas esperado.

—¿De que te haya esperado?

—Sí, ¿o es que no me esperabas?

—¿Quién te lo dijo?

—¡Ya ves! ¡Todo se sabe!

10 Le temblada la voz y su temblor no faltó nada para que me lo contagiase.

—¿Fué la Rosario?

—Sí. ¿Qué ves de malo? [52]

—Nada . . .

15 Las lágrimas le asomaron [53] a los ojos.

—¿Qué habrás pensado de mí?

—¿Qué querías que pensase? ¡Nada!

Me acerqué lentamente y la besé en las manos. Ella se dejaba besar.

—Estoy tan libre como tú, Esperanza . . . Tan libre como cuando 20 tenía veinte años.

Esperanza me miraba tímidamente.

—No soy un viejo; tengo que pensar en vivir.

—Sí.

—En arreglar mi trabajo, mi casa, mi vida . . . ¿De verdad que 25 me esperabas?

—Sí.

—¿Y por qué no me lo dices?

—Ya te lo dije.

Era verdad; ya me lo había dicho, pero yo gozaba en hacérselo 30 repetir.

—Dímelo otra vez.

La Esperanza se había vuelto roja como un pimiento. La voz le salía como cortada y los labios y las aletas de la nariz le temblaban como las hojas movidas por la brisa, como el plumón [54] del jilguero [55] 35 que se esponja [56] al sol . . .

—Te esperaba, Pascual. Todos los días rezaba porque volvieras pronto; Dios me escuchó . . .

—Es cierto.

[52] ¿qué . . . malo? What harm do you see in that?
[53] (salieron; aparecieron)
[54] down
[55] goldfinch
[56] se esponja fluffs himself out

Volví a besarle las manos. Estaba como apagado [57] . . . No me
atrevía a besarla en la cara . . .

—¿Querrás . . . querrás . . . ?

—Sí.

—¿Sabías lo que iba a decir?

—Sí. No sigas.   5

Se volvió radiante de repente como un amanecer.

—Bésame, Pascual . . .

Cambió de voz, que se puso velada [58] y como sórdida.[59]

—¡Bastante te esperé!   10

La besé ardientemente, intensamente, con un cariño y con un
respeto como jamás usé con mujer alguna, y tan largo, tan largo, que
cuando le aparté la boca el cariño más fiel había aparecido en mí.

PREGUNTAS

1. ¿Dónde se encontraba el cementerio?
2. ¿Quiénes son los parientes y conocidos de Pascual que descansaban
   allí?
3. ¿Qué iba siempre delante de él?
4. ¿Qué hizo Pascual al coger miedo?
5. ¿En qué estado llegó Pascual a su casa?
6. ¿Quiénes estarían en la casa?
7. ¿De quién recibirá Pascual una sonrisa?
8. ¿Por qué no quería llamar a la puerta?
9. ¿Qué hacían los dos hombres que venían por la carretera?
10. ¿Quiénes eran?
11. ¿Qué hizo Pascual al verlos?
12. ¿Vieron a Pascual como hombre malo o diferente de ellos mismos?
13. ¿Cuántas veces tuvo que llamar a la puerta?
14. ¿Qué pasó después en el interior de la casa?
15. ¿Creyó Pascual que su madre sintiera alegría al verle?
16. ¿Adónde se había ido Rosario?
17. ¿Por qué no le había esperado ella?
18. ¿Cuándo volvió Rosario al pueblo?
19. Según Rosario, ¿por qué se había ido?
20. ¿Quién es la novia que Rosario ha encontrado para su hermano?
21. ¿Hacía ya tiempo que Esperanza le quería?

---

[57] **como apagado** powerless; timid   [59] **como sórdida** greedy
[58] cloudy; husky

22. ¿Era guapa Esperanza?
23. ¿Con quién vivía?
24. ¿Pudo mostrarse Pascual amable y decidor cuando hablaban?
25. ¿Qué le pregunta ella acerca de Lola?
26. ¿Se entiende que Esperanza le quería y había esperado su vuelta al pueblo?
27. ¿Por qué había rezado ella?
28. ¿Qué no se atrevía a hacer Pascual?

EJERCICIOS

I. *Dé el infinitivo de:*

| me acerqué | te acordaste | se alejaran | me atrevía | te casases |
| me eché | me imaginé | me paré | se sonrió | se volvió |

II. *De las tres expresiones, elija la más apropiada para cada frase:*

a. Cuando llegó Pascual Rosario no _____.
1. importaba
2. estaba
3. vivía

b. Rosario no se había marchado _____; estaba con el señorito Sebastián.
1. con nadie
2. muchas veces
3. sola

c. En cuanto supo de su vuelta Rosario_____.
1. se fué
2. quería olvidarle
3. llegó a verle

d. Hacía varios años que Esperanza le _____.
1. quería
2. odiaba
3. veía

e. Le dijo a ella que no era viejo y que tenía _____.
1. que vivir
2. mucho dinero
3. dudas

f. La besó con cariño pero también con_____.
1. mucho miedo
2. interés
3. respeto

g. Esperanza era la _____ de la señora Engracia.
1. tía
2. sobrina
3. enemiga

h. Ella era hermosa como un _____.
1. águila
2. anillo
3. sol

i. Murió su madre y poco después su padre; era huérfana de _____.
1. ambas partes
2. todo el mundo
3. pobres

j. Esperanza llegó a ser mi segunda _____.
1. amiga
2. huérfana
3. mujer

III. *Diga rápidamente, cambiando al castellano las palabras entre paréntesis:*

a. los árboles y _____ (*the leaves*)
b. la nariz y _____ (*the lips*)
c. las manos y _____ (*the face*)
d. las impresiones y _____ (*the memories*)
e. las carcajadas y _____ (*the smiles*)
f. los abrazos y _____ (*the kisses*)
g. los accidentes y _____ (*the calamities*)
h. la novia y _____ (*the wife*)
i. las lágrimas y _____ (*the sighs*)
j. los labios y _____ (*the mouth*)

IV. *Cambie estos mandos a la forma negativa según el ejemplo:*

a. dime; no me digas
b. bésame; no me _____
c. sígueme; no me _____
d. espérame; no me _____
e. pregúntamelo; no me lo _____
f. dame; no me _____

V. *Nombre el personaje a quien se refiere cada una de estas líneas:*

a. Hacía años que quería a Pascual.
b. Una desgraciada de buen fondo.
c. Descansaba, separado para siempre de su mucha chulería.
d. Pascual le quería como a un padre.
e. Era huérfana de ambas partes.
f. Era hermosa, algo tímida, y religiosa.
g. La cárcel le había hecho más calmoso.

h. De mal genio y cara de bruja, pero Pascual se alegró de verla.

i. Mató al *Estirao.*

j. Sus carcajadas fueron interrumpidas frecuentemente por una tos.

VI. *Traduzca al español:*

The three years were quite long and difficult, but I was finally free. I returned to my village. My arrival was nothing to my mother. She seemed indifferent and rude (*seca*). My sister was not at home. However, Rosario had found a sweetheart for me. Her name was Hope, or as you say in Spanish, Esperanza. She was beautiful and had waited for me a long time, and it is true that I had great hopes of being able to begin a new and better life with her.

III. *La familia de Pascual Duarte* (concluída)

Llevábamos ya dos meses casados cuando me fué dado el observar que mi madre seguía usando de las mismas mañas y de iguales malas artes que antes de que [1] me tuvieran encerrado. Me quemaba la sangre con su ademán,[2] siempre huraño [3] y como despegado,[4] con su
5 conversación hiriente [5] y siempre intencionada,[6] con el tonillo [7] de voz que usaba para hablarme, en falsete y tan fingido [8] como toda ella. A mi mujer, aunque transigía con [9] ella, ¡qué remedio le quedaba!, no la podía ver ni en pintura,[10] y tan poco disimulaba su malquerer [11] que la Esperanza, un día que estaba ya demasiado
10 cargada,[12] me planteó la cuestión en unas formas [13] que pude ver que no otro arreglo [14] sino el poner la tierra por en medio podría llegar a tener.[15] La tierra por en medio se dice cuando dos se separan a dos pueblos distantes, pero, bien mirado,[16] también se podría decir cuando entre el terreno en donde uno pisa y el otro duerme hay veinte
15 pies de altura . . .

[1] antes de que (antes)
[2] (actitud; gesto; porte)
[3] (insociable; intratable)
[4] (insolente; desagradable)
[5] (que ofende; que causa heridas)
[6] (maliciosa)
[7] el tonillo   the special little tone
[8] (artificial)
[9] transigía con   put up with
[10] no . . . pintura   she wasn't able to stand the sight of her

[11] (no querer; odiar)
[12] que . . . cargada   when she'd had enough
[13] me . . . formas   put the problem before me in such a way
[14] (solución)
[15] podría . . . tener   could be had
[16] bien mirado (examinado con cuidado)

Muchas vueltas me dió en la cabeza la idea de la emigración; pensaba en La Coruña, o en Madrid, o bien más cerca, hacia la capital,[17] pero el caso es que—¡quién sabe si por cobardía, por falta de decisión!—la cosa la fuí aplazando, aplazando, hasta que cuando me lancé a viajar, con nadie que no fuese con mis mismas carnes, o con 5 mi mismo recuerdo, hubiera querido poner la tierra por en medio . . . La tierra que no fué bastante grande para huir de mi culpa . . . La tierra que no tuvo largura ni anchura suficiente para hacerse la muda ante el clamor de mi propia conciencia . . . Quería poner tierra entre mi sombra y yo, entre mi nombre y mi recuerdo y yo, 10 entre mis mismos cueros [18] y mí mismo . . .

La idea de la muerte llega siempre con paso de lobo,[19] con andares de [20] culebra, como todas las peores imaginaciones.[21] Nunca de repente llegan las ideas que nos trastornan [22]; lo repentino ahoga [23] unos momentos, pero nos deja, al marchar, largos años de vida por 15 delante. Los pensamientos que nos enloquecen [24] con la peor de las locuras, la de la tristeza, siempre llegan poco a poco y como sin sentir, como sin sentir invade la niebla [25] los campos, o la tisis [26] los pechos [27] . . . Avanza, fatal, incansable, pero lenta, despaciosa, regular como el pulso. Hoy no la notamos; a lo mejor mañana tampoco, ni pasado 20 mañana, ni en un mes entero. Pero pasa ese mes y empezamos a sentir amarga la comida,[28] como doloroso el recordar [29]; ya estamos picados [30] . . . Pasamos a lo mejor hasta semanas enteras sin variar; los que nos rodean se acostumbraron ya a nuestra adustez [31] y ya ni extrañan siquiera nuestro extraño ser. Pero un día el mal crece, como 25 los árboles, y engorda, y ya no saludamos a la gente; y vuelven a sentirnos como raros y como enamorados. Vamos enflaqueciendo,[32] enflaqueciendo, y nuestra barba hirsuta [33] es cada vez más lacia.[34] Empezamos a sentir el odio que nos mata; ya no aguantamos el mirar [35]; nos duele la conciencia, pero, ¡no importa!, ¡más vale que 30

---

[17] (Badajoz, cerca de la frontera portuguesa)
[18] mis mismos cueros my very own skin
[19] paso de lobo at a wolf's gait
[20] con andares de moving like (a)
[21] imaginings
[22] upset
[23] presses
[24] nos enloquecen (nos hacen volvernos locos)
[25] mist
[26] (tuberculosis)

[27] chest
[28] sentir . . . comida to find the food bitter
[29] como . . . recordar and remembering unpleasant
[30] bitter, infected
[31] sullenness; sternness
[32] getting thinner
[33] barba hirsuta chin beard
[34] faded; withered
[35] aguantamos el mirar can we bear to look

duela! [36] Nos escuecen los ojos,[37] que se llenan de un agua venenosa cuando miramos fuerte. El enemigo nota nuestro anhelo,[38] pero está confiado [39]; el instinto no miente . . .

Mi madre sentía una insistente satisfacción en tentarme los genios,[40] 5 en los que el mal iba creciendo como las moscas al olor de los muertos. La bilis [41] que tragué me envenenó el corazón, y tan malos pensamientos llegaba por entonces a discurrir [42] que llegué a estar asustado de mi mismo coraje.[43] No quería ni verla; los días pasaban iguales los unos a los otros, con el mismo dolor clavado en las entrañas, con 10 los mismos presagios de tormenta [44] nublándonos la vista . . .

El día que decidí hacer uso del hierro [45] tan agobiado estaba,[46] tan cierto de que el mal había que sangrarlo,[47] que no sobresaltó ni un ápice mis pulmones la idea de la muerte de mi madre. Era algo fatal que había de venir y que venía, que yo había de causar y que no podía 15 evitar aunque quisiera, porque me parecía imposible cambiar de opinión, volverme atrás, evitar lo que ahora daría una mano porque [48] no hubiera ocurrido, pero que entonces gozaba en provocar [49] con el mismo cálculo y la misma meditación por lo menos con los que un labrador emplearía para pensar en sus trigales [50] . . .

20 Estaba todo bien preparado; me pasé largas noches enteras pensando en lo mismo para envalentonarme, para tomar fuerzas; afilé el cuchillo de monte, con su larga y ancha hoja que se parecía a las hojas del maíz, con su canalito [51] que lo cruzaba, con sus cachas de nácar [52] que le daban un aire retador [53] . . . Sólo faltaba entonces emplazar [54] 25 la fecha; y después no titubear,[55] no volverse atrás, llegar hasta el final costase lo que costase, mantener la calma . . . y luego herir, herir sin pena, rápidamente, y huir, huir muy lejos, a La Coruña, huir donde nadie pudiera saberlo, donde se me permitiera vivir en paz esperando el olvido de las gentes, el olvido que me dejase volver para 30 empezar a vivir de nuevo . . . La conciencia no me remordería; no

[36] ¡más . . . duela! It's better for it to hurt!
[37] nos . . . ojos our eyes smart
[38] nota nuestro anhelo is aware of our desires
[39] self-confident
[40] tentarme los genios stirring up my feelings
[41] bile
[42] llegaba . . . discurrir was it (the bile) then causing to take place
[43] (ira; furia)
[44] presagios de tormenta warnings of hell
[45] steel
[46] tan agobiado estaba I was so fed up
[47] el . . . sangrarlo I had to bleed out the evil
[48] (si)
[49] bringing off; promoting
[50] wheat fields
[51] channel
[52] cachas de nácar mother-of-pearl handle
[53] challenging
[54] (establecer; fijar)
[55] to hesitate

habría motivo.[56] La conciencia sólo remuerde de las injusticias cometidas: de apalear a un niño, de derribar una golondrina . . . . Pero de aquellos actos a los que nos conduce el odio, a los que vamos como adormecidos [57] por una idea que nos obsesiona, no tenemos que arrepentirnos jamás, jamás nos remuerde [58] la conciencia. 5

Fué el 12 de febrero de 1922. Cuadró en [59] viernes aquel año, el 12 de febrero. El tiempo estaba claro como es ley [60] que ocurriera por el país; el sol se agradecía y en la plaza me parece como recordar que hubo aquel día más niños que nunca jugando a las canicas [61] o a las tabas.[62] Mucho pensé en aquello, pero procuré vencerme, y lo con- 10 seguí; volverme atrás hubiera sido imposible, hubiera sido fatal para mí, me hubiera conducido a la muerte, quién sabe si al suicidio. Me hubiera acabado por encontrar en el fondo del Guadiana, [63] debajo de las ruedas del tren . . . No, no era posible cejar,[64] había que continuar adelante, siempre adelante, hasta el fin. Era ya una cuestión 15 de amor propio.[65]

Mi mujer algo debió de notarme.

—¿Qué vas a hacer?

—Nada, ¿por qué?

—No sé; parece como si te encontrase extraño. 20

—¡Tonterías!

La besé, por tranquilizarla; fué el último beso que le di. ¡Qué lejos de saberlo estaba yo entonces! Si lo hubiera sabido me hubiera estremecido [66] . . .

—¿Por qué me besas? 25

Me dejó de una pieza.[67]

—¿Por qué no te voy a besar?

Sus palabras mucho me hicieron pensar. Parecía como si supiera todo lo que iba a ocurrir, como si estuviera ya al cabo de la calle.

El sol se puso por el mismo sitio que todos los días. Vino la noche 30 . . . cenamos . . . se metieron en la cama . . . Yo me quedé, como siempre, jugando con el rescoldo [68] del hogar . . .

Había llegado la ocasión, la ocasión que tanto tiempo había estado

---

[56] **no habría motivo** there would be no reason for it to
[57] **a . . . adormecidos** those (acts) that we go to, benumbed
[58] **remorder** (atormentar)
[59] **cuadró en** it corresponded to; was on
[60] customary
[61] marbles
[62] A *game in which a piece of sheep* bone *is tossed into the air, the* tosser *winning or losing according to the side it falls on.*
[63] (el río Guadiana)
[64] (volver atrás; retroceder)
[65] **amor propio** self-esteem
[66] **estremecerse** to shudder
[67] **de una pieza** dumbfounded
[68] the embers

esperando. Había que hacer de tripas corazón,[69] acabar pronto, lo más pronto posible. La noche es corta y en la noche tenía que haber pasado ya todo [70] y tenía que sorprenderme la amanecida a muchas leguas del pueblo.

5   Estuve escuchando un largo rato. No se oía nada. Fuí al cuarto de mi mujer; estaba dormida y la dejé que siguiera durmiendo. Mi madre dormitaría también a buen seguro.[71] Volví a la cocina; me descalcé [72]; el suelo [73] estaba frío, y las piedras del suelo se me clavaban en la planta [74] del pie. Desenvainé [75] el cuchillo, que brillaba 10 a la llama como un sol . . .

Allí estaba, echada bajo las sábanas, con su cara muy pegada a la almohada. No tenía más que echarme sobre el cuerpo y acuchillarlo. No se movería, no daría ni un solo grito, no le daría tiempo . . . Estaba ya al alcance del brazo, profundamente dormida, ajena [76]— 15 ¡Dios, que ajenos están siempre los asesinados a su suerte!—a todo lo que le iba a pasar. Quería decidirme, pero no lo acababa de conseguir; vez hubo ya [77] de tener el brazo levantado, para volver a dejarlo caer otra vez todo a lo largo del cuerpo.

Pensé cerrar los ojos y herir. No podía ser; herir a ciegas es como 20 no herir . . . Había que herir con los ojos bien abiertos, con los cinco sentidos puestos en el golpe. Había que conservar la serenidad, que recobrar la serenidad que parecía ya como si estuviera empezando a perder ante la vista del cuerpo de mi madre . . . El tiempo pasaba y yo seguía allí, parado, inmóvil como una estatua, sin decidirme a 25 acabar. No me atrevía; después de todo era mi madre, la mujer que me había parido, y a quien sólo por eso había que perdonar . . . No; no podía perdonarla porque me hubiera parido. Con echarme al mundo no me hizo ningún favor, absolutamente ninguno . . . No había tiempo que perder. Había que decidirse de una buena vez . . . 30 Momento llegó a haber en que estaba de pie y como dormido, con el cuchillo en la mano, como la imagen [78] del crimen . . . Trataba de vencerme, de recuperar mis fuerzas, de concentrarlas. Ardía en deseos [79] de acabar pronto, rápidamente, y de salir corriendo hasta caer rendido, en cualquier lado. Estaba agotándome; llevaba una hora

---

[69] **hacer . . . corazón**   to get up courage
[70] **tenía . . . todo**   everything had to be over and done with
[71] **a buen seguro**   surely
[72] **me descalcé** (me quité los zapatos)
[73] **el suelo**   the floor

[74] sole
[75] **desenvainar**   to unsheathe
[76] unsuspecting; unaware
[77] **vez hubo ya**   now it was time
[78] the image
[79] **ardía en deseos**   I was burning with the desire

larga al lado de ella, como guardándola, como velando su sueño. ¡Y había ido a matarla, a eliminarla, a quitarle la vida a puñaladas! . . . Quizás otra hora llegara ya a pasar. No; definitivamente, no. No podía; era algo superior a mis fuerzas, algo que me revolvía la sangre. Pensé huir. A lo mejor hacía ruido al salir; se despertaría, me recono- 5 cería. No, huir tampoco podía; iba indefectiblemente [80] camino de la ruina . . . No había más solución que golpear, golpear sin piedad, rápidamente, para acabar lo más pronto posible. Pero golpear tampoco podía . . . Estaba metido como en un lodazal [81] donde me fuese hundiendo, poco a poco, sin remedio posible, sin salida posible . . . 10 El barro me llegaba ya hasta al cuello. Iba a morir ahogado como un gato . . . Me era completamente imposible matar; estaba como paralítico . . .

Di la vuelta para marchar. El suelo crujía.[82] Mi madre se revolvió en la cama. 15

—¿Quién anda ahí?

Entonces sí que ya no había solución. Me abalancé sobre ella y la sujeté. Forcejeó, se escurrió . . . Momento hubo en que llegó a tenerme cogido por el cuello. Gritaba como una condenada. Luchamos; fué la lucha más tremenda que usted se puede imaginar. Ru- 20 gíamos como bestias, la baba nos asomaba a la boca . . . En una de las vueltas vi a mi mujer, blanca como una muerta, parada a la puerta sin atreverse a entrar. Traía un candil en la mano, el candil a cuya luz pude ver la cara de mi madre, morada como un hábito de nazareno . . . Seguíamos luchando; llegué a tener las vestiduras rasgadas, el 25 pecho al aire. La condenada tenía más fuerzas que un demonio. Tuve que usar de toda mi hombría para tenerla quieta. Quince veces que la sujetara, quince veces que se me había de escurrir. Me arañaba, me daba patadas y puñetazos, me mordía. Hubo un momento en que con la boca me cazó un pezón—el izquierdo—y me lo arrancó de 30 cuajo. Fué el momento mismo en que pude clavar la hoja en la garganta . . .

La sangre salía como desbocada y me golpeó la cara. Estaba caliente como un vientre y sabía [83] lo mismo que la sangre de los corderos . . . 35

La solté y salí huyendo. Choqué con mi mujer a la salida; se le apagó el candil.[84] Cogí [85] el campo y corrí, corrí sin descanso, durante

---

[80] unswervingly; irrevocably
[81] mud hole
[82] creaked

[83] tasted
[84] se . . . candil the lamp went out
[85] I got to; I found

horas enteras. El campo estaba fresco y una sensación como de alivio me corrió las venas . . .

Podía respirar . . .

PREGUNTAS

1. ¿Qué observaba Pascual algunos meses después de casarse?
2. ¿Cómo es la conversación y ademán de la madre?
3. ¿Qué tono de voz usaba la madre con él?
4. ¿Qué arreglo le parece posible a Pascual?
5. ¿Cómo llega la idea de la muerte?
6. Según Pascual, ¿cuál es la peor de las locuras?
7. ¿Cómo llegan tales pensamientos?
8. ¿Qué clase de cuchillo es el que decidió usar?
9. ¿Cuál es la fecha que elige Pascual?
10. ¿Pudo notar Esperanza algo raro en su aspecto?
11. ¿Se hará el crimen de día?
12. ¿Qué clase de suelo tiene la casa?
13. ¿Qué notó Pascual después de quitarse los zapatos?
14. ¿Cómo estaba la madre al entrar él en su cuarto?
15. ¿Prefirió herir a ciegas Pascual?
16. ¿Cuánto tiempo se quedó Pascual al lado del lecho de su madre sin hacer nada?
17. ¿Qué hizo a la madre revolverse en la cama?
18. ¿Qué preguntó ella?
19. ¿Qué puede decirse sobre aquella lucha?
20. ¿Es débil la mujer?
21. ¿Con quién chocó Pascual al salir?
22. ¿Adónde fué? ¿Qué hizo?
23. ¿Sintió Pascual remordimiento por el crimen?

EJERCICIOS

I. *Termine, usando palabras apropiadas:*

a. Los peores pensamientos, las ideas que más nos trastornan, son aquellos que llegan poco _____.

b. La cosa que nos remuerde después de cometer delitos y crímenes es la _____.

c. Después de _____ Pascual notó que el suelo estaba frío.

d. No podía perdonarla solamente porque ella le había echado al _____.

e. Pascual quedó allí mucho tiempo, inmóvil como una _____.

f. Fué la lucha más tremenda que usted se puede _____.

g. La única luz era la de un _____ que traía mi mujer.

h. Mi madre estaba echada bajo las _____.

i. Aunque le parecía imposible acabar con el proyecto, tampoco podía volverse _____.

j. Afiló bien la hoja del _____.

II. *Termine con otros sustantivos como se indica:*

a. un jilguero y una golondrina (*a swallow*)

b. el cuchillo y _____ (*the crime*)

c. la sábana y _____ (*the pillow*)

d. la mano y _____ (*the arm*)

e. la meditación y _____ (*the thoughts*)

f. las injusticias y _____ (*the foolishness*)

g. los labradores y _____ (*the farmers*)

h. la destrucción y _____ (*the hate*)

i. el corazón y _____ (*the pulse*)

j. la voz y _____ (*the tone*)

k. la largura y _____ (*the wideness*)

III. *Dé un antónimo de:*

adelante	enemigo	la entrada	fuerte	inmenso
largo	lento	odio	peor	recordar

IV. *Traduzca al español:*

a. Pascual spent entire nights preparing himself.

b. His mother's tone of voice bothered (*molestar*) him greatly.

c. Esperanza could not stand (*aguantar*) it and told him that something would have to be done.

d. His cowardice and lack of decision prevented (*impidieron*) him from leaving (*se marchase*).

e. What would happen to him during those long years of life ahead (*por delante*)?

f. Hate leads us to fatal and cruel acts, and sometimes to suicide (*al suicidio*).

g. He did not want to end up (*acabarse*) in the Guadiana, nor under the wheels (*ruedas*) of a train.

h. He was sure that his mother was to blame for (*de*) all his misfortunes (*desgracias*).

i. It seemed to him that on that day there were more children than ever (*que nunca*) playing in the plaza.

j. He went out of that terrible room and began to run toward the fields.

VOCABULARIO

The student will find the following explanatory note helpful in the use of the vocabulary. No effort has been made to show the parts of speech unless the entry seems to demand it; it is felt that the English translation in most cases makes that point sufficiently clear. When words are both adjectives and nouns, the adjective entry is given first. The genders of nouns are not shown unless the ending leaves gender in doubt. Verbs that are reflexive and have transitive and intransitive meanings as well are entered with *se* appended to the infinitive; the reflexive meaning will be found last, and separated from the other meanings by a semicolon.

The following abbreviations have been used: *compar.*, comparative; *f.*, feminine noun; *fig.*, figuratively; *imp.*, imperative; *inf.*, infinitive; *m.*, masculine noun; *m. & f.*, masculine noun and feminine noun; *pl.*, plural; *prep.*, preposition.

abajo   down, below, underneath
abalanzar(se)   to spring; to rush forward
abatido, -a   beaten, cowed, depressed
abierto, -a,   open, opened
abogado   lawyer, advocate
abolengo   lineage, of noble ancestry
abollado   dented, bruised
abonado, -a   trustworthy; *m & f.* commuter, ticket holder
aborrecer   to abhor, detest, hate
abortado [abortar]   infant stillborn
abotagarse   to become bloated
abrasar   to burn
abrazar   to embrace
abrazo   embrace, hug
abreviar   to shorten, abridge
abrigar   to shelter, protect
abrigo   cover, overcoat, shelter
abrir   to open
abrogar   to abrogate, nullify
abrumar   to overwhelm, dumbfound
absorto, -a   absorbed
abuelo, -a *m. & f.*   grandfather, grandmother
aburrir(se)   to bore, tire; to get bored
acabar   to finish, end, complete; —— de + *inf.*   to have just
acaecer   to happen, occur
acallar   to calm, hush, pacify
acariciar   to cherish, caress
acaso   chance, accident; perhaps; **por si** ——   in case
acceder   to give in, accede, consent
acelerar   to accelerate
aceña   watermill

aceptar   to accept
acerca de   about, with regard to
acercarse   to draw near, approach
acertar   to hit the mark, guess right; —— a   to happen
ácido, -a   acid; sour, bitter
acierto   accuracy, dexterity, a good hit
acogedor, -a *m. & f.*   protector
acoger   to welcome, receive
acólito   acolyte, assistant
acometer(se)   to jump on, throw oneself into; to attack
acompañado, -a (de)   accompanied (by)
acongojar   to grieve, afflict
aconsejar   to advise, counsel
acontecer   to happen
acontecimiento   event, happening
acordar(se)   to agree; remember
acosar   to harass, pursue, fall upon
acostado, -a   in bed, lying down
acostar(se)   to put to bed; to go to bed
acostumbrarse   to get accustomed to, get used to
acreciente   increasing, enhancing
acreedor   creditor
acrisolar   to harden
acuchillado, -a [acuchillar]   knifed, scarred, cut
acudir   to gather around, come to the aid
acuerdo   agreement
acumular   to accumulate, charge with, gather up
acusar(se)   to confess; accuse oneself

achaque *m.* pretense, ruse
adarga shield
adelantado, -a advanced, in advance
adelante ahead, forward, onward
ademán *m.* gesture, conduct, attitude
además moreover; —— de eso besides that
adentros: en mis —— to myself
adivinar to guess, tell fortunes, divine
admirar to wonder, admire, surprise
adonde where, whither
adorador, -a worshipper
adormecimiento drowsiness, numbness
adorno adornment, ornament
adquirir to acquire
adrede on purpose, purposely
adusto, -a glum
advertir to warn
aéreo, -a aerial, airy, light
afamado, -a famed, noted
afán *m.* desire, anxiety, eagerness
afanosamente zealously
afectuoso, -a affectionate
afeitar(se) to shave (oneself)
afeminado, -a effeminate
afilar to sharpen
afirmar to affirm, maintain, assert
afligir(se) to sorrow, afflict; to grieve
aflojar to slacken, loosen, get lazy
afrentar to insult, affront, shame
agachar to bend over, stoop, bow down, squat
agitar to wave, shake, stir
agobiar to oppress, depress, overcome
agolparse to crowd, rush
agonía agony, ache, pain
agostado, -a burnt, parched, withered
agotado, -a wasted, exhausted, washed up
agradar to please
agradecer to thank for, be grateful for
agradecido, -a grateful, thankful
agradecimiento gratitude, appreciation
agrandar to grow, get larger, enlarge
agravar(se) to aggravate; to get worse
agravio harm, insult, wrong
agredido, -a *m. & f.* one who is attacked
aguacero shower
aguardar to wait
agudo, -a sharp, keen
agüero omen, sign
águila eagle
aguja needle, hand of a compass

agujero hole
ahí there, yonder
ahincadamente earnestly, with vigor, insistently
ahinco insistence, earnestness, ardor
ahogado, -a drowned, suffocated
ahogar(se) to drown, smother, choke
ahorcar to hang
ahorrar to save, hoard
ahumar(se) to smoke; to be smoked
ahuyentar to drive away
airado, -a angered
ajedrez *m.* chess, chess game
ajeno, -a another's; —— del todo completely unaware
[el] ala *f.* wing
alabanza praise
alabar to praise
alargar(se) to draw out, offer; to lengthen
alarido shout, yell, squeal, uproar
[el] alba *f.* dawn
albo, -a snow-white
albornoz *m.* hooded robe
albura whiteness
alcaide *m.* barley field
alcaide *m.* warden, commander
alcalde *m.* mayor
alcance *m.* reach
alcanzar to reach, obtain, attain
aldea village
aldeano, -a *m. & f.* village man, village woman
alegrarse to rejoice, be glad
alegría joy
alejar(se) to move to a distance, drive away, estrange; to recede
aleta de la nariz nostril
aleteo flutter, flap of wings
alfombra carpet
algarabía Arabic, jargon
algazara battle cry, a riot, upheaval
algo something
alguien someone
algún some
alhaja gem, jewel
aliento breath, bravery
alinear to line up, put in line
alivio relief, improvement
[el] alma *f.* soul
almacén *m.* store, warehouse
almidonado, -a starched, dudish
almohada pillow, cushion
almohaza currycomb

alojamiento   lodging, quarters
alojar   to lodge, take lodging
alquilar   to rent
alteración *f.*   commotion, strong emotion
alterarse   to get angry, raise a row
altivez *f.*   haughtiness
altivo, -a   haughty, proud, arrogant
alto, -a   tall, high
altozano   knoll
altura   height, tallness, altitude
alumbrar   to light; to give birth
alzar(se)   to lift, raise; to rise in rebellion
allá   there, yonder
allende   beyond
allí   there; por ———   that way
ama   mistress
amanecer *m.*   dawn
amante *m. & f.*   lover; loving; ———
   de   fond of
amargar(se)   to make bitter; to become
   bitter
amargo, -a   bitter
amargura   bitterness
amarillento, -a   yellowish
amarrar   to bind, tie, fasten
ambiente *m.*   environment, atmosphere,
   ambient
ambos, -as   both
amenaza   threat
amenazar   to threaten, menace
amo, -a *m. & f.*   landlord, landlady,
   owner, master
amonestar   to warn, advise, instruct
amontonar   to pile up, crowd, accumulate
amor   love; *pl.* love affairs
amoral   without morals
amoratado, -a   livid
amortajar   to shroud
amparar   to protect
amparo   shelter, help
anciano, -a   old, ancient; *m. & f.* old
   man, old woman
ancho, -a   wide
anchura   width
anchuroso, -a   rather wide, spacious
andante   errant, roving, walking
andar   to walk, go, move; andaría por
   she must have been around
andén *m.*   platform
anegar(se)   to drown
angelito   little angel

angosto, -a   narrow
anhelante [anhelar]   yearning
anhelo   yearning, yen, strong desire
anillo   ring
ánima   spirit, ghost
ánimo   inclination, spirit, desire, soul,
   courage
animoso, -a   spirited, brave
aniquilar   to annihilate
anochecer(se)   to get dark; to become
   dark
anonadar(se)   to annihilate; to humble oneself
ansí (old spelling for así)   thus, so
ansia   worry, anxiety
ansiedad *f.*   anxiety
ansioso, -a   anxious, eager
anteojos   spectacles, eyeglasses
antepasado, -a   predecessor, ancestor
antes   rather, before, previously; ———
   de que   before
antesala   antechamber, reception room
antiguo, -a   old, ancient
antipatía   antipathy, dislike
antipático, -a   unlikable, disagreeable
añada   annual yield (crop or rent)
añadir   to add
año   year
apabilar   to trim a lamp wick
apagar   to put out light; to turn off
   water; to lower, silence
apalear   to shovel, paddle, spank
aparecer   to appear
aparecido   ghost
aparejado, -a   paired, dressed, prepared,
   saddled
aparejo   equipment, kit, harness
aparentar   to pretend
apartar   to remove, take away
apear   to dismount, alight
apellido   family name
apenar   to pain, grieve
apenas   scarcely, barely, hardly, as soon
   as
apercibir   to warn, prepare
apetecer   to seek, long for
apiadarse   to have mercy, take pity
ápice   apex; ni un ———   not one
   iota
apisonar   to tamp, pack, stamp
aplacar   to placate, appease
aplastado, -a   run over, flattened
aplazar   to postpone
apoderar(se)   to get hold of, obtain

aportar   to bring to
aposento   room, inn, lodging
apostar   to post (soldiers); to wager
apoyar   to support, aid
apoyo   help
apresurar   to hasten, hurry
apretar   to tighten, press; ——— el
   paso   to walk faster
apretón m.   pressure, conflict; ———
   de manos   handshake
aprisa   rapidly, swiftly
aprobar   to approve, pass (a student)
apropiado, -a   appropriate
aprovechar(se)   to seize opportunity,
   take advantage
apuntación f.   note, sketch
apurado, -a   needy, hard up
apurar   to hurry, purify
aquello   that, yonder, that thing
aquende   on this side of
aquí   here, then; de ——— adelante
   from now on
[el] ara f.   altar, asylum
árabe   Arab; Arabic
araña   spider; chandelier
arañar   to claw, scratch
árbol m.   tree
arboleda   woods, grove
arco iris m.   rainbow
arder   to burn
ardiente   burning, piquant, ardent
ardoroso, -a   hot, burning, enthusiastic
arenal m.   sand bed, sand pit
aridez f.   dryness, aridity
aristócrata m. & f.   aristocrat
armar   to arm, man; ——— caballero
   to knight
armario   closet, wardrobe
armonía   harmony
armonioso, -a   harmonious
arrancar   to snatch, root out
arrastrar   to drag
arrastre m.   dragging, crawling
arrayán m.   myrtle
arrebatar   to snatch, carry away
arrebujar   to huddle, bundle, wrap
arreglar   to fix, arrange
arreglo   adjustment, rule, arrangement
arremeter   to attack, engage, charge
arreo   array, adornment; uninterrupt-
   edly
arrepentimiento   repentance
arrepentirse   to repent
arriero   muleteer

arrimar(se)   to lean on, join
arrodillarse   to kneel down
arrojar(se)   to throw out, aside, away;
   to throw oneself
arroyo   brook, creek
arruga   wrinkle, crease
arruinar   to ruin
arte m.   device, artifice
artesano   craftsman, skilled workman,
   artisan
articular   to articulate
artículo   article; ——— de costumbres
   article on regional customs, or manners
artificio   trick, scheme
artista m. & f.   artist
arzobispado   archbishopric
arzobispo   archbishop
arzón m.   front, pommel, saddletree
[el] asa f.   handle (of an ax, saw, jug)
asador   roaster, oven
asaltar   to attack, assault
asar   to roast
ascético, -a   ascetic
aseado, -a   clean, neat, tidy
asechanza   snare, trap, trick
asegurarse   to assure, insure, secure
aseo   cleanliness, grooming
asesinar   to murder
asesinato   murder
así que   as soon as
asiento   seat
asignatura   assignment, course
asimismo   likewise, so too
asir   to seize
asistente m. & f.   assistant, one who
   attends
asistir   to attend, be present
asociar   to associate
asomar   to appear, show up
asombrar   to astonish
asombro   astonishment, dread, terror
aspecto   appearance
aspereza   roughness, harshness, crudeness
áspero, -a   rough, coarse
aspirar   to aspire, seek
astucia   astuteness, keenness
asunto   subject, matter, affair
asustar   to scare, frighten
atacar   to butt on, ram, attack
atajar   to intercept, cut off
atapar [tapar]   to cover, hide, cover up
atar   to tie

atento, -a   attentive
aterrar   to terrify
atestiguar   to swear, testify
atmósfera   atmosphere
atónito, -a   spellbound, awed
atosigar   to harass
atraer   to attract
atrapar   to trap
atrás   back, backward
atravesar   to cross, lay crosswise; to fight, butt in
atreverse   to dare, venture
atrevido, -a   bold, impudent, daring
atrevimiento   impudence, daring
atrio   atrium, main hall
atronador, -a   thundering, booming
atropellar   to push, ride roughshod
atroz   atrocious
atrozmente   atrociously
aturdido, -a   giddy
aturdir   to bewilder
aumentar   to augment, increase
aunque   although
aurora   dawn; ——— boreal   aurora borealis
ausencia   absence
autor   author
auxilio   aid, help
avanzar   to advance
avariento, -a   miserly, avaricious, greedy
avaro, -a   stingy, greedy, miserly; m. miser
[el] ave f.   bird
aventar   to air; to winnow grain
aventura   adventure
aventurado, -a   hazardous, risky
avergonzar(se)   to shame; to be ashamed
averiguar   to find out
avinagrado, -a   embittered, harsh, soured
avisar   to advise, notify
aviso   notice, news
avivar   to revive, enliven, brighten
avutarda   bustard
¡ay!   alas!   ayes pl. expressions of sorrow
ayuda   aid
ayudar   to aid, help
azafate m.   basket, tray
azotado, -a   beaten, whipped
azotar   to beat, lash
azúcar m. & f.   sugar

baba,   slobber, saliva
bailar   to dance

bajar   to lower, let down
bajo, -a   low, shallow; prep. under
bala   bullet
(de) balde   in vain
balsámico, -a   balmy, soothing
bancal m.   plot, terrace
bandada   flock (of birds)
bandeja   tray
bandera   flag
bandido   bandit
barba   beard; en mis ——— right to my face
barbarie f.   cruelty, barbarity
barbechera   untilled or fallow land
barbecho   fallow
barbero   barber
barbita   little beard, chin
barbudo, -a   bearded
barra   hand rail, bar, rod, hand bar
barrio   district, neighborhood
barro   dirt, mud, clay
bastante   enough; rather
bastar   to suffice, be enough
bastidor m.   frame, stretcher
bastón m.   cane, walking stick
bastonazo   a blow with a cane
basura   garbage, waste
batalla   battle
batir   to beat
batuta   baton
bautismo   baptism; el agua del ——— baptismal water
bautizar   to christen, baptize
beata   sister of charity, over-pious woman
beber   to drink
bebida   drink
belleza   beauty
bendición f.   blessing, grace, benediction
bendita   blessed lady
bendito, -a   blessed; agua bendita   holy water
beneficio   ecclesiastical position; pl. favors
benéfico, -a   charitable, kind
benigno, -a   benign, kind, mild
bermejo, -a   red
besar   to kiss
bestia   beast
bien   well; más ——— rather; ——— haya   blest be
bienaventurado, -a   blessed, blest
bienes m.   properties, wealth

bigote *m.* mustache
bilis *f.* bile
billete *m.* ticket, bill (money)
blanca old coin, alloy of silver and copper
blancura whiteness
blando, -a soft
blandura softness, gentleness; con ——— gently
blasonar to boast
blondo, -a light, flax color, blond
boca mouth
bocado mouthful, morsel
bolsa billfold, purse, pouch
bolsillo pocket
bondad *f.* kindness, goodness
bordado embroidery
bordar to embroider, embellish
borde *m.* edge
borla tassel; borlitas little tassels
borona cornbread, millet
borracho, -a drunk, intoxicated
borrar to erase
borrasca storm, row, tempest
borrón *m.* blot, erasure, blemish
bostezo yawn
bota (de vino) leather wine bag
botín *m.* high shoe; spoils of war
botón *m.* acorn, button, shirt stud
bóveda vault, dome, cave
braserillo charcoal burner
brazalete *m.* bracelet, armband
brazo arm
breña rough and tangled terrain
bretaña [Bretaña] Britain
breve brief
brevedad *f.* shortness, brevity
breviario breviary, short treatise
bribón *m.* knave, crook
brillar to shine
brillo brilliance, luster
brincar to leap, jump
brío spirit, energy
broma jest, joke
bromear to joke
bronce *m.* brass, bronze
bronco, -a coarse, rough, hoarse
brotar to sprout, put forth shoots, issue
bruja witch
brujería witchcraft
bruma mist, thin fog
budismo Buddhism
buenaventura good luck, fortune
bufonesco, -a clownish

bujía candle
bulto bundle, package; form (not clearly seen)
burla ridicule, joke, prank
burlar to ridicule, deceive, trick; burlarse de to make fun of
burlón, -a bantering, mocking
buscar to hunt, search, look for
butaca orchestra seat

cabalgadura beast of burden
cabalgar to ride horseback
caballería horse, mount, cavalry; knighthood, chivalry
caballero knight, gentleman
caballo horse; a ——— on a horse
cabecera head (of a bed); bedside, headboard
cabello hair
caber to enter into, have enough room for; yo no cabía en mí de gozo I was beside myself with joy
cabeza head
cabo end, corporal, chief; al ——— de at the end of; llevar a ——— to carry out
cabrón *m.* billy goat, cuckold
cacha handle
cachemir [cachemira, casimir] cashmere
cada each; ——— vez más more and more
cadáver *m.* corpse, cadaver
cadena chain
caer to fall
caída fall
caído, -a fallen
caja box, drum
cajetilla pack (of cigarettes)
cajón *m.* drawer, box
calabaza squash, gourd
calamidad *f.* calamity, misfortune
calar to penetrate, drench, pierce; to pull down (one's hat)
calcular to estimate
calentar(se) to heat; to warm oneself, get excited or angry
calidad *f.* quality
cálido, -a hot, torrid
calma calm, tranquility
calmar(se) to calm (oneself)
calmoso, -a calm, steady
calor *m.* heat, warmth
calumnia slander

calvo, -a   bald
calzado   footwear
callado, -a   silent, quiet
callar(se)   to hush, silence; to keep silent
calle f.   street; ——— abajo   down the street
camarada m. & f.   comrade
cambiar   to change, exchange
cambio   change; en ———   on the other hand
caminar   to walk, travel
caminata   hike, jaunt
camino   road, way
camisa   shirt
campal   rustic, rural
campana   bell
campanilla   tiny bell
campanudo, -a   bell-like
campesino, -a   country man, country woman, farmer
campiña   countryside
campo   country, countryside, field
can m.   dog
canalla f.   rabble; m.   despicable fellow, cur
canallesco, -a   low, vulgar, currish
canapé m.   daybed, couch
candela   candle, fire, light
candelero   candlestick
canilla   armbone, shinbone
cano, -a   grey (-haired); canas   grey hair
cansar(se)   to tire; to get tired
cantar   to sing
cántaro   jug, jugful
cantidad f.   number, quantity
cantiga   poem set to music
cantina   wine cellar, bar, lunchroom
canto   singing, chant
caña   cane, tube, pipe
cañada   gully, gulch, cowpath
capa   cape
capaz   capable, competent, spacious
capilla   chapel, hood
capitanear   to command, lead
capítulo   chapter
capricho   whim, caprice
capuz m.   hooded cloak; dive, ducking
cara   face
carácter m.   character, nature; pl. printing types
carbonizar   to burn, blacken, char
carcajada   guffaw, horse laugh

cárcel f.   jail, prison
carecer   to lack, not to have
cargado, -a   loaded, charged
cargo   post, duty; hacerse ——— de   to take into consideration, understand
caridad f.   charity
cariño   affection, love, fondness
cariñoso, -a   affectionate, fond, kind
carmesí   crimson, red; m. crimson
carne f.   flesh, meat
carnívoro, -a   carnivorous
caro, -a   expensive, dear
carpeta   desk blotter, folder, invoice
carrasca   scrub oak
carrera   race, career
carreta   cart
carretera   road, highway
carretero   cart driver
carro   cart, wagon, car, truck
cartera   portfolio, letter case
cartujo, -a   Carthusian; m. Carthusian monk
casado, -a   married
casamiento   marriage
casaquín m.   blouse, jacket
casar(se)   to marry; to get married; casarse con   to get married to
cascabel m.   sleigh bell
cascado, -a   broken, infirm
casco   hoof, shell, cask, helmet
casería   rustic house, lodge, outbuilding
casero, -a   homeloving, pertaining to the house; m. & f. landlord or landlady, caretaker
caseta   small dwelling, shed
casi   almost
caso   case; en tal ——— in such case, in which case; sin hacer ——— without paying attention
castaño   chestnut tree
castigar   to punish
castigo   castigation, punishment
casto, -a   chaste, pure
casualidad f.   chance, accident
categoría   class, kind, category
caudal m.   wealth, volume (of water)
caudillo   chief, leader
causa   cause, case (law)
causar   to cause
cautela   caution, craft, cunning
cautiverio   captivity
cautivo, -a   captive; m. & f. captive

caza hunting, chase
cazador m. hunter
cebada barley
cebar to bait, feed, nourish
céfiro zephyr
cegar to blind
ceja brow, eyebrow
cejar to go back, slacken, relax
celada scheme, ambush, helmet
celda cell
celebrar to celebrate, approve, rejoice at
célebre famous, celebrated
celoso, -a jealous, suspicious
cementerio cemetery
cena supper
cenar to sup, have supper
cenceño, -a thin, slender, lean
cenefa trimming, border
ceniza ash
centauro centaur
centenar m. hundred; por centenares by the hundreds
centeno, -a hundredth; m. rye
cera wax
cerca near, close by; ——— de near
cercano, -a near, neighboring, close
cercén near, nearby; a ——— all around
cerco fence, halo, ring, rim, hoop
cerrado, -a closed, concealed
cerradura lock (of a door), latch
cerrar to close
cesar to cease, stop, desist
cesto basket, clothes basket
cicerone m. guide
ciego, -a blind; m. & f. a blind man or woman
cielo sky, heaven; ceiling, canopy
ciencia science; ——— infernal diabolical arts, witchcraft
cientificomoral both moral and scientific
ciento one hundred; ——— y tantos a few more than a hundred
cierto, -a certain; certainly; en lo ——— in the right
cigarra cicada
cincuenta fifty
cinto belt, girdle
cirio wax taper, candle
cita date, appointment
clamar to scream, cry out
clamoreo outbreak of cheering (cries)

claro, -a clear, bright, obvious
clavado, -a nailed, fixed
clavar to nail, fix
clavícula collarbone
clérigo clergyman
cobarde m. & f. coward
cobardía cowardice
cobrar to collect, charge, win
cocer to cook
cocina kitchen
cocodrilo crocodile
coche m. carriage, car; ——— de tranvía street car
codear to elbow, nudge
codeo meaning uncertain (see codear)
codicioso, -a greedy, mercenary
codo elbow
cofia hood, hair net, helmet
coger to gather, pick up, take in, seize
cohete m. rocket, fuse, flare
cola tail, line; hacer ——— to line up
coleccionista m. & f. collector (of stamps, books, etc.)
colérico, -a angry, wrathful
colgado, -a hung, suspended
colgar to suspend, hang
colmilludo, -a having long fangs
colocar to place
colodrillo back of the neck, nape
columbrar to perceive, spy
collar m. necklace
comandante m. commander, major
comendador m. commander of a chivalric order
comenzar to begin
comerciante m. & f. merchant, trader
comercio business, trade
cometer to entrust, commit
comida food, dinner
como as, like
comodidad f. ease, opportunity
compañerismo comradeship
compañero, -a companion, mate (school, ship, etc.)
compañía company
comparar to compare
compartir to share, divide equally
compás m. compass; beat (music)
compensar to compensate, make amends for
competencia competition, competence
complacerse to take pleasure

cómplice *m. & f.* accomplice
componer to compose, make up, repair
comportamiento behavior; **buen** —— good behavior
comprar to buy
comprender to understand
comprobante *m.* voucher, invoice
comprobar to verify, vouch for
comprometer to compromise, engage, expose, endanger
compromiso compromise, appointment
concertar to agree on, reconcile
conciencia conscience
concierto concert, agreement
concupiscencia lust, cupidity
concurrencia gathering, audience
condado county; territory governed by a count
conde *m.* count (title)
condenado, -a condemned, damned
condesa countess
condición *f.* condition, quality, class
conducir to lead, conduct
confesado, -a *m. & f.* a penitent
confesar to confess; **confesarse con** to make (mutual) confession
confianza confidence, trust
confiar to intrust
conformar to agree, comply
conforme a consistent with, according to
confuso, -a confused, in confusion
congoja anguish, grief
congojar to grieve, afflict
conjuración *f.* political conspiracy
conjurar to plot, conspire
conjuro conjuration, entreaty
conocer to know, recognize
conocido, -a *m. & f.* acquaintance
conocimiento understanding, acquaintance
conquista conquest
conquistar to overcome, conquer
conseguir to obtain, get, attain
consejero counselor, adviser
consejo advice, counsel
consentidor, -a acquiescent
conservar to maintain, keep, guard, conserve
considerar to consider
consistir to consist, to be comprised; —— **en** to consist of
consorte *m. & f.* companion, mate

constar to consist of, be evident, clear, certain
constituir to constitute, establish
consuelo comfort, condolence
consulta consultation, interview
contagiar(se) to infect; to become infected
contagio contagion
contar to count, tell, relate
contener to contain, include, hold back
contenido contents, content
contertulio a companion, an intimate; one belonging to same set
contestación *f.* reply
contestar to answer
contiguo, -a contiguous, adjacent
continuar to continue
contra against; —— **sí** against himself; **en** —— **de** against
contrariedad *f.* ill wind, adversity, opposition
contrario, -a contrary, opposite; *m. & f.* enemy, opponent
convencimiento belief, conviction
convenir to suit, agree, fit
converso, -a converted; *m. & f.* a convert (from Judaism to Christianity)
convertir(se) to convert; to be converted
convidador, -a *m. & f.* one who invites, treats
convocar to call together, assemble
copa treetop; high hat; drink, glass
copla stanza, verse, couplet
copo (de humo) wisp (of smoke)
coqueta coquette, flirt
coraje *m.* courage, fortitude, passion
corazón *m.* heart
cordero, -a *m. & f.* lamb
cordillera mountain range
cordobán *m.* leather (from Córdoba)
cordura wisdom, prudence
corintio, -a Corinthian; *m. & f.* Corinthian
cornetilla *m.* a little bugler
cornisa cornice
coro chorus
corona crown
coronar to crown
corpúsculo corpuscle
corredor *m.* runner, broker
corregir to correct
correr to run, flow

corretear to hang around, rove, ramble
corrido, -a in excess; expert, flowing; abashed, confused
corriente current, running; *f.* current of a river, tendency
cortado, -a fit, adapted, confused
cortar to cut
corte *f.* the court; capital of (Madrid, Rome, etc.)
cortés courteous
cortesía courtesy
corto, -a short, dull, stupid
corzo, -a *m. & f.* deer
cosa thing
coscorrón *m.* bruise, bump on the head
coser to sew, unite
costado side
costar to cost
costumbre *f.* custom, habit
costura seam, sewing
cotidiano, -a daily; **quehaceres cotidianos** daily chores
coyuntura juncture, meeting
crabrón, *m.* hornet
creador, -a creative; *m. & f.* maker, author, creator
crear to create
crecer to grow
crecido, -a grown up; large, long, swollen
creciente growing, rising
creer to believe
crepúsculo twilight
crespo, -a curly
criado, -a servant
criatura creature, child, baby
crimen *m.* crime
crin *f.* mane (of a horse or lion)
crispar to twitch; to contract
criterio criterion, judgment
crítica criticism
crónica chronicle
cronista *m.* author of a chronicle
crueldad *f.* cruelty
crujir to creak, crackle
cruz *f.* cross
cruzar to cross
cuadrar to form into a square; **cuadró en viernes** it fell on a Friday
cuadros picturesque descriptions
(de) cuajo by the roots
cualidad *f.* quality, characteristic

cualquier, -a any; *pron.* anyone, someone; ——— otro anyone else
cuan [cuanto] how, as
cuanto, -a as much as, as many as, all the, all that which
cuartel *m.* barracks, army base, quarter
cuartilla sheet of paper
cuarto room, quarter, quarters
cubierto, -a covered, cover, deck
cubrir to cover, spread over
(en) cuclillas squatting
cuclillo cuckoo
cuchillo knife
cuchitril *m.* cubbyhole
(se) cuecen [cocer] are cooked
colgar to hang
cuello neck, throat
cuenca channel; socket (of the eye)
cuenta bill, account; **darse ——— de** to realize
cuentista *m. & f.* writer, teller of tales
cuento tale, gossip, story
cuerda cord, rope
cuerno horn
cuero leather
cuerpo body
cuesta slope, hill; a ——— on one's back; ——— arriba uphill
cuestión *f.* question, dispute, matter
cueva cave
cuidado caution, care, apprehension, anxiety; **no hay ———** don't worry; **al ——— de** in the care of
cuidar to take care, look after, keep
culebra snake
culpa fault, guilt
culpar to blame
cumbre *f.* peak, summit
cumplido, -a complied with, finished, adequate
cumplir to perform, keep, obey, fulfill; ——— años to be ——— years old
cuna cradle
cuneta gutter, ditch, small channel
cuña wedge, paving stone
cuñado, -a brother- (sister-) in-law
cuño die for minting coins
curar to cure, treat
cursar to study
cuyo, -a whose, of which, of whom

chal *m.* shawl

chalán, -a *m. & f.* horse dealer, hawker
chaleco vest, waistcoat
chanza joke, prank
chapitel *m.* spire; the uppermost part of a column
charco puddle
charlar to chat, prattle
chirlo slash or scar (on the face)
chispa spark
chiste *m.* joke, jest
chocar to collide, bump, clash
choque *m.* collision, bump
choquezuela kneecap
chupar to suck

daga dagger
dama lady
dañado, -a damaged, bad, spoiled
dañar to damage, spoil, go bad
dañino, -a damaging, harmful
daño damage; —— alguno any harm at all
dar to give; —— a entender to insinuate, let it be known; —— con to meet, find; —— contra hit against; —— de comer to feed; —— voces to yell; darse por vencido to give up
dardo dart, small spear
datos *m. pl.* data, facts, information
deán *m.* dean
deanazgo deanship
debajo de beneath, under
deber to owe; ought, must; debe de ser it must be
debilidad *f.* weakness
decadencia decay, decline
decano dean
decantar to decant, exaggerate, puff up
decidir to decide
decir to say, tell
declive *m.* slope, decline
decorar to decorate; to memorize
decoro decorum, respect, honor
dedicado, -a dedicated
dedo finger
degenerar to degenerate
degollar to behead, decapitate
dejar to let, leave, fail; —— de cease, quit
delante ahead; —— de in front, before; por —— in front

delgado, -a lean, slim, thin
delicadeza delicacy
delicado, -a delicate
delito transgression of the law, crime
demás other; los (las) —— the rest, the others
demasiado, -a too much
demoníaco, -a devilish
demonio devil
demostrar to point out, show
denegar to deny, refuse
denominar to call; to indicate
dentro inside, within; —— de within
depositar to deposit, place
derecho law, privilege, right; —— romano Roman law
derecho, -a straight, right; a la derecha to the right
derramar to spill, run over, scatter
derretir to melt, liquefy, waste
derribar to throw down, fell
derrota defeat, rout
derrotar to defeat
desagrado displeasure
desairado, -a angered, angry, unattractive
desairar to slight, overlook, snub
desamparo abandonment, helplessness
desandar to retrace one's steps
desaparecer to disappear
desaprobación disapproval
desarmado, -a unarmed, disarmed, unbound
desarraigar to uproot, dig up
desarrollar to develop, unroll, unfold, improve
desarrollo development
desasir to turn loose, let go, give up
desastrado, -a wretched, unfortunate
desatado, -a untied, loose
desatentado, -a careless, inattentive
desatinado, -a confused, senseless, off key
desatinar to confuse, bewilder
desbaratar to destroy, disrupt, debunk
desbocado, -a runaway (horse); como —— in a gush
desbocar(se) to empty into, spout; to burst forth
descabalar to take parts away or off, damage, incapacitate
descalzar to take off shoes and stockings

descansar to rest, be quiet, lie down, lie fallow

descaradamente brazenly, openly

descargar to disburden, ease, empty, discharge (firearms)

descobijar to uncover, bring to light; to deprive

descomponer to disarrange, upset, disturb

descompuesto, -a [descomponer] disarranged, in disarray, out of order, broken

desconfiado, -a distrustful

desconfiar to distrust, suspect

desconocido, -a unknown; *m. & f.* person unknown, stranger

desconsuelo grief

descorrer to go back, retrace; to draw (curtain)

descortés discourteous

descoser to rip, unstitch

descreer to disbelieve

describir to describe

descubrir to uncover, discover, reveal

descuidado, -a neglected, careless

descuido neglect, carelessness

desde since, from, after

desdecir to degenerate, differ, impair; **desdecirse** to retract

desdeñar to scorn, disdain

desdicha misfortune

desdichado, -a unfortunate; —— **de mí** poor me

deseado, -a desired, longed for

desear to desire

desembarazo ease, naturalness

desembuchar to spit out, cough up

desempeño redeeming, payment, playing a role

desengaño disenchantment, reproof; *pl.* sad lessons of experience

desenvainar to unsheath, expose

desenvoltura poise, ease

deseo desire

deseoso, -a desirous

desertar to desert, abandon

desesperación *f.* desperation

desesperado, -a desperate, hopeless

desesperante hopeless, maddening

desesperanzar to deprive of hope, discourage

desfallecer to faint, weaken

desfilar to parade, file by

desgarrar to tear, rip, claw

desgracia misfortune

desgraciado, -a wretched, unfortunate; *m. & f.* wretch

desgranar to shell (corn), pick (grapes)

deshabitado, -a uninhabited, deserted

deshacer to undo, take apart, destroy

deshecho, -a torn, taken apart, undone

desherrar to unchain, unshackle, unshoe (a horse)

deshilar(se) to unravel; to get thin

deshora unseasonable; a —— untimely hour

desierto, -a dry, barren; *m.* desert

designio design, purpose

desilusión *f.* disillusionment

desistir to desist, cease, give up

desleal faithless, disloyal

desligar to untie, disassociate, unbind

deslumbrar to baffle, dazzle

desmayar(se) to faint, swoon

desmayo faint

desmesuradamente excessively, insolently

desnudar to undress, strip

desnudo, -a naked, nude, bare

desobedecer to disobey

desolado, -a desolate, forlorn, abandoned

desollar to skin (animals and people); to flay

desorden *m.* disorder

despacio slow, slowly

despacioso, -a slow, sluggish

despachar to despatch, expedite, send

despacho office; shipment

despecho spite; a —— **de** in spite of, in despair of

despedir(se) to send away, dismiss; to say goodbye

despegado, -a insolent, disagreeable; unglued

despertar(se) to awaken, remind, excite; to wake up

despiadado, -a unmerciful, ruthless

despierto, -a awake

desplomar to collapse, get out of plumb

despojar to ransack, despoil

despojo plunder, booty, spoils

desposado, -a newly married, handcuffed

desposar(se) to marry; to take marriage vows

desposeer to dispossess

desposorio betrothal, engagement
despreciable contemptible, despicable
despreciar to disdain, despise
desprender(se) to let loose, separate; to fall down, come out of
desprevenido, -a offguard, unalert, unprovided
después (de) after, next to
destacar(se) to stand out, detach
destapar to uncover, unplug
destartalado, -a rickety, jumbled
desterrado, -a exiled, banished
destierro exile
destilar distill
destino destination; job
destreza skill, training
destronar to dethrone, depose
destrozar to destroy, shatter
destruir to destroy, ruin, demolish
desvanecer(se) to disintegrate, dispel; to vanish, faint
desventura misfortune, misery
desviar to turn aside, turn off the road
detalle *m.* detail
detener(se) to stop, detain; ¡deteneos! Halt! Stop!
determinado, -a determined; **sino una —— but a special one**
detestar to detest, hate, curse
detrás behind, after; —— **de** back of; **por —— from behind**
deuda debt, fault, sin
deudo, -a *m. & f.* relative, kinship, kinsman, kinswoman
devanar to bend, writhe, wind (on a spool)
devolver to return, go back
devorar to devour
devoto, -a pious, devout
devuelto [devolver]
día *m.* day; **todos los días** every day
diadema tiara, diadem, crown
diáfano, -a transparent, translucent
dialogar to chat, converse; **dialogado, -a** in dialogue
diamante *m.* diamond
diantre *m.* the devil; **¡Qué ——!** What the deuce (devil)!
diario, -a daily; *m.* daily newspaper
dibujo sketch, drawing
dicho saying, proverb
dichoso, -a fortunate, happy
diente *m.* tooth, fang, tine
diezmar to decimate

diezmo tithe, tithing
difunto, -a dead; *m. & f.* dead man, dead woman
digno, -a worthy, fit, meritorious
dilación *f.* delay
dilatar to delay, dilate, lengthen
diligencia diligence, briskness; stagecoach
dimes y diretes squabbling, arguing
diminuto, -a diminutive, tiny
diosa goddess
dirigir to address, direct
disciplinado, -a disciplined, trained
disculpar to excuse, pardon
discurrir to roam; to reflect, conjecture, discourse
discurso speech, lecture; space of time
discutir to discuss, argue
diseminar to scatter, sow, spread
disfrazado, -a [disfrazar] disguised
disgusto displeasure, unhappiness, annoyance
disimular to disguise, pretend
dislocar to sprain, put out of joint
disponer to arrange, order, dispose
disputa dispute, controversy
distinguir to distinguish
distraer to distract, confuse; to amuse
diverso, -a different, various, several
divertido, -a amusing, funny
divertir(se) to amuse (oneself)
divisar to perceive indistinctly, make out
dobla ancient gold coin of Spain
doblar to double, fold, bend
doce twelve
docena dozen
doctorado doctorate, doctor's degree
dolencia ache, pain, grief
doliente suffering, sorrowful; *m.* a mourner
dolor *m.* pain
doloroso, -a painful
dominio domain, dominion
dominó cloak, costume
donaire *m.* gracefulness, cleverness, witticism
doncel *m.* bachelor, youth
doncella maiden; lady's maid
dondequiera wherever, anywhere
donjuanesco, -a pertaining to Don Juan
dorado, -a gilded
dormir to sleep

dormitar to doze, nap
dorso back, spine
doscientos two hundred
dotar to endow, give a dowry, portion;
dotado de gifted as, endowed with
dramaturgo dramatist
droga drug, medicine; fib, deceit
duda doubt
dudar to doubt
dueño, -a *m. & f.* owner, master, mistress
dulce sweet; *m.* candy, preserves
dulzor, dulzura *m. & f.* sweetness
duque, duquesa *m. & f.* duke, duchess
durante during
durar to last, persist
duro, -a hard; *m.* dollar

echar to throw out, hurl, reject; ——— mano a to take hold of; echarse to stretch out
edad *f.* age
edicto edict
edificante edifying
efectivamente actually, really
efecto effect, feeling; *pl.* merchandise, goods
eficacia effectiveness
efusión *f.* warmth, effusion
egoista egoistic, egotistical; *m & f.* egoist
ejemplar exemplary; *m.* example, volume, copy
ejemplo example; por ——— for example
ejercer to exercise, practice, perform
ejercicio exercise, employment, task; ——— de armas drills, practice, training
ejercitar to exercise, practice, carry out
ejército army
elegir to choose, elect
elevar to improve, raise, lift
elocuencia eloquence
embargo seizure, embargo; sin ——— nevertheless, however
embeleco imposition, bore
embelesamiento rapture, charm, beautification, embellishment
embobar to fascinate, enchant
embozado, -a muffled
embozo muffler (held over the face for cold or as a mask)
embriaguez *f.* drunkenness, rapture

emocionar to excite, distress, move
empacho embarrassment, bashfulness
empapar to soak, saturate
empeñado, -a [empeñar] pledged, determined
empeñar(se) to pledge, pawn; to insist, persist
empeño pledge, pawn, engagement, determination
emperador *m.* emperor
empezar to begin
emplazar to place, locate, summon
empleado employee, clerk
emplear to employ, use
empleo job, employment, work
emprender to undertake
empresa enterprise, undertaking; management, a firm
empujar to push, shove
enajenación *f.* alienation, rapture
enajenar to alienate, dispose of
enamorado, -a in love, lovesick; *m. & f.* sweetheart
enamorar to love, enamor; enamorarse (de) to fall in love (with)
enano, -a *m. & f.* dwarf
encaje *m.* lace
encaminar to get going, set out, show the way
encanto enchantment; como por ——— as if by magic
encarcelamiento imprisonment
encargo charge, duty, request
encarnado, -a red, incarnate, flesh-colored
encender(se) to light (up)
encendido, -a inflamed, lighted, flushed
encerrado, -a locked up, confined, jailed
encerrar to enclose, jail, confine
encía gum (of the mouth)
encima on top; por ——— de over; ——— de on, above
encina evergreen oak
enclavar to nail, seize, catch
enclavijar to pin, gather
encoger to shrink; draw up; encogerse de hombros to shrug the shoulders
encomendar to recommend, commend
enconar to irritate, inflame
encontrar to find, meet
encorvar to bend over, curve
encrucijada crossing, intersection
encuadernación *f.* bookbinding

encubrir to hide, keep under cover, pretend
encuentro battle, encounter, meeting
encurtir to pickle
(por) ende therefore
endiablado, -a devilish, ugly, deformed
endurar to harden, put off, save
enemigo, -a *m. & f.* enemy
enérgico, -a energetic
enfadar(se) to anger, annoy; to get angry
enfadoso, -a annoying, bothersome
enfangarse to mire, bog down
enfermar to get sick
enfermedad *f.* illness, disease
enflaquecer to get thin, weaken
enfrenar to curb, restrain, to put on brakes
enfrente in front, opposed to; —— de opposite
enganchar to hook, hitch, hang on a hook
engañar to deceive, trick
engendrar to engender, beget
engordar to get fat
enjugar(se) to dry off; to become lean
enlace link, marriage, connection
enmendado, -a changed, corrected, amended
enmienda emendation, correction, satisfaction
enmudecer to silence, still
ensalzar to extol, elevate, exalt
ensanchar to widen, stretch, extend
ensangrentar to bathe in or stain with blood
ensañar(se) to enrage, irritate; to vent one's fury
ensayista *m. & f.* essayist
ensayo test, essay, rehearsal, attempt
enseñar to teach, show how
ensillar to saddle
ensoñador [soñador, -a] dreamy, drowsy
ensuciar to soil, get dirty
ensueño dream, daydream
entender to comprehend, understand; da a —— lets it be known
entendimiento understanding
enteramente entirely
enterar to make aware, inform
enternecer to soften, move to pity
entero, -a entire, whole
enterrar to inter, bury

entonces then
entontecer to stupefy, make foolish
entornar to half close, set ajar
entorno region, territory; —— de la puerta space about the door
entrada entrance
entraña entrail, deep inside; *fig.* heart
entrar to enter
entre among, between; —— mí to myself
entreabierto, -a ajar, slightly open (door or lid)
entrecejo frown, space between eyebrows
entregar to deliver, turn in; **entregado al juego** dedicated to gambling
entremés *m.* interlude, farce
entretanto meanwhile
entretener(se) to amuse, entertain, delay; to amuse oneself
entretenimiento entertainment
entristecer to sadden
entuerto wrong, injustice
enumerar to enumerate
envalentonar(se) to encourage; to become courageous
envanecer(se) to make vain; to become vain
envejecido, -a grown old, aged
envenenamiento poisoning
envenenar to poison
enviar to send
envío dispatch, shipment, sending of
envite *m.* stake, side bet; invitation
envoltorio wrapping, packing material, bundle
envoltura cover, wrapper, envelope
época age, epoch
equilibrio equilibrium, balance
equipaje *m.* luggage
equipar to equip
era age, era
erguir(se) to stand erect, straight; to swell (with pride); to straighten up
eriazo, -a unplowed, uncultivated; *m.* unplowed or uncultivated land
erizamiento bristling
ermita hermitage; —— lugareña country shrine
ermitaño hermit
erudición *f.* erudition
erudito, -a erudite, learned; *m. & f.* scholar
esbelto, -a graceful, slender

escalar   to scale (a wall)
escalera   ladder, stair
escalofrío   chill
escalón m.   step, doorstep
escamar(se)   to scale, cause suspicion; to be made wise by experience
escampo   between showers, fairing off
escapar(se)   to escape, run away
escaramuza   skirmish
escaramuzar   to skirmish
escarmentar   to learn by experience, to punish
escaso, -a   scarce, stingy, frugal; escasa luz   dim light
escena   scene, stage, view
esclarecer   to brighten, dawn, fair off (weather)
esclavo, -a m. & f.   slave
escoba   broom
escocer   to smart
escogido, -a   chosen, select, selected
escolta   escort, attendant
esconder   to hide
escondidas   hidden; a ——— on the sly, secretly
escoria   dreg, trash, dross
escribano   actuary, law clerk
escrito   writing, literary composition; por ——— in writing
escritor, -a m. & f.   writer
escritura   writing, penmanship, deed (legal); Escritura   Scripture
escuadra   squad, square, squadron
escuchar   to listen, heed, mind
escudero   squire, shield bearer
escudo   shield, coin (with shield)
ecudriñador, -a   scrutinizing, prying
escuecen [escocer]   they smart, burn
escultor, -a m. & f.   sculptor
escupir   to spit
escurrirse   to trickle, slip, slide, slip out
esfera   sphere
esforzar   to exert, invigorate
esfuerzo   effort, courage, vigor
esfumar   to shade, tone down, soften
esgrimidor m.   fencer
eslabón m.   link (in a chain)
esmaltar   to enamel, embellish
espabilar   to snuff candles, wicks
espacio   space, period of time
espada   sword
espalda   shoulder, back
espaldar m.   back of a seat; trellis

espantar   to frighten
espanto   fright, dread
espantoso, -a   frightful
especie f.   species, kind
espectáculo   show, spectacle, scene
especular   to speculate, surmise
espejismo   mirage
espejo   mirror
espeluznante   hair-raising, frightful
esperanza   hope
esperar   to expect, hope, wait
espeso, -a   thick, heavy
espía m. & f.   spy
espiar   to spy, watch, lie in wait for
espiga   spike, peg, stem
espíritu m.   spirit, soul, courage
espliego   lavender
espolear   to spur, incite
espolvorear   to dust
esponja   sponge
espontaneidad f.   spontaneity
esposo, -a m. & f.   spouse; husband or wife
espuela   spur
esquela   note, notice of death, bad news
esqueleto   skeleton
esquivar   to dodge, avoid
estabilidad f.   stability
establecer   to establish
establo   stable
estacar(se)   to tie to a stake, stake; to stand stiff
estada   stay, stop (at some place)
estado   state, condition
estafa   a cheat, swindle
estallar   to burst, explode, break out
estambre m.   woolen yarn, worsted
estampa   image, print
estampilla   stamp, seal
estancar(se)   to stanch, check, corner; to stagnate
estancia   stay, stopover, dwelling, room
estaño   tin
estatua   statue
estepa   barren plain, steppe
estera   mat, matting
estéril   sterile, barren, futile
estilo   style
estimar   to esteem
estío   summer
estirar   to draw, stretch
estómago   stomach

estrada   paved road
estrado   drawing room, dais, platform; furniture for drawing room
estragar   to waste, ruin, corrupt
estrategia   strategy
estrechar   to narrow, tighten
estrecho, -a   narrow
estrella   star
estrellar   starry
estremecer   to tremble
estrépito   uproar, crash, clash (of thunder)
estribo   stirrup, footstep of a coach
estropear   to abuse, mistreat, cripple
estuche *m.*   case, small box
estupendo, -a   stupendous, wonderful
estúpido, -a   stupid
etapa   stage (of development); station, stop
eternidad *f.*   eternity
eterno, -a   eternal
etiqueta   etiquette, formality, tag, label; **traje de** ———   formal dress
eufonía   euphony
euforia   state of well-being
eurítmia   normal flow of blood
europeo, -a   European; *m. & f.* European
evitar   to avoid
exagerar   to exaggerate
exaltado, -a   exalted, extreme, hotheaded
exasperar   to exasperate
excavar   to excavate
exceder   to exceed, surpass
excluir   to exclude
exculpar   to exonerate
excusar(se)   to excuse, avoid; to excuse oneself, make excuses
exento, -a   exempt
exequias   adulation, obsequies
exhalar   to exhale, emit
exigir   to exact, demand, require
éxito   success; **tener** ———   to be successful
exornar   to adorn, embellish
expiar   to atone, cleanse
expirar   to expire, die
explotar   to exploit, explode; to operate a business
exponer   to expose, lay bare
exprimir   to press, squeeze, wring out
extasiar   to enrapture, move to ecstasy

extender(se)   to extend, reach, get longer
extraer   to extract, draw out, remove
extranjero, -a *m. & f.*   foreigner
extrañar   to banish, ignore a person; to miss someone; to wonder at
extraño, -a   strange, queer
extraviar(se)   to mislay, lead astray; to go astray
extremo   outer edge, limit

fábrica   factory
facciones *f. pl.*   features
fagot *m.*   bassoon
falda   skirt, lap
falsete *m.*   falsetto voice
falta   lack, want, absence, fault; **sin** ———   without fail
faltar   to fall short, fail; **no faltaba más**   that was the last straw; ——— **a su palabra**   not to keep his word
fallar   to fail; to pass judgment
familiar   pertaining to the family
fanfarria   bluster, brag, fanfare
fantasía   imagery, fantasy, vanity
fantasma *m.*   ghost, phantom, conceited person
fardel *m.*   bag, bundle
fardo   bundle, parcel
farol *m.*   lantern, street lamp, lighthouse
farsante *m.*   fake, humbug
fascinar   to fascinate
fatalidad *f.*   destiny, necessity, fatality
fatigar   to fatigue, tire
fatuo, -a   conceited, stupid
favor *m.*   favor; **tal** ———   such a favor
fecundo, -a   fruitful, prolific
felicidad *f.*   happiness
felicitar   to congratulate
feliz   happy
fenecer   to finish, conclude, close
feo, -a   ugly, homely
feroz   fierce
festejo   festivity, feast
fiar   to intrust, confide; **al fiado**   on credit; **en fiado**   on bail
fiebre *f.*   fever
fiel   faithful, loyal
fiereza   fierceness, ferocity
fiesta   feast; **hacer** ———   to play up to; to take a holiday
figura   face, figure

figurar(se) to figure, imagine, be conspicuous, appear; ¡Figúrese! Just imagine!

fijamente attentively, intensely, fixedly

fijar to fix, fasten; fíjate bien look carefully; fijarse en to notice

fijo, -a fixed

fila row, file

fin *m.* end

fingir to feign, pretend, disguise; lo fingido the affected

firmamento sky

firmar to sign

firmeza firmness

físico personal appearance, physique

flaco, -a thin, skinny

flan *m.* custard, soufflé

flaqueza weakness, thinness

flauta flute

flojo, -a lazy, slack, loose

flor *f.* flower

floresta wooded field, delightful sylvan spot

flota fleet

flotante floating

folletín *m.* serial story

fomentar to promote, foment

fondo background, back, bottom, depth; de buen —— of good background or character; en el —— at the bottom, fundamentally

fontana fount, spring

foral statutory, lawful

forastero, -a *m. & f.* outsider, stranger

forcejear [forcejar] to struggle, contend

forjado, -a forged, fabricated

forjar to forge

formidable immense, huge

fortaleza fort, fortification; vigor

fortísimo, -a very strong

forzar to force, strive

fosa grave

frac *m.* full dress, coat and tails

fracasar to fail

fragilidad *f.* frailty, moral looseness

fraguar to forge, scheme

fraile *m.* friar, priest, monk

franco, -a free, frank, liberal

franqueza frankness, candor

frase *f.* sentence, speech

frecuencia frequency

frente *f.* forehead; —— a mí facing me

fresa strawberry

fresco, -a fresh, cool; *m.* fresh, cool; al —— in the open air

frialdad *f.* coldness

frío cold

friolera bauble, trifle; *pl.* odds and ends

friolero, -a chilly

frontera frontier

(ni) fu (ni) fa (neither) one (nor) the other

fuego fire

fuente *f.* fountain, spring source

fuera out, outside; —— de eso besides that; —— de sí beside himself

fuerte strong, loud

fuerza force, strength

fuga flight

fumada a puff (of smoke)

fumar to smoke

función *f.* show, program, social function

funda case, slipcover; —— de almohada pillow case

fundar to found, base

fundir to blend, mix, fuse

fúnebre funereal, gloomy, funeral

funesto, -a regrettable, sad, dismal

fusilar to shoot

gabinete *m.* cabinet, tiny office booth

gajes *m. pl.* wages (of professional soldiers)

galaico, -a pertaining to Galicia

galanamente gallantly

galante gallant, attentive to women

galdosiano, -a pertaining to Galdós

galera boat, galleon

galgo greyhound

galope *m.* gallop; al —— hurriedly

gallardo, -a graceful, brave, elegant

gallego, -a Galician; *m. & f.* Galician man or woman

gallo rooster

gana desire; tener ganas to feel like, have a mind to; de buena —— willingly; no me da la —— I don't want to; como le venga en —— as you please

ganado livestock, cattle, drove

ganancia earnings, winnings, gain

ganar to gain, obtain, win

gangoso, -a speech having a nasal sound

ganso, -a *m. & f.* gander, goose, dullard

garfio hook, gaff

gárgola gargoyle

garra claw, hook, catch

garrapatear to scribble, scrawl

garrote *m.* club; hangman's noose

gasa gauze, chiffon

gastar to wear out, spend, waste

gasto expenditure

gato, -a *m. & f.* cat

gaveta till, small drawer

gavilán *m.* sparrow hawk

gemelo, -a twin; *m. & f.* twin; *m. pl.* cuff links

gemido moan, groan

gemir to moan, groan

género sort, type, nature, class (of literature)

genio temperament, genius

gente *f.* people, folk

gentileza kindness, elegance, politeness

gentío crowd

geografía geography

gerencia management, manager's office

gerifalte *m.* gerfalcon

gesto gesture, grimace, look

gigante *m.* giant

girar to draw; to gyrate, rotate

giro turn, gyration, course

gitano, -a gypsy; *m. & f.* gypsy

glándula gland

gloria fame, glory, heavenly state

glotón, -a *m. & f.* glutton

gnomo gnome

gobernar to govern

goce *m.* enjoyment

golondrina swallow

golosina delicacy, tidbit

goloso, -a having a sweet tooth; *m. & f.* epicure

golpe *m.* blow, stroke

golpear to hit, beat, knock, bump, bruise

goma gum, rubber

gordo, -a fat, stout, corpulent; *m.* fat, suet

gorra cap

gota drop

gótico, -a Gothic

gozar to enjoy

gozo pleasure, joy; saltar de ———— to jump with joy

gozoso, -a joyful, glad

gracia cleverness, wit, grace

grada step, row, degree; harrow

grajo blackbird

grama grass

grande great, large, grand; *m.* grandee

grandeza greatness; *pl.* great deeds

grandilocuente pompous, grandiloquent

granizo hail

gratificación *f.* bonus, reward, tip

grato, -a pleasant, free

graznar to caw, croak, cackle

gremio guild, society, labor union; lap

griego, -a Greek; *m. & f.* Greek

grifo, -a tangled, curly; *m.* faucet; *myth.* griffin

gris gray

gritar to shout, scream

grito shout, scream, yell

grosería crudeness, rudeness

grueso, -a thick, bulky

gruñir to growl, grunt, squeak (door)

gualdo, -a yellow

guante *m.* glove

guapo, -a handsome, fine

guardar to keep, observe, guard, look after; guardaba vida honesta he led an honest life; guárdeme keep for me

guardia care, protection, guard (body of troops); *m.* guardsman

guardilla attic, garret

guarecer to shelter, protect

guerra war, conflict

guerrillero guerilla

guía *m. & f.* guide, map, directory

guiar to guide, lead

guijarro cobblestone, large pebble

guiñar to wink

guirnalda garland, wreath

guisar to stew, cook

gusano worm

gustar to be pleasing, suit; to taste, try

gusto pleasure

ha [hacer]: ———— muchos años many years ago

haber to have; *archaic* possess; haberse con to have it out with

hábil able, competent

habilidad *f.* ability
habitar to live
hábito dress, garment
hacer to do, make; **en** ———— **bien** in doing good; **haciendo vida** earning a living; ———— **caso de** to take note of, notice; ———— **caso** to mind
hacia toward
hacinar to pile up, shock, heap
hacha axe, hatchet
hada fairy
halar to pull, haul
hallar(se) to find, discover; to find oneself
[el] **hambre** *f.* hunger; **tener** ———— to be hungry
hambriento, -a hungry
haragán, -a lazy; *m. & f.* idler, loafer
hartar to stuff, gorge, satisfy
harto, -a full, sufficient; ———— **frecuencia** all too frequent
hastiar to sate, annoy, bore
hay [**haber**] there is, there are; **habrá** there will be; **ha habido** there has been; **hubo** there was, there were
haz *m.* beam of light; military force; bundle; *f.* face
haza field, parcel of land
hechicería sorcery, witchcraft
hecho, -a made, done; *m.* fact, act, deed; **hechos de armas** deeds of war
helado, -a cold, icy, frozen (with fear); *m.* ice cream; *f.* freeze, freezing
hembra female
henchir to swell, stuff
hender to crack, split, cleave
hendido, -a cracked, split
heredad *f.* estate, inheritance
hereje *m. & f.* heretic
herejía heresy, insult, outrage
herida wound
herido, -a wounded
herir to wound, hurt, harm, strike; ———— **a ciegas** to wound blindly, in the dark; **hiriéndose los dos** wounding each other
hermana sister
hermanastra stepsister
hermanazgo brotherhood, sisterhood, close friendship
hermandad *f.* brotherhood, sisterhood, close friendship
hermano brother

hermoso, -a beautiful
hermosura beauty
herradura horseshoe
herramienta tool
herrero blacksmith
hervir to boil, seethe, swarm
híbrido, -a hybrid
hidalgo [**hijo de algo**] nobleman
hidalguía nobility
hierba herbs, grass
hierro iron
higo fig
hijo, -a *m. & f.* son, daughter
hilar to spin
hilera row, line, file
hincar kneel
hipocresía hypocrisy
hiriente hurting, offensive
hirsuto, -a bristly, hairy
hisopo mint, thistle; sprinkler for holy water (hyssop)
historia history, story, tale
histórico, -a historical
hocico muzzle, snout
hoguera fire, bonfire
hoja leaf, blade
holgar to loaf, rest up; to be glad
hombro shoulder
hondo, -a deep
honradez *f.* honesty, integrity
honrado, -a honored
hora hour; ———— **de ir** time to go
horario roster, schedule; face of a clock
horcajadas astride, astraddle
horizonte *m.* horizon
hormiga ant; itch
hormiguero ant hill, swarm
horno oven, furnace
horrendo, -a horrible, horrendous
hosco, -a sullen, dark; haughty
hostia victim; wafer
hoya hole, ditch, valley
hoyo hole, grave
hueco hole, emptiness; ———— **de las puertas** doorways
hueco, -a hollow, empty, vain; *f.* groove (in a spindle)
huele [**oler**] it smells; *imp.* Have a smell!
huella trail, track
huérfano, -a *m. & f.* orphan
hueso bone; pit (of an olive)
huésped *m. & f.* guest
huesudo, -a skinny, bony; big-boned

huevo egg
huir to flee
humear to smoke
húmedo, -a humid, moist, wet
humildad f. humility
humilde humble, meek
humillar to humiliate, crush, subdue
humo smoke
humorístico, -a jolly, humorous, facetious
hundir to sink, collapse, ruin
huraño, -a aloof, shy, retiring
(a) hurtadillas on the sly
hurtar to snitch, cheat, steal
husmear to scent, sniff, smell
¡huy! golly!

idilio idyl
idolátrico, -a idolatrous
¡Idos! [ir] Go ye! All of you go!
iglesia church
igual equal, level, uniform; m. equal
igualar to be equal, the same as
ilimitado, -a unlimited, boundless
imagen f. image
imaginación f. imagining, imagination
imaginar to imagine
impacientar(se) to vex, irritate, make (one) lose patience; to become impatient
impetrar to beg, entreat
implantar to introduce, establish
impolítico, -a impolite, discourteous
imponente imposing, compelling
imponer to place, impose, lay
importar to be important, to concern; les importa it matters (is important) to them
importuno, -a inopportune, persistent, annoying
imposibilitar to disable
impreso, -a [imprimir] printed
imprevisto, -a unforeseen
impropio, -a improper, unsuitable
impúdico, -a immodest
impulsar to impel, prompt
impulso impulsion, impulse
inadvertido, -a inadvertent, unnoticed, careless
inagotable inexhaustible
inaudito, -a unheard of, strange
incansable untiring, indefatigable
inclinar to bow, bend over, lean
ínclito, -a illustrious

incluir to include
incondicialmente without reservations
inconstancia inconstancy, fickleness
incomodidad f. inconvenience
incorporar(se) to sit up, straighten up
incunable incunabula (referring to a book printed before 1500)
incusar to accuse
indagar to find out, investigate
indecible unspeakable
indeciso, -a undecided, indecisive
indefectiblemente unswervingly, irrevocably
independencia independence
indescriptible indescribable
índice m. index, forefinger
indicio sign, token
indignar(se) to anger, irritate, make indignant; to become indignant
indigno, -a unworthy
indiscutible unquestionable, indisputable
indisponer to upset, indispose
índole f. nature, disposition
inefable ineffable, inexpressible, unutterable
ineficaz ineffective
inesperado, -a unexpected
infame infamous; m. & f. scoundrel, shameless man or woman
infamia infamy, baseness
infante m. prince, infant
infausto, -a unlucky, unfortunate, unhappy
infecto, -a infected, corrupt
infeliz unhappy, wretched; m. & f. unhappy man or woman
inferir to infer, imply
inflar to inflate
informe m. information, statement
ingenio skill, genius, talent, intelligence
ingenioso, -a ingenious, skillful
inglés, -a English; m. & f. Englishman or Englishwoman
ingresar to enter, deposit, enlist
injuria insult, injury
inmediato, -a next, adjacent
inmensidad f. immensity, vastness
inmenso, -a immense, vast
inminente imminent, impending, near
inmoral immoral

inmóvil   motionless, fixed
inmovilidad f.   immobility
inmutable   unchangeable
inolvidable   unforgettable
inquietar   to upset, harass, worry
inquietud f.   restlessness, uneasiness
insabible   unknowable
insigne   noted, famous, renowned
insolar(se)   to expose to sun; to get sunstruck
insoportable   unbearable, intolerable
inspirar   to inspire; que me inspira that you inspire in me
insudar   to toil, drudge, sweat
ínsula   island
intencionado, -a   inclined, intended; una mirada intencionada a knowing look
intentar   to try, attempt
interino, -a   interim, temporary
interno, -a   internal, inward
intriga   intrigue, plot
intruso [intrusar]   seizure of an office by force; m. & f. intruder, interloper
inusitado, -a   unusual
inútil   worthless, useless
invadir   to invade
invasor m.   invader
invidia [envidia]   envy
invierno   winter
ira   ire, anger
iracundo, -a   irate, angry
irreflexivamente   thoughtlessly, impulsively
irrumpir   to break into, invade, raid
isla   island
islote m.   small island
izar   to hoist (flag or sails)
izquierdo, -a   left (side)

jaca   nag, pony
jamás   never
jaquita   tiny pony
jardín m.   garden
jarrazo   a blow with a jug
jarrilla   jug, jar
jarro   pitcher
jefe m.   chief
jerga   coarse cloth; jargon
jerigonza   slang, jargon of a trade
jinete m.   horseman
jirón m.   shred, tear, pennant; facing of a skirt

jónico, -a   Ionian; m. & f. Ionian
jornada   journey
joven   young; m. & f. youth, young man, young woman
joya   jewel, gem
júbilo   joy, retirement
jubiloso, -a   joyful, gay
judaizar   to adopt the Jewish faith
judío, -a m. & f.   Jew, Jewess
juego   game
juez m.   judge
jugador, -a m. & f.   player, gambler
jugar   to play, gamble
jugo   juice, sap
juicio   trial, judgment
jumento   mount, ass
juntar   to gather, put together, assemble
junto   close; ——— a next to, beside
juramento   oath, curse
jurar   to swear
jurídico, -a   legal, juridical
justo, -a   just, exact, correct
juventud f.   youthfulness, youth
juzgar   to judge, sentence

labio   lip
labrado, -a   wrought, figured, tilled, made
labrador, -a m. & f.   peasant, farm hand
labranza   farm land, cultivation, farming
labrar   to elaborate, work, cultivate
labriego, -a   farm hand, peasant, rustic
lacio, -a   straight, stringy, lifeless (hair, beard)
ladera   slope, hillside
lado   side; al ——— de by the side of; por todos lados on all sides ——— a ——— side by side
ladra   barking
ladrar   to bark
ladrón, -a m. & f.   thief, robber
lagartijo, -a m. & f.   chameleon, green lizard
lágrima   tear
lamento   lament, wail, moan
lamer   to lick, lap
lana   wool
lance m.   toss, throw; critical moment, incident
lanzar   to throw, cast, toss, launch; me lancé a viajar I set out to travel

largo, -a long
larguillo, -a [larguito, -a] longish, sort of long
largura length
lástima pity; tener ——— de to have pity for
lastimar to pity, hurt, bruise
lastimero, -a injurious, pitiful, harmful
lastre m. ballast, judgment, rock face
latido throb, beating, heartbeat; barking (of animal)
latir to throb, pulsate; to bark
lavandera washerwoman
lazo lasso, knot, snare, circle
lealtad f. loyalty
lector, -a m. & f. one who reads, instructor, reader
lectura lecture, reading, subject
lecho bed, couch, cot
lechuza owl; ——— silbadora whistling owl
legítimo, -a legitimate, genuine
legua league
leído, -a read, well-read, well-informed
lejanía distance, far-away place
lejano, -a distant, removed
lejos far; de ——— from a distance
lema m. motto, slogan, argument, summary
lenguaje m. talk, language, style
lento, -a slow
leña firewood
lepra leprosy
letargo lethargy
letra letter (of alphabet); handwriting
letrado, -a learned, erudite; m. lawyer, counselor
letrero sign, label
levantar(se) to raise, lift; to get up
levemente lightly, slightly
levita coat, frock coat
ley f. loyalty, law, religion; pl. law
leyenda legend, inscription, reading
liar to bind, tie
librar(se) to free, deliver, exempt, preserve from ill; to escape, get rid of
libre free, unencumbered
licencia license, leave, permission
licenciamiento discharge
lid f. quarrel, fight
liebre f. hare; coward
liego tillable land

lienzo linen, canvas, cloth
ligar to bind, tie
ligero, -a light, nimble, delicate, swift
lima file (tool); fruit (of lime tree)
límite m. limit, boundary; sin ———
boundless
limosna alms
limpio, -a clean
linaje m. lineage, good ancestry
línea line, boundary, lineage
lío bundle, roll; intrigue, squabble
liso, -a smooth, even, plain, unadorned
literato, -a m. & f. man or woman of letters
local m. locality
locura madness, folly; pl. wild imaginings
lodazal m. mudhole, bog
lodo mud, slime
lograr to manage, try, attain; logró vestirse he managed to get dressed
longaniza sausage
lontananza distance, background
loriga coat of mail, armor
losa tile, flagstone, grave
lozano, -a luxuriant, sprightly, fresh, spirited
lucha struggle
luchar to fight, struggle
luego afterward, then
luengo, -a long
lugar m. place, room
lugareño, -a m. & f. villager, local man, local woman
lugarteniente [teniente] m. lieutenant
lúgubre dismal, gloomy
lujo luxury, splendor
lumbre f. light, fire
lunar m. mole, blemish, spot
lustrar to shine
luz f. light; persona de luces a cultured, clever, or educated person

llaga ulcer, wound, worry
llama flame, blaze, passion
llamar to call, invoke
llano, -a even, flat; m. plain
llanto flood of tears, crying, weeping
llanura plain, flatness
llave f. key
llegada arrival

llegar to arrive; **llega el oído** place your ear; **llegó a tenerme cogido por el cuello** managed to get me by the neck; —— **a ser** to get to be, to become
llenar to fill
lleno, -a filled, full
llevar to carry, wear, produce; —— **a cabo** to carry out
llorar to cry, weep
lloro weeping, crying
llover to rain
lloviznar to drizzle
lluvia rain

Macías a Spanish troubador and poet; a romantic play about Macías
macilento, -a wan, lean, withered
madera wood, lumber
madrileño, -a pertaining to Madrid; *m. & f.* a person of Madrid
maduro, -a ripe, mature
maestro master, teacher, physician
magia magic
mágico magician
magistral masterful
majano pile of stones
mal *m.* evil; —— **haya** curses on
maldecir to swear, damn, curse
maldito, -a damned, wicked; **maldita la gota** nary a drop
maleta bag, valise
malparir to miscarry
malquerer to dislike, have a grudge against
maltratar to mistreat
malvado, -a wicked, fiendish
mancebo young man, bachelor, clerk
mancha stain; **manchas negras** black spots
manchego, -a pertaining to la Mancha
mandar to order, send
mandamiento order, command
manejado, -a managed, handled
manejar to manage, handle, wield
manera manner; **de —— que** so that
manga sleeve
mango handle (ax, hammer)
manía mania, whim
manifestar to declare, reveal
mano *f.* hand; **a —— at hand**
manso, -a tame, gentle
manta shawl

mantener(se) to support, feed, keep up; to support oneself, remain (in a place)
manteo tossing in a blanket; cloak
manzana apple
maña tact, trick, scheme
máquina machine
maquinal mechanical
maquinalmente mechanically
maravedí *m.* old Spanish coin
maravillar to marvel, wonder, admire
marcha way, progress, course, march
marcharse to go away, set out for, leave
marchito, -a wilted, withered
marejada ground swell, undercurrent
mareo dizziness, seasickness
marfil *m.* ivory
margarita daisy
marido husband
mariposa butterfly
mariscos *m. pl.* shellfish, seafood
marlota Moorish robe, gown
mármol *m.* marble
marqués *m.* marquis
martirizar to make a martyr of, torment
mas but
matar to kill
mate dull, without luster
materia material, matter, subject
matinal matutinal, morning
matiz *m.* tint, hue, shade
matrimonio married couple; marriage
maullar to meow
mayor older, eldest; greater, greatest
mayorazgo first-born; primogenitor
mayordomo majordomo, servant, steward
mayormente principally
mecer to rock, swing, stir
media stocking
mediano, -a moderate, medium; **mediana estatura** medium height
médico, -a *m. & f.* doctor
medio, -a half, intermediate; *m.* middle, center; *m. pl.* means, method, way
medir to measure, compare
meditabundo, -a pensive, meditative
meditar to meditate
medroso, -a fearful, timid
mejilla cheek

mejor better, best; **a lo** ——— likely
as not
mejorar(se) to improve, better; to get
better
melancolía melancholy, gloom
melena mane (of animals)
membrudo, -a strong, husky
menear to stir, shake, wag
meneo shaking, wiggling, wagging
menester *m.* need, want
mengua lessening, decline, decay,
lack
menor *compar.* [**pequeño**] smaller,
younger; **el** ——— the least, young-
est; **la** ——— **duda** the least doubt
menos less, minus, least; **ni mucho**
——— in the least
mensajero, -a *m. & f.* messenger
mentir to lie; **no miente** (he) does
not lie
mentira lie, falsehood
(**a**) **menudo** often
meramente merely
merced *f.* favor, grace, mercy
merecer to merit, deserve
mes *m.* month
mesa table
meter to place, put, insert
mezclar to mix
mezquino, -a miserly, stingy, mean
miedo fear; **me daba** ——— (he)
made me afraid; **tener** ——— to
be afraid
miel *f.* honey, molasses
mientras while, when
miga crumb, piece of bread
migaja crumb of bread
mil *m.* one thousand
milagro miracle
militar to fight, go to war; *m.* a military man
mimado, -a spoiled, overindulged, pet-
ted
mimar to pet, spoil
minar to mine, excavate, destroy
mínimo, -a minimum; *m.* minimum
minucioso, -a minute, thorough, precise
mirada look, stare
mirar to look, look at
misa mass
miserable stingy, wretched, unhappy
miseria hardship, poverty, need
misericordia mercy, compassion

mismo, -a same, like, equal; **el** ———
día the same day; **él** ——— he
himself
mística mysticism
mitad *f.* half
mocetón *m.* big boy, strapping lad
modales *m. pl.* manners
moderar to control, moderate
modo way, manner; **de** ——— **que**
so that, and so
mohoso, -a musty, rusty, mildewed
mojar to wet, drench, moisten
moldear to mould, cast (metal)
moler to grind
molestar to bother, annoy, molest
molinero, -a *m. & f.* miller, miller's
wife
molino mill
monja nun
monstruo monster
montaña mountain
montañés, -a pertaining to mountains;
m. & f. mountaineer, highlander
montar to ride, mount, climb; ———
a caballo to ride horseback
monte *m.* mountain, brush, woodland
montecillo mount, hillock, tiny pile
montera cap; ——— **picuda** pointed
cap
morado, -a deep red, purple
morar to dwell, live
mordaz biting, sarcastic
morder to bite
moreno, -a brown, swarthy, brunette
moribundo, -a dying
morir to die
morisco, -a pertaining to the Moors,
Moorish
moro, -a *m. & f.* Moor
mosca fly
mosto grape juice
mostrar to show, point out
mover to move
moza girl, girl servant
mozalbete *m.* young fellow
mozárabe Mozarabic; *m. & f.* a Christian living in Moorish territory
mozo boy, servant, waiter
mozuelo youngster, kid
mucho, -a much; *pl.* many; **ni mucho**
menos not by a long shot
mudanza change, move, inconstancy
mudar to change position, move, deviate

mudo, -a mute, dumb
mueble *m.* a piece of furniture; *pl.* furniture
mueca wry face, grimace
muerden [morder] they bite
muerte *f.* death
muerto, -a dead; *m. & f.* corpse; **una muerta** a dead woman
muestra sample, sign, model
mugido the lowing of cattle
mula mule
mundo world
muñeca wrist; doll, mannikin
murciélago bat
murmullo murmur, ripple, rustle
musaraña shrew, bug, any small insect, animal or vermin; shrewmouse
músico, -a *m. & f.* musician
muslo thigh
mutación *f.* mutation, change
mutuamente mutually

nabo turnip
nácar *m.* mother-of-pearl
nacer to be born
nacido, -a born
naciente beginning, rising, growing
nacimiento birth
nada nothing
nadar to swim, float
nadie nobody
nariz *f.* nose, nostril; **en sus narices** to his face
natal native; *m.* birth, birthday
natural natural, native; *m.* tempeɪ, disposition; *m. & f.* native
navaja razor, knife
nave *f.* ship; nave, aisle
navío warship, ship
nazareno, -a kind, Christlike, Nazarene; *m. & f.* Nazarene
necesidad *f.* need, necessity
necesitado, -a needy, poor; *m. & f.* a needy man, woman
necio, -a foolish, stupid, rash; *m. & f.* fool
negar to deny, forbid, refuse
negocio business, occupation
negruzco, -a blackish
nene *m.* boy child
neno, -a boy or girl child
nicho niche, recess
niebla mist, haze
nieto, -a grandson, granddaughter

nieve *f.* snow
nigromancia sorcery, communicating with the dead
ningún, ninguno, -a no, not one, none, not any
niñez *f.* childhood
niño, -a childlike; *m.* child; *m. & f.* boy, girl; **niño sin barba** beardless youth
nítido, -a clear, bright, sharp
nobleza nobility
nocturno, -a nocturnal
noche *f.* night
nodriza wet nurse
nombrar to appoint, name
nombre *m.* name, title, fame
nordeste *m.* northeast
notar to note, mark; **es de ——** it is significant
noticia news, notice, information
novelar to write novels
novelesco, -a pertaining to the novel, fiction-like, unreal
novio, -a *m. & f.* sweetheart, bridegroom, bride
nube *f.* cloud
nublar to cloud
nudo, -a naked; *m.* knot
nuevo, -a new; **de ——** again

obedecer to obey, respond
obispado bishopric
obispo bishop
obligar to obligate, compel, oblige
obra work, book
obscuro, -a dark; **a obscuras** in the dark
obsequio gift, flattery
(no) obstante notwithstanding, nevertheless
obstar to obstruct, oppose, hinder
ocultar to hide
oculto, -a hidden, concealed
ocupar(se) to occupy, fill, dwell; to busy oneself, devote oneself; **¿En qué te ocupas?** What do you do?
ocurrencia incident, idea
ocurrir to happen, occur
odiar to hate
odio hate, hatred
oficial *m.* official, officer
oficio trade, profession
ofrecer to offer
oído ear, hearing

oír   to hear
¡Ojalá!   May it please God! How I wish . . . !
ojeada   glance
ojo   eye, center
ola   wave
óleo   oil, holy oil; oil painting
oler   to smell
olfatear   to scent, sniff
olfato   scent, sense of smell
olor *m.*   odor, smell
oloroso, -a   fragrant
olvidar   to forget
olla   pot, stew
onda   wave, ripple
ondulación *f.*   undulation, waving
onza   ounce
oponer   to oppose, hinder
opuesto, -a [oponer]   opposite, opposed
oración *f.*   prayer, speech, oration
orden *m. & f.*   order
ordenado, -a   put in order, arranged, tidy
ordenar   to arrange, put in order
oreja   ear
orgullo   pride
orgulloso, -a   proud, haughty
orilla   border, edge, bank, shore
osadía   daring, boldness
osar   to dare, venture
osario   graveyard, cemetery
oscurecer   to grow dark, cloud over
oscuro, -a   dark
otoño   fall
otorgar   to authorize, consent, concede
otro, -a   other, another
oveja   sheep
oyendo [oír]   hearing

pábilo   wick; candle snuffer
padecer   to suffer
padrastro   stepfather
padre *m.*   priest, father
pagar   to pay; to get even, requite
página   page
paisaje *m.*   landscape, countryside
paja   straw
pájaro   bird
palabra   word
palacio   palace
palco   box (theater)
palidecer   to turn pale, pale
pálido, -a   pale, pallid

palmeta   paddle; stick or ruler for punishing children
palmo   span, measure of length (eight inches)
palmotear   to clap hands, applaud
palo   stick, whack, post, pole
paloma   dove, pigeon
palpar   to grope, feel the way, touch
pan *m.*   bread; ―― cotidiano   daily bread
pañolito   small cloth, handkerchief
pañuelo   handkerchief
papa *m.*   the Pope
papel *m.*   paper; role (part); ―― de fumar   cigarette paper
paquete *m.*   package, bundle; paquetillo   small package
par *m.*   two of a kind, pair, team
para   for, to, toward; dijo ―― sí   he said to himself
paradojo, -a   paradoxical; *f.* paradox
paraíso   paradise
paraje *m.*   stopping place, whereabouts, spot
parar   to stop
parecer(se)   to seem, appear; to look like, resemble
parecido, -a   similar, alike; *m.* resemblance
pared *f.*   wall
pareja   pair, couple
parejo, -a   alike, uniform, smooth
pariente, -a *m. & f.*   relative, kinsman, kinswoman
parir   to give birth, produce
parra   grapevine
parte *f.*   part, portion, share
partida   departure
partir   to divide, depart, leave; a ―― de   after, since
parto   birth
párvulo, -a   very small, humble; *m. & f.* tot, child
pasar   to pass, go along
pasear   to stroll, promenade, take a walk
paseo   walk; salir de ――   to go out for a walk, stroll
paso   gently, softly, quietly
paso *m.*   pace, step; ―― de lobo   wolf's gait
pasto   pasture, hay
pata   foot (of an animal); leg (of a piece of furniture)

patada   kick; a patadas   on all sides
patizambo, -a   knock-kneed
patrocinador, -a *m. & f.*   sponsor, patron
patrón, -a *m. & f.*   landlord, landlady, patron, sponsor
pausado, -a   calm, slow
pavoroso, -a   frightful, terrible
paz *f.*   peace
peatón, -a *m. & f.*   pedestrian, walker
peca   freckle
pecado   sin
pecho   breast
pedazo   piece, bit
pedir   to ask for, request, beg
pedregoso, -a   rocky, stony
pega   sticking together, joining
pegar   to stick, unite; to hit
peinado   hairdo
peinar   to comb, dress hair
pelado, -a   peeled, plucked
pelear   to fight
peligro   danger, peril
peligroso, -a   dangerous, hazardous
pelo   hair; filament
pelusa   fuzz, lint, down
pellizcar   to pinch
pellizco   pinch, bite, nip
pena   penalty, pain, toil, hardship; da _____ it hurts
penado, -a   sorrowful, painful; *m.* convict
pender   to hang, dangle, be suspended
pendiente   hanging, dangling
péndulo   pendulum
penetrar   to enter, penetrate
penoso, -a   painful, distressing
pensamiento   thought, idea
pensar   to think; pienso ir   I intend to go
penumbra   penumbra, light shadow, twilight
penuria   poverty, scarcity, indigence
peñasco   crag, rock
peón *m.*   laborer, foot soldier
peor   worse, worst
pepita   any small seed
pequeñez *f.*   a little thing, trifle
pequeñuelo   little fellow, tot
pera   pear; goatee
percibir   to perceive, collect
perder   to lose, squander, ruin
pérdida   loss, damage
perdiz *f.*   partridge

perdón *m.*   pardon, mercy
perdonar   to pardon
perdurable   everlasting, abiding
perecer   to perish, suffer
peregrinación *f.*   pilgrimage, travel
peregrino, -a *m & f.*   wanderer, pilgrim
perejil *m.*   parsley
perenne   perennial, continuous, incessant
pereza   laziness
perfidia   perfidy, treachery
perfil *m.*   profile; de _____ in profile
periódico   newspaper, magazine
periodismo   journalism
perjurar   to perjure, swear falsely; to be profane
perrillo, -a *m. & f.*   puppy
perro, -a *m. & f*   dog
persona   person
personaje *m.*   personage, character (fictional)
persuadir   to persuade, convince
pertrechos *m. pl.*   equipment, supplies, tools
pesadilla   nightmare
pesado, -a   heavy; boring
pesar   to burden, weigh, trouble; *m.* trouble, sorrow; a _____ de   in spite of
pescuezo   neck, nape of the neck
pesebre *m.*   crib, rack, stable, manger
peso   weight
peste *f.*   pest, stench, plague
pezón *m.*   stem of fruits, nipple, point of land
piadoso, -a   pious, kind
picador *m.*   horseman armed with a long lance in bullfights
picar   to peck, sting, burn (as pepper); picado, -a   piqued
picaresco, -a   roguish, picaresque
picarito   little rascal
pícaro   rogue, rascal
pico   beak, bill, point
picudo, -a   beaked, pointed
pie *m.*   foot, leg, stand; pies a cabeza   head to foot; ponerse de _____ to get to one's feet; a _____ enjuto   dry-shod
piedra   stone, rock
piel *f.*   skin, hide, pelt, fur, leather; _____ de cabra   goatskin

pierna leg
pieza piece (of music); room; play (theater)
pilar *m.* pillar, stone post
pillo crook, rascal
pimiento pepper
pináculo pinnacle, summit
pincelada touch, finish, flourish, stroke of a paint brush
pintar to paint, picture
pintoresco, -a picturesque
pintura paint, painting
pipa pipe
(a) pique de on the point of, about to
pisada tread, footstep, trampling
pistoletazo pistol shot
pizca mite, pinch, bit
placer to please; *m.* pleasure
plantear to plan, state (a problem)
platear to coat or plate with silver
platónico, -a platonic, without passion
pleito litigation, lawsuit, fight, quarrel
pliegue *m.* fold, crease
pluguiera [placer]
pluma feather, pen; ——— de gallo rooster feather
plumón *m.* down, feathers
poblado village, settlement
pobre poor, needy; ——— de mí poor me
pobrecito, -a poor little boy (girl)
pobreza poverty
poco, -a little, scanty; *pl.* few, some; a ——— in a short time
poder to be able, can, may; a no ——— otra cosa not being able to do otherwise; no ——— con not being able to handle
poder *m.* power
poderoso, -a powerful, mighty
podrido, -a rotten, rotted
poesía poetry
político, -a political, about politics; *m.* politician
polvo dust
poma apple; vial
poner to put, place; ponerse a to begin to; ——— buena cara to make the best of; ——— tierra por en medio to put distance between
poniente *m.* west; sol ——— setting sun

pontífice *m.* pontiff
porfiado, -a persistent, stubborn
pormenor *m.* detail
portal *m.* arcade, vestibule, porch
portar(se) to carry, bear; to behave, act
portento prodigy, wonder
(en) pos de behind, after
posada inn, lodging, home
posar to pose, stay, lodge
poseído, -a possessed
postura posture, stand
poza puddle, pool
pozo well, spring, pit, eddy
pradera meadow, prairie
prado meadow, pasture, walk
precipitar to precipitate, rush, hurl
preciso, -a necessary, precise
precoz precocious
predilecto, -a favorite, preferred
predominar to predominate, command
preferir to prefer; prefiero I prefer
pregón *m.* proclamation, public announcement
preguntar to ask, question
premiar to reward, award
premisa premise
prenda pawn, pledge; *pl.* gifts, talents; clothing
preñado, -a pregnant, full
preocupado, -a busy, worried, concerned
preocupar(se) to preoccupy; to worry, be prejudiced
presagio foreboding, omen; presagios desgraciados unfortunate forebodings
presenciar to witness, see, attend
presentar to present, appear, display
preso, -a imprisoned; *m. & f.* prisoner; *f.* catch, prey
prestamente swiftly, promptly
prestamista *m. & f.* moneylender, pawnbroker
prestar to loan, lend
presteza haste
prestigio prestige
presto, -a quick, ready, prompt; ¡cuán presto! How quick!
presumido, -a presumptuous
pretender to pretend, aspire to, try, court
primavera spring
primoroso, -a elegant, fine

príncipe *m.* prince
principio beginning
priora prioress
prisa haste, hurry, flight
privar to deprive, prevent
probado, -a proved, tested
procurar to endeavor, try, get, manage
prodigioso, -a prodigious, marvelous
produjo [producir] produced; me ——— produced in me
proeza prowess, skill
profanar to desecrate, disgrace
profundidad *f.* depth
profundo, -a profound, deep
prohibir to prohibit, forbid
prolijo, -a long-winded, involved, tedious
promediar to mediate, divide half and half
prometer to promise, offer
promovedor, -a *m. & f.* promoter, sponsor
pronto, -a prompt; soon; *m.* sudden impulse; de ——— suddenly
propiamente properly, suitably
propio, -a proper, same, herself, himself, one's own
proporcionar to provide, supply, share
propósito purpose, intention
propuesta plan, proposal
proseguir to proceed, keep on, pursue
protagonista *m. & f.* hero, heroine, protagonist, main character
proteger to protect
provecho gain, profit, advantage
provisto de supplied, provided with
provocar to provoke, excite, anger
próximo, -a next, neighboring, near
proyecto project, plan
prueba proof, trial, evidence
púa barb, tine, thorn, needle
publicar to publish, announce
pudrir to rot, vex, worry
pueblo village, people
puente *m. & f.* bridge
puerta door, gate, doorway
puerto port, haven, shelter
pues because, for, since, then; ——— bien now then, well then
puesto, -a placed, put, set; *m.* job, position; ——— que since, although
pugnar to battle, struggle
pulcro, -a neat, tidy, trim, beautiful

pulmón *m.* lung
pulso pulse
punta point, end, tip
puntería marksmanship, aim
puntiagudo, -a sharp, pointed
punto point, dot, period; a ——— de on the point of
puñado handful
puñal *m.* dagger
puñalada knife blow, stab
puñetazo blow with the fist
pupitre *m.* desk
purgar to purge, purify
purísimo, -a most pure, very pure

que which, who, that, when
qué what, how, what a, which; ¿A qué . . . Why . . . ?
quebrar to break, crush
quedar to stay, remain
queja complaint, grievance
quejarse to complain, lament, whine, moan
quejumbroso, -a growling, complaining
quemar to burn, scald
querer to want, desire, wish
querido, -a dear; *m. & f.* beloved, darling, lover
quiebra gulch, crack, break; bankruptcy
quienquiera whoever, whomever
quimera quarrel, dispute; elusive fancy
quince fifteen
quinqué *m.* lamp, oil lamp
quinta country house
quisto, -a liked; bien ——— well-liked; mal ——— disliked
quitar(se) to take away, separate, deprive of; to go away from; to take off (clothing)
quizá, quizás perhaps

racimo bunch, cluster (of grapes); *f.* grapes left on vines
radicalmente basically, fundamentally
ráfaga gust (of wind); flash of light
raíz *f.* root
rajar to crack, split
rama branch, twig
ramaje *m.* branch, brush, foliage
raro, -a strange, odd, rare; rara vez seldom, rarely
rasgado, -a ripped, shredded, torn

rasgar to rip, tear
rastra track, trail
rato short time, bit; **a ratos** at times, from time to time
rayar to line, stripe, give off rays, underscore; —— **el día** to dawn
rayo ray, beam; —— **de sol** sunbeam
raza race, lineage
razón *f.* right, reason; **tener** —— to be right
razonar to reason, itemize
real real, royal; *m.* silver coin
realzar to raise, elevate, enhance
rebanada slice
rebeldía rebellion
rebosar to overflow, spill over
recato caution, modesty, decency
recaudo care, precaution
recelarse to fear, distrust, be suspicious, hold back
recelo fear, distrust
receta prescription, recipe
recibir to receive, admit
recién recent, recently
recio, -a hard, vigorous, loud
recoger to gather, pick up
recogimiento secluded spot, confinement, gathering
reconocer to recognize
reconocimiento admission, gratitude, acknowledgement
reconquista recapture, reconquest
reconvención *f.* remonstrance
recordar to recall, remind
recorrer to pass over, go around, go through
recorte *m.* cutting, clipping, trimming
recoser to mend, sew again
recostar to recline, lean back
recreo amusement, recreation
recto, -a straight, right, just
recuerdo memory, souvenir
recuperar to recover
rechazar to reject, repel
rechinar to creak, squeak, grate
red *f.* net, network
redoblar to double, bend back, do over
redondez *f.* roundness
redor [rededor] *m.* vicinity, around
referir to tell, narrate, report; **me refiero a** I refer to
reformador, -a *m. & f.* reformer

refrán *m.* proverb, refrain
refulgir to shine
regalo gift
regazar to tuck up
regente, -a governing, ruling; *m. & f.* regent
regocijo cheer, joy, gladness
regresar to return
reina queen
reinado reign
reino rea'm, kingdom
reír(se) to laugh; **reírse de** to laugh at
relación *f.* relation, speech, report
relampaguear to flash, lighten
relato tale, statement, report
relicario shrine, casket, place for relics
relieve *m.* relief, raised work
reloj *m.* watch, clock, meter
rematar to finish, kill off, end
remediar to treat, remedy, save, prevent
remedio remedy, cure, correction
remendar to mend, patch
remo oar
remontar to remount, go up
remorder to cause remorse
rendido, -a fatigued, worn out
rendija crevice, crack, split
rendir to exhaust, subdue
renegar to deny, abhor, detest
renombrado, -a renowned, famous
renovar(se) to make over, make new
renta rent, annuity, income
renunciar to renounce, resign
reñir to quarrel
reo, -a *m. & f.* criminal, convict, defendant
reparar to repair, make amends for, correct
repartir to distribute, assess, divide
repelar to pluck (hair); to nip
(de) repente suddenly
repentino, -a sudden
repetición *f.* repetition; watch that strikes the hours
repetidamente repeatedly
repetir to repeat; **que se repite** that repeats itself
replicar to reply, talk back
reponer(se) to replace, fix, restore, reply; to get better, recover
reposar to repose, calm
reprensión *f.* reprehension, scolding

represalia   reprisal, retaliation
reprochador, -a *m. & f.*   one who re-
   proaches
reprochar   to reprove, reproach
repuesto, -a   secluded, retired, recovered; *m.* store, supply
requerir   to love, woo; to require
resaltar   to rebound, project, be evident
resbalar   to skid, slip, slide
rescatar   to ransom, recover
rescate *m.*   ransom, redemption
rescoldo   embers
resonar   to resound, echo, resonate
resoplo [resoplido]   panting, puffing,
   snorting
respetar   to respect
respeto   respect, attention
respirar   to breathe, take heart, feel
   relief
resplandecer   to flash, shine, stand out
responder   to answer, reply
respuesta   reply, answer
resquemor *m.*   sadness, grief
restante *m.*   remainder, remaining
restos   remains, leftovers
resucitar   to revive, resurrect
resultar   to turn out, turn out to be
retador, -a   challenging; *m. & f.* chal-
   lenger
retirar   to take back, retire, take
   away
retorcer(se)   to twist, writhe, twist together (as a rope)
retozón, -a   frisky, playful
retraso   delay
retrato   portrait
retumbar   to resound
reunirse   to unite, get together
revelar   to reveal
reventar   to burst, break
revestir   to robe, gird
revista   magazine, review
revolver   to be restless, shake, go
   around in circles
rey *m.*   king
rezar   to pray
rezo   daily prayer
rezumar(se)   to ooze, seep
ría   inlet, estuary
ribera   bank, shore
ridiculez *f.*   ridiculousness, ridicule, ab-
   surdity
rienda   rein

riesgo   risk; **estar en** ——— to be in
   danger
rincón *m.*   corner
riqueza   riches, wealth
risa   laugh, laughter
risita   giggle, titter
risueño, -a   smiling
ritmo   rhythm
robar   to rob, kidnap; **va robada**   she's
   been kidnapped
rociar   to sprinkle, drizzle, spray, be-
   dew
rocín *m.*   nag, horse
Rocinante   Don Quijote's nag
rodeado, -a   surrounded
rodear   to round up, gather, surround
rodilla   knee
rodillazo   bump or blow with the knee
roer   to gnaw
rogar   to beg, plead
romance   ballad
romero   rosemary
romper   to break; **rompió el fuego**
   (she) opened fire; **rompí a llorar**   I
   broke into sobs
rondar   to make the rounds, hang
   around, haunt
ropa   clothing
rostro   face
roto, -a [romper]   broken, shattered,
   torn
rotunda   rotunda, interior hall with
   dome
rotundo, -a   round, full, sonorous, ro-
   tund
rozar   to graze, scrape, falter; to be on
   intimate terms
rubio, -a   blond, fair, golden
rueca   spindle, distaff
rueda   wheel, circle
ruego   plea, supplication, request
rufián, -a *m. & f.*   scoundrel, ruffian,
   go-between
rugir   to bellow, roar
ruido   noise
ruidoso, -a   noisy
ruin   shabby, mean, run-down, de-
   praved
ruindad *f.*   meanness, depravity
ruinoso, -a   run-down, useless, sorry,
   unkempt
rumor *m.*   noise, rumor, report
rústico, -a   rustic, coarse, crude

sábana   sheet
sabedor, -a   informed, knowing
saber   to know
sabio, -a   wise, learned; *m. & f.* sage, wise person
sable *m.*   saber, sword, cutlass
sabroso, -a   savory, tasty, delicious
sacar   to take out, draw
sacerdote *m.*   priest
saco   coat, bag
sacristán *m.*   sexton
sacudir   to jar, jolt, shake
saeta   dart, arrow
sagaz   sagacious, wise
sagrado, -a   sacred, holy; *m.* haven of refuge
salazón *f.*   salting house, salted meat or fish
saledizo, -a   extended, projecting, protruding (as eaves, buildings over sidewalks)
salida   departure, exit
salir   to go or come out, depart
saliva *f.*   saliva
salmodiar   to sing psalms, chant, hum
saltar   to jump
saltear   to attack, assault, set upon
salto   jump; dar un ——— to give a leap
salud *f.*   health, welfare
saludable   healthful, wholesome
saludar   to greet
saludo   greeting
salvaje   savage; *m. & f.* a savage (man or woman)
salvar   to save
salvia   sage (plant)
salvo, -a   safe; ——— y sano   safe and sound
sanar   to cure, heal
sangrar   to bleed, drain
sangre *f.*   blood
sangría   bleeding, bloodletting
sangriento, -a   bloody, sanguinary
sano, -a   healthy
Santiago [Santiago de Compostela]   a city in the mountainous region of northwest Spain. The famous cathedral, begun in 1078, has undergone many modifications. It was constructed on the site that, according to legend, held the remains of Saint James the Apostle.
santidad *f.*   sanctity

santiguarse   to cross oneself
santo, -a   holy; *m. & f.* saint
santuario   sanctuary
sarmentoso, -a   vinelike, twining
satisfacer   to satisfy
satisfecho, -a   satisfied
sazón *f.*   season, time; a la ——— at the time
secar   to dry
seco, -a   dry
sed *f.*   thirst; tener sed   to be thirsty
seda   silk
seguida   succession; en ——— at once
seguir   to follow, continue
según   according to, as
seguro, -a   sure, secure, safe
semana   week
semblante *m.*   face, countenance, look
sembrada   sown field, planted field
sembrar   to sow
semejante *m.*   likeness; fellow man
semejanza   similarity
semitismo   Semitism
sencillez *f.*   simplicity
sencillo, -a   simple
seno   bosom, chest
sentarse   to sit down
sentenciado, -a   sentenced; *m. & f.* the sentenced one
sentido   sense, direction, feeling
sentir   to feel, regret, feel sorry; ¿Cómo se siente?   How do you feel?
señal *f.*   sign, symptom, signal, landmark, description
señalar   to mark, point out, appoint
séptimo, -a   seventh
ser   to be; ——— de   to become of
ser *m.*   being; ——— humano   human being
serenar   to calm down, clear up
sereno, -a   calm, serene
serie *f.*   series
serio, -a   serious, grave
servir   to serve
seudónimo   pseudonym, pen name
severo, -a   severe, stern
sevillano, -a   pertaining to Seville; *m. & f.* a person of Seville
siempre   always
sien *f.*   temple
siglo   century, age
siguiente   following, next
silbar   to whistle

silla chair, saddle
simétrico, -a symmetrical
simpleza stupidity, simplicity
siniestro, -a sinister; *f.* left side
sino but, except; ——— que but, but also
sinrazón *f.* wrong, injustice, injury
síntoma *m.* symptom
siquier, -a even, whatever, though, at all
sisar to snitch, pilfer
sitio site, place; siege
soberbia arrogance, false pride
sobrado, -a excessive, abundant
sobre on, upon, over; *m.* envelope; sobre eso on top of that, about that
sobredicho, -a aforesaid, said above
sobrenombre *m.* nickname, surname
sobreponer(se) to put over; to master, overpower
sobresaliente outstanding, excellent
sobresaltar to startle, attack
sobresalto sudden fear, sudden fright
sobretodo overcoat; especially
sobriedad *f.* sobriety
sobrino nephew
sobrio, -a somber, sober
sociedad *f.* society; buena ——— elegant (high society)
socorrer to help, aid
soga rope
sol *m.* sun; al ponerse el ——— at sunset; ——— poniente setting sun
solamente solely, only
soldado soldier
soledad *f.* loneliness, solitude
solemne solemn
soler to be in the habit of; to be accustomed to; suelo ir I usually go
solicitar to entreat, apply for
solo, -a alone, lonely
sólo only
soltar to turn loose, untie, let go
soltura ease, poise
sollozar to sob
sollozo sob, whimpering
sombra shade, shadow
sombrío, -a gloomy, somber, dark
sonámbulo, -a *m. & f.* sleepwalker
sonante sounding, jingling
sonar to sound
sonido sound
sonoro, -a clear, loud

sonreír to smile
sonrisa smile
soñador, -a *m. & f.* dreamer
soñar to dream
sordidez *f.* sordidness, drabness
sordo, -a deaf, silent, mute
sordomudo, -a deaf-mute, deaf and dumb
sorna slowness, roguery; con ——— impudently, scornfully
sorprender to surprise
sorpresa surprise
sortija finger ring, curl of hair, ringlet
sosegado, -a calm, peaceful, quiet
sospecha suspicion
sospechar to suspect
sotileza [sutileza] fine, cunning
suave smooth, soft, quiet, gentle
suavizar to soften, smooth
subir to go up, rise, climb
súbitamente suddenly, unexpectedly
sublevar(se) to rebel, revolt
suceder to happen
suceso event
sucio, -a dirty
suela sole
sueldo salary, income
suelo floor, surface, earth
sueño dream, sleep, fancy; entre sueños dreaming
suerte *f.* luck, lot, fate; de ——— que so that, and so
sufrir to suffer, put up with
sujetar to hold, control
sujeto subject; fellow, individual
sumario summary
sumergirse to submerge
sumido, -a sunken, submerged
súplica entreaty, supplication
suplicar to supplicate, beg, plead
suponer to suppose
surco furrow, rut
surgir to surge
surtir to supply, furnish
suspicaz distrustful, suspicious
suspirar [sospirar] to sigh
suspiro sigh
sustento sustenance, support, food
susto fright, scare
sutileza subtlety, instinct
suyo, -a his, hers, yours, theirs, its, one's; los suyos his own

tabaquera tobacco pouch

tabla　plank, slab
tablas　backgammon
tal　such, such a
talento　talent
talle *m.*　physique, form, waist
también　also, as well
tan　as, so
tanto, -a　so much, many, as much; un ——— slightly; en ——— meanwhile; mientras ——— meanwhile
tapar　to cork, stop up, cover, hide
tapia　(outside) wall
tardar　to delay, be late
tarde *f.*　afternoon; late
tarea　task, job
tarima　bench, stand, stool
taza　cup
tecla　key (piano, typewriter)
techo　ceiling, roof
tejado　tiled roof
tela　cloth; ——— de oro golden fleece, golden cloth
telégrafo　telegraph
temblar　to tremble, shake, quiver
temblón, -a　shaking, tremulous
temblor *m.*　trembling
temer　to fear
temeroso, -a　dread, timid, fearful
temor *m.*　fear
tempestad *f.*　storm, tempest
temporal *m.*　storm
temprano　early
tender　to stretch, lie down; to offer, hand over
tener　to have
tentar　to try, tempt, touch
tenue　tenuous, soft, faint
teoría　theory
tercamente　stubbornly
tercero, -a　third; *m. & f.* go-between, mediator; el tercer hombre the third man
tercio, -a　third; *m. & f.* third; *m.* bundle, pack
término　term, end, limit
ternura　tenderness
terreno　terrain
tesón *m.*　tenacity
tesoro　treasure
testigo　witness
tez *f.*　complexion
tía　aunt
tibio, -a　tepid, lukewarm

tiempo　time; weather
tiento　[tentar] groping, feeling one's way
tierra　earth, land
tieso, -a　rigid, stiff
tijeras　scissors, shears
timbre *m.*　timber, stamp, bell
tinieblas　shadows, shades (of night)
tío　uncle
tirar　to pull, throw, fire (gun)
tiro　shot
tisis *f.*　tuberculosis, consumption
titubear　to waver, sway, stutter, hesitate
título　title, nobleman
tizne *m. & f.*　soot, smut, blacking, burnt chunk of wood
toca　headdress, hood
tocar　to touch, ring, play an instrument
tocino　bacon
todo　all, every, the whole; en ——— wholly, entirely
tomar　to take, drink, eat
tomo　volume, tome
tono　tone; buen ——— good taste
tontería　foolishness, nonsense
topar　to meet with, run across
torbellino　whirlwind, disturbance
torcer　to twist
tornar　to turn; ——— a decirlo to say it again
(en) torno de　about, around
toro　bull; a los toros to the bullfights
torre *f.*　tower
torturar　to torture
tos *f.*　cough
tosco, -a　coarse, uncouth; *m.* roughneck, peasant
toser　to cough
trabado, -a　connected, joined; trabados con estrecha amistad bound by close friendship
trabajador, -a　industrious, hard working; *m. & f.* worker, laborer
trabajar　to work, labor
trabajo　work, job
trabajoso, -a　difficult, laborious
trabar　to join, clasp
traducido, -a　translated
traducir　to translate; traduzca usted translate
traer　to bring, wear

tráfico   business, trade, traffic
tragar   to swallow
traición f.   treason
traído, -a   brought, fetched
traidor, -a   traitorous, treacherous; m.
& f. traitor
traje m.   suit, dress, gown
tramado [tramar]   woven, schemed
trance m.   critical moment
tranquera   bar; farm gate
tranquilo, -a   calm, tranquil
transcurrir   to pass, elapse
transigir   to compromise, settle; ———
con alguien   get along with someone
transponer(se)   to disappear, change
position
transportado, -a   carried away, stunned
tranvía m.   street car
trapacero, -a m. & f.   cheat, swindler
tras   after, behind, beyond; ——— de
behind, after; uno ——— otro
one after another
trasladar   to transfer, translate, move
traspasar   to   exceed,   trespass,   go
through
trasquilado, -a   clipped, shorn
trastornar   upset, disturb
tratable   agreeable, manageable
tratado   treaty, treatise, discourse
tratar   to deal with; ——— de   to
try to; ——— en   to deal in; tra-
tarse de   to be a question of
trato   treatment, manners
través m.   bias, bend, crossbeam;
al ——— across; a ——— de
through
trecho   stretch, distance, piece; un
buen ——— a considerable distance
trepar   to climb
trigal m.   wheatfield
trigo   wheat
trilogía   trilogy
trinitario, -a   trinitarian
tripa   gut, intestine; hacer de tripas
corazón   to bolster one's courage
triste   sad
tristeza   sadness
triunfar   to win, succeed, conquer
trompa   snoot, snout
trono   throne
tropa   troops, herd, drove
tropel m.   mob

tropezar   to run across, stumble over
trotar   to trot
trozo   piece, bit, part
trueco   barter, exchange
trueno   thunder
tubo   tube, lamp chimney, pipe
tumbar   to knock down
tumbo   tumble, somersault
tunecí   Tunisian
turbación f.   disturbance, embarrassment
turbar(se)   to upset, disturb; to be disturbed, become upset
túrdiga   strip (of leather)
turgente   protuberant, prominent, ele-
vated, massive, pompous
turno   turn, time

ufano, -a   proud, conceited, boastful
último, -a   last
ultramar m.   beyond the sea
umbral m.   doorsill, threshold
umbrío, -a   shady
ungüento   salve, ointment
único, -a   unique, only
untar   to grease, smear with oil or
salve
uña   fingernail, toenail, claw (of animals)
usar   to use, wear
usurero m. & f.   profiteer, pawnbroker,
moneylender
útil   useful; días útiles   work days
utilidad f.   profit, utility
uva   grape

vacilar   to hesitate
vacío, -a   empty, hollow; m. vacuum
vago, -a   vague, roving, roaming
valentía   valor, courage
valer   to be worth; valerse de   to make
use of
valioso, -a   valuable, highly esteemed
valor m.   value, worth, courage
vanguardia   vanguard
vanidoso, -a   vain
vara   rod, twig, stick
varazo   whack with stick, rod, or switch
variar   to vary, change
vario, -a   various, varied; pl. several
varón m.   man, male, man of importance
vaya [ir]   go; ——— si   what do you
mean; ¡vaya!   come on! indeed!

vecino, -a neighboring; *m. & f.* woman, man neighbor; resident

veinte twenty

vela candle, vigil; sail

velador, -a one who watches over; *m.* candlestick, small table

velar to watch, be awake, keep vigil

velo veil, curtain, confusion

vena vein

vencido, -a defeated, conquered

venda bandage, gauze used for a bandage

vender to sell

vendimiador, -a *m. & f.* vintager, grape picker

veneno poison

venenoso, -a poisonous

venerar to venerate

venganza vengeance, revenge

vengar(se) to avenge, to take revenge

venir to come; **lo por ——** the future, what's to come

ventanilla window (of a coach or train); ticket window

ventura luck, good fortune; risk, danger

ver to see

vera edge, border

verdad *f.* truth

verdadero, -a true, real, actual

verde green; "off color," naughty, smutty

verdugo hangman, executioner

vergonzoso, -a bashful, ashamed, shameful

vergüenza shame, modesty, embarrassment

verso verse, line of poetry

vertiente *f.* slope, watershed

vertiginosamente dizzily

vestido clothing, dress

vestidura clothing

vestir(se) to dress; to dress oneself

vestuario uniform, wardrobe

vez *f.* time; **cada —— más** more and more; **rara ——** seldom; **tal ——** perhaps

vía [veía] saw

viaje *m.* trip, voyage

viajero, -a traveller

vibrar to vibrate

vicio vice, bad habit, defect

vida life

viejecito, -a little old man or woman

viejo, -a old; *m. & f.* old man, old woman

viento wind

vientre *m.* belly; womb

vigilar to watch over, keep guard

vil despicable, mean, vile

(en) vilo in the air, up in the air, in suspense

villa town; house in the country

visera visor of a cap

vislumbrar to glimpse, see dimly, make out

vista sight, view

vitualla victuals, food

vivaracho, -a lively, sprightly, frisky

viviente living, animated

vivir to live, be alive

vivo, -a alive

vocablo word

vocear to cry out, shout

volar to fly

voluntad *f.* goodwill, pleasure, will, fondness, wish

volver to return; **—— a + *inf.*** to do something again

voto vow, vote

voz *f.* voice; **voces** voices, outcries; **en —— alta** aloud

vuelta turn, return; **a la ——** on returning, around the corner; **estar de ——** to be back; **dar la ——** to turn around

vuelto change (money)

vulgar common, untrained, coarse, vernacular

ya already, now

yelmo helmet

yendo [ir] going

yerba grass, herb

yermo, -a uninhabited, desert; *m.* desert, wilderness

yerro error, mistake

yerto, -a stiff, rigid

zaguán *m.* vestibule, entrance hall

zapatero shoemaker

zapato shoe

zarco, -a light blue

zarza blackberry bush, briar

zarzo wattle

zozobra anxiety, worry, anguish